FRANCOPHONIES
D'AMÉRIQUE

FRANCOPHONIES
D'AMÉRIQUE

Automne 2014 – Printemps 2015

Numéro 38-39

Les Presses de l'Université d'Ottawa
Centre de recherche en civilisation canadienne-française

FRANCOPHONIES
D'AMÉRIQUE

Automne 2014 – Printemps 2015
Numéro 38-39

Directeurs :

PETER DORRINGTON
Université de Saint-Boniface
Courriel : pdorrington@ustboniface.ca
et
YVES FRENETTE
Université de Saint-Boniface
Courriel : yfrenette@ustboniface.ca

Conseil d'administration :

JIMMY THIBEAULT, président
Université Sainte-Anne

JOEL BELLIVEAU
Université Laurentienne

MARIÈVE FOREST
ACUFC

PIERRE FOUCHER
CRCCF, Université d'Ottawa

DIANE GÉRIN-LAJOIE
CREFO, Université de Toronto

MARTIN PÂQUET
Université Laval

JULES ROCQUE
Université de Saint-Boniface

CHRISTOPHE TRAISNEL
Université de Moncton

Comité éditorial :

MARIANNE CORMIER
Université de Moncton

SYLVIE DUBOIS
Louisiana State University

LUCIE HOTTE
Université d'Ottawa

CILAS KEMEDJIO
Université de Rochester

DOMINIQUE LAPORTE
Université du Manitoba

JEAN-PIERRE LE GLAUNEC
Université de Sherbrooke

JOHANNE MELANÇON
Université Laurentienne

MARIE-ÈVE PERROT
Université d'Orléans (France)

PAMELA V. SING
Université de l'Alberta

Recensions :

SANDRINE HALLION
Université de Saint-Boniface
Courriel : SHallion@ustboniface.ca

Assistantes de recherche : ÉMILIE LAFLÈCHE
et FRANCES RATELLE

Révision linguistique : JOSÉE THERRIEN
et COLETTE MICHAUD

Correction d'épreuves et coordination :
COLETTE MICHAUD

Mise en page et montage de la couverture :
MARTIN ROY

En couverture : Denise Comeau, *Limites* (détail),
techniques mixtes, 45,7 cm x 61 cm, 2015
(photographie : Denise Comeau).

Cette revue est publiée grâce à la contribution financière des institutions suivantes :

Association des collèges et universités de la francophonie canadienne (ACUFC) • CRCCF, Université d'Ottawa • CREFO, Université de Toronto • Université de Moncton • Université de Saint-Boniface • Université Laurentienne • Université Laval • Université Sainte-Anne

ISBN : 978-2-7603-0949-4
ISSN : 1183-2487 (Imprimé)
ISSN : 1710-1158 (En ligne)
Dépôt légal – Bibliothèque et Archives nationales du Québec, 2017
Dépôt légal – Bibliothèque et Archives Canada, 2017
Les Presses de l'Université d'Ottawa / Centre de recherche en civilisation canadienne-française, 2017
Imprimé au Canada

Comment communiquer avec

FRANCOPHONIES
D'AMÉRIQUE

POUR LES QUESTIONS D'ABONNEMENT, DE DISTRIBUTION
OU DE PROMOTION :

Martin Roy
Centre de recherche
en civilisation canadienne-française
Université d'Ottawa
65, rue Université, bureau 040
Ottawa (Ontario) K1N 6N5
Téléphone : 613 562-5800, poste 4007
Télécopieur : 613 562-5143
Courriel : Roy.Martin@uOttawa.ca
Site Internet : http://francophoniesdamerique.uottawa.ca

POUR TOUTE QUESTION RELEVANT DU SECRÉTARIAT DE RÉDACTION :

Colette Michaud
Secrétariat de rédaction, *Francophonies d'Amérique*
Centre de recherche
en civilisation canadienne-française
Université d'Ottawa
65, rue Université, bureau 040
Ottawa (Ontario) K1N 6N5
Téléphone : 613 562-5800, poste 4001
Télécopieur : 613 562-5143
Courriel : cmichaud@uOttawa.ca

Francophonies d'Amérique est disponible sur la plateforme Érudit à l'adresse suivante :
http://www.erudit.org/revue/fa/apropos.html

Francophonies d'Amérique est indexée dans :
Klapp, *Bibliographie d'histoire littéraire française* (Stuttgart, Allemagne)

International Bibliography of Periodical Literature (IBZ) et *International Bibliography of Book Reviews (IBR)* (Hasbergen, Allemagne)

International Bibliography of the Social Sciences (IBSS), The London School of Economics and Political Science (Londres, Grande-Bretagne)

MLA International Bibliography (New York)

REPÈRE – Services documentaires multimédia

Table des matières

La poésie franco-canadienne
de la longue décennie 1970 (1968-1985)

RECENSIONS

Présentation

FRANCOPHONIES
D'AMÉRIQUE

NOUS SOMMES HEUREUX de présenter à nos lecteurs le numéro 38-39 de *Francophonies d'Amérique*, qui célèbre son vingt-cinquième anniversaire en 2017. C'est le premier numéro dont nous sommes responsables depuis notre nomination à titre de codirecteurs de la revue, le 1ᵉʳ juin 2015. Nous sommes honorés par cette nomination et nous ferons tout en notre pouvoir pour continuer la tradition d'excellence instaurée par le directeur fondateur Jules Tessier et maintenue par ses successeurs Paul Dubé, Marie-Linda Lord et François Paré. Nous remercions particulièrement ce dernier de nous avoir facilité la tâche en assurant une transition en douceur.

Francophonies d'Amérique fera face à plusieurs défis dans les prochaines années. Certains sont communs à toutes les revues savantes, tel le passage au numérique. D'autres ont trait au mandat particulier de notre revue, c'est-à-dire celui de diffuser les meilleurs travaux portant sur les différentes aires francophones du continent, et ce, dans toutes les disciplines des sciences humaines. La direction doit donc assurer le caractère pluridisciplinaire de la revue ainsi que la couverture des États-Unis et des Antilles, ce qui a toujours été difficile à faire. Nous redoublerons d'efforts en ce sens. Mais notre tâche la plus urgente consistera à rattraper le retard considérable dans la parution de la revue. Déjà, de concert avec le conseil d'administration, nous avons mis en place des mécanismes pour corriger le tir.

La revue est privilégiée de pouvoir compter sur le soutien financier de presque toutes les universités de la francophonie hors Québec ainsi que sur l'expertise de l'équipe d'édition du Centre de recherche en civilisation canadienne-française (CRCCF) de l'Université d'Ottawa, dont celle, au premier chef, de Colette Michaud. À partir du numéro double 40-41, nous bénéficierons aussi de l'expertise de Martin Normand en tant que responsable des comptes rendus. Il remplace Sandrine Hallion, à qui nous exprimons notre plus vive reconnaissance pour un travail toujours bien fait. Nos remerciements s'adressent aussi à nos assistantes de recherche, Émilie LaFlèche et Frances Ratelle, dont une des tâches consiste à préparer la bibliographie annuelle.

Le présent numéro est en grande partie consacré à un dossier thématique dirigé par Emir Delic et Jimmy Thibeault. Dans les différents textes constituant ce dossier, on se penche sur le moment dans l'histoire de la poésie de la francophonie canadienne à partir duquel le geste poétique se conçoit comme une affirmation de soi tantôt individuelle, tantôt collective. Selon la thèse que les codirecteurs développent dans leur introduction au dossier, cette période, qu'ils évoquent sous le nom de « la longue décennie 1970 », commence vers 1968 et se prolonge jusqu'en 1985. Qu'il s'agisse du Québec, de l'Acadie, de l'Ontario français ou encore de l'Ouest francophone, on assiste alors, selon Delic et Thibeault, à l'avènement à la modernité de la poésie franco-canadienne dans toute sa fraîcheur, sa richesse et son urgence. Les textes réunis dans le dossier nous permettent justement, avec un recul de quarante ans, de mieux saisir le sens profond de voix francophones qui se voulaient résolument modernes.

Enfin, outre les comptes rendus et la présentation des publications et thèses soutenues pour l'année 2014, le numéro 38-39 comprend également un article substantiel de Mathieu Charron, qui dresse un « portrait de famille » contemporain des communautés francophones en situation minoritaire et propose une catégorisation originale.

Bonne lecture !

Les codirecteurs,

Peter Dorrington et Yves Frenette

La poésie franco-canadienne de la longue décennie 1970 (1968-1985)

Introduction

Emir Delic et **Jimmy Thibeault**
Université Sainte-Anne

> Mieux que toute autre forme d'expression littéraire, la poésie a pu puiser à l'inconscient de la minorisation et a affirmé, en dépit de tout, la suprématie de la parole sur le silence.
> FRANÇOIS PARÉ, « La poésie franco-ontarienne »

É CLATEMENT ET MORCELLEMENT, voilà deux termes ordinairement employés, non sans raison, pour décrire la situation de la francophonie canadienne au tournant de 1970. Car au même rythme que se précisent à cette époque les tendances nationalistes et indépendantistes au Québec et que la dénomination « Canadien français[1] » tombe en désuétude, les communautés francophones évoluant à l'extérieur du traditionnel bastion de la langue et de la vie françaises en Amérique sont amenées à s'affirmer dans leur spécificité. Ce besoin d'affirmation identitaire nourrira un bouillonnement culturel sans précédent porté, par-dessus tout, par la création littéraire. Ainsi, en parallèle à l'émergence de la littérature québécoise, elle-même clairement amorcée depuis 1960, on assiste une dizaine d'années plus tard à la naissance d'institutions littéraires francophones distinctes en Acadie, en Ontario et dans l'Ouest canadien, notamment grâce à la fondation de maisons d'édition, à commencer par les Éditions d'Acadie (1972), les Éditions Prise de parole (1973) et les Éditions du Blé (1974). Permettant pour la première fois aux auteurs locaux de faire paraître leurs textes sans passer par le giron québécois (ou français) et sans se plier aux impératifs idéologiques d'une élite religieuse ou politique gardant la mainmise sur les seuls véritables lieux

---

[1] Pour un bon survol de l'évolution de la dénomination des « Français d'Amérique », telle qu'elle se rapporte en particulier à l'Ontario français, voir Danielle Juteau-Lee (1980).

de publication existants qu'étaient alors les journaux, ces trois maisons d'édition seront indissolublement liées à l'émergence de la littérature et de la culture d'expression française en milieu minoritaire au Canada. À vrai dire, il s'agit moins d'une « naissance » ou d'une « émergence » de ces corpus que de leur avènement à la modernité, chacun d'entre eux dérivant de l'ancien grand ensemble des écrits canadiens-français, qui plonge ses racines jusqu'aux années 1530. S'il ne fait alors pas de doute que l'avènement à la modernité des littératures québécoise, acadienne, franco-ontarienne et franco-ouestienne[2] contemporaines participe des logiques de dissolution, la question se pose de savoir si cet avènement s'est déployé uniquement sous les signes de rupture, d'éloignement et de résorption inhérents à ces logiques.

N'est-il pas permis de penser, en fait, qu'un certain nombre de similitudes ont été tout aussi déterminantes pour l'évolution des différentes littératures franco-canadiennes[3] que les dissimilitudes qui présidaient – et qui continuent de présider – à leur autonomisation ? Après tout, ces littératures ne sont-elles pas toutes entrées dans la modernité en misant

---

[2]   De plus en plus utilisé, cet adjectif désigne les communautés francophones des provinces canadiennes situées à l'ouest de l'Ontario, soit les trois provinces des Prairies et la Colombie-Britannique. Il revient à Yvan G. Lepage (2005 : 73).

[3]   L'épithète « franco-canadien » dénote ici l'ensemble de la francophonie canadienne, y compris le Québec. En effet, si certains critiques l'utilisent depuis la fin des années 2000 pour signaler une nouvelle configuration de l'espace culturel « canadien-français », par opposition à l'espace culturel « québécois », il est opportun de se demander dans quelle mesure cette nouvelle configuration ne participe pas, en deçà des convergences et des solidarités entre les communautés francophones hors Québec, de nouvelles relations – ou de nouvelles perceptions de relations déjà existantes, mais obscurcies au cours du dernier demi-siècle – entre ces communautés et le Québec. Car si François Paré, dans *Le fantasme d'Escanaba*, en arrive à la conclusion que « le Québec actuel ne pourra saisir sa véritable américanité que le jour où il prendra acte du récit diasporal qui l'habite » (2007 : 171), n'est-il pas aussi vrai que les communautés francophones minoritaires du Canada (et des États-Unis) qui portent ce récit diasporal québécois ne pourront saisir leurs véritables identités, elles aussi tributaires de remarquables rencontres et métissages entre francité et américanité, sans prendre acte de leurs multiples filiations au Québec ? Aussi, à l'instar de la « franco-américanité » telle que conçue par Dean Louder, Jean Morisset et Éric Waddell (2001, 2008, 2013), la « franco-canadienneté » telle que nous l'envisageons dans ce dossier se veut-elle inclusive : sans aucunement ignorer les spécificités des littératures francophones du Canada, elle invite à un regard croisé de leurs réalités et, partant, à une meilleure compréhension et de leur unicité respective et de leur communalité.

sur la dimension à la fois idéologique et heuristique de la présence publique de la création artistique ? Ne logeaient-elles pas toutes au carrefour des multiples tendances formelles et thématiques des deux continents, américain et européen ? Cette position intermédiaire, aussi infortunée que fortunée, ne les a-t-elle pas conduites à la remise en cause des contraintes de toutes sortes et à la recherche d'idées et d'esthétiques nouvelles ? Et ce faisant, ne cherchaient-elles pas à faire appel, souvent simultanément, autant aux dimensions ludiques qu'aux ressources illuminantes du langage ? Ce sont donc pareilles confluences des littératures franco-canadiennes, au moment de leur avènement à la modernité, que ce dossier se propose d'explorer en abordant le genre qui, selon le mot célèbre de Paul Valéry, « n'est que la littérature réduite à l'essentiel de son principe actif » (1960 : 548), à savoir la poésie. Notre regard se portera plus précisément sur les œuvres poétiques parues entre 1968 et 1985, période qu'on pourrait nommer la « longue décennie 1970[4] » dans la mesure où elle accuse, malgré ses multiples plissements propres aux différents milieux, une certaine cohérence des schèmes intellectuels et esthétiques à l'œuvre dans l'émergence des corpus littéraires franco-canadiens distincts.

Avant d'aborder la périodisation, il convient d'éclaircir les raisons qui ont mené au choix exclusif de la poésie comme corpus à l'étude. Si celle-ci se révèle d'emblée un terreau de réflexion des plus fertiles sur les « (in)(ter)dépendances[5] » encore trop peu explorées, sinon franchement niées[6], des littératures franco-canadiennes pendant la longue décennie 1970, ce n'est pas seulement parce qu'elle constitue, comme le souligne François Paré, « le langage même des marginalités » ([1992] 2001 : 24)[7] ni même parce que la poésie, en opérant un retour continuel du langage sur lui-même et en étant de la sorte foncièrement dialogique, se présente comme une forme de connaissance unique, chaque fois renouvelée, du

---

[4] Afin de ne pas nuire à la lisibilité du texte, cette désignation ne sera plus mise entre guillemets.

[5] Selon la belle expression de Benoit Doyon-Gosselin (2010).

[6] Gaston Tremblay, par exemple, émet l'hypothèse d'une origine absolue de la littérature franco-ontarienne dans son ouvrage *La littérature du vacuum : genèse de la littérature franco-ontarienne* (2016).

[7] Comme l'indique le propos de Paré présenté en épigraphe, la place centrale de la poésie dans les milieux minoritaires se confirme dans l'ensemble des travaux du grand théoricien de la minorisation, rythmés qu'ils sont par des œuvres poétiques d'origines diverses.

monde[8]. C'est aussi parce que la simple pratique de la poésie permet de faire apparaître les conditions de vie singulières, et pourtant apparentées, des communautés francophones, plus ou moins minorisées, qui sont dispersées à travers le Canada et, plus largement, l'Amérique du Nord[9]. Dans un article intitulé « L'océan Amérique : notes sur un archipel identitaire », Pierre Nepveu formule des remarques pénétrantes à ce sujet :

> L'impossible ou du moins l'improbable, l'invraisemblable, n'y a-t-il pas là quelque chose qui décrit avec justesse le fait d'écrire *des poèmes en français*, en Amérique du Nord ? N'est-ce pas ce qui, tout compte fait et malgré l'évidente asymétrie entre le Québec et l'ensemble de la Franco-Amérique, nous rassemble quelque part ? [...]
>
> [C]e qui rend si improbable le fait d'écrire des poèmes en français sur ce continent n'apparaît jamais mieux que dans cette autre métaphore maritime, ce lieu commun que n'importe quel francophone d'Amérique du Nord, même un Québécois, peut reprendre à son compte : c'est le sentiment d'être dispersé, perdu, potentiellement *noyé* dans une *mer* anglophone. Si l'on peut parler d'un « archipel identitaire canadien-français », c'est toujours sur ce fond d'engloutissement possible dans l'océan Amérique (2012 : 21-22 ; en italique dans le texte).

Faisant écho aux travaux retentissants des géographes Dean Louder, Jean Morisset et Éric Waddell ([1983] 2007, 2001, 2008, 2013), ces propos du poète et critique québécois mettent l'accent, non sur les divergences, mais sur une convergence essentielle entre les différentes communautés de la Franco-Amérique : par-delà leurs différences géographiques, politiques ou socioculturelles bien réelles, leur filiation originelle fondée sur les migrations continentales de même que les expériences diasporiques qui s'en sont suivies[10] font ensemble en sorte qu'une précarité et une inquiétude plus ou moins diffuses les habitent immanquablement. Or, de tous les genres littéraires, la poésie n'est-elle pas, grâce à ses modes

---

[8]   On se souviendra du statut singulier que Jean-Paul Sartre attribue à la poésie dans *Qu'est-ce que la littérature ?*, où il fait valoir que sa signification ne gît ni dans les mots ni dans les choses, ni dans le signifiant ni dans le signifié, mais dans leur interaction constante : « [...] puisque les mots sont incréés, comme les choses, le poète ne décide pas si ceux-là existent pour celles-ci ou celles-ci pour ceux-là. Ainsi s'établit entre le mot et la chose signifiée un double rapport réciproque de ressemblance magique et de signification » ([1948] 2008 : 20-21).

[9]   N'oublions pas que l'ancien Canada français regroupait, dans son imaginaire nationalitaire non étatique, toutes les communautés de langue française de l'hémisphère Nord du continent américain. Voir, par exemple, Roger Bernard (1998).

[10]   Voir François Paré (2003, 2007).

de fonctionnement complexes, abstrus, exigeant une attention soutenue, celui qui sache le mieux forer, sonder et interroger les zones précaires et inquiétantes de l'expérience sensible du vécu ? Si tous les genres littéraires se montrent lucides à l'égard de la condition humaine, la poésie n'est-elle pas, tant soit peu, extralucide ? « De tous [*sic*] temps, écrit Léon-Paul Fargue dans *Lanterne magique*, la poésie fut toujours ce qu'il y a de plus "moderne", de plus dynamique. Elle est là qui nous précède et qui nous traîne vers l'avenir » ([1944] 2015 : 24). De pareille clairvoyance, les poètes de la francophonie canadienne, d'hier à aujourd'hui, nous fournissent des légions d'exemples, tant leurs œuvres sont inséparables de l'évolution des communautés qui forment ce vacillant mais résilient « archipel identitaire canadien-français » évoqué par Nepveu. Voilà pourquoi, bien que ce dossier se focalise sur la poésie, la notion de longue décennie 1970 – laquelle dénote, rappelons-le, la période où apparaît la modernité dans le champ littéraire franco-canadien – ne se limite guère à ce genre. Seulement, les contours de cette période se sont en quelque sorte d'abord dégagés dans et par la poésie avant de gagner les autres contrées littéraires et artistiques. Aussi la poésie se signale-t-elle comme une voie privilégiée pour une première exploration des traits saillants de la période en question.

Il reste à dire quelques mots sur les balises temporelles qu'on propose ici pour délimiter la longue décennie 1970 : 1968-1985. Soyons clairs : il est question, à l'aide de cette périodisation, de mettre en lumière un certain « air du temps » identifiable à la *durée* de l'avènement à la modernité des littératures québécoise, acadienne, franco-ontarienne et franco-ouestienne, et non pas de traiter de tel *moment précis*, forcément différent, qui ouvre la modernité respective de tel corpus. Ajoutons que, comme toute périodisation historique s'appuie sur un agencement général d'un certain nombre de traces et de témoignages, d'autres traces et témoignages pourraient sans doute conduire à établir d'autres limites à la période étudiée. Ce qui semble sûr, cependant, c'est que, peu importe la périodisation, la décennie 1970 affiche une certaine « longueur » dans le contexte de l'évolution des littératures franco-canadiennes. Car pour peu que l'on convienne que l'avènement à la modernité des littératures franco-canadiennes s'est déployé sous les enseignes d'une *affirmation de soi* (individuelle et collective) par la prise de parole et la revendication de sa légitimité, il se trouve que cette affirmation déborde, des deux côtés, les années 1970, même si elle s'y concentre. Si tel est le cas, c'est parce que le contexte sociohistorique et culturel qui a conditionné la période était à la fois local et global : d'une part, chaque région a connu, à sa manière et selon son rythme particulier, une sorte de « révolution tranquille », caractérisée, entre autres, par la laïcisation des institutions, la circulation d'idées et de mœurs jadis proscrites par l'élite et la montée de nouveaux groupes de chefs de file (les jeunes, les masses populaires et les intellectuels engagés) ; d'autre part, en même temps que les différents milieux de la francophonie canadienne s'influençaient mutuellement, le Québec occupant une place de choix dans cette dynamique, tous subissaient l'influence incontournable qu'exerçaient à l'époque les divers mouvements populistes, coopératifs et contestataires, nourris à l'esprit de la contre-culture américaine[11]. Si l'année 1968 a connu plusieurs bouleversements à l'échelle mondiale (révoltes étudiantes en Europe, au Japon et en Amérique du Nord ; grève générale en France ; tensions raciales aux États-Unis ; assassinat de Martin Luther King ; guerre du Viet Nam ; réélection de Léopold Sédar Senghor à la présidence du Sénégal ; signature du Traité sur la non-prolifération des armes nucléaires, etc.), elle a aussi laissé des marques indélébiles sur la francophonie canadienne. Tracées dans le sillage des assises nationales des États généraux du Canada français qui se sont tenues en novembre 1967 et qui ont fait éclater au grand jour une scission dans la « nation canadienne-française », ces marques incluent le « moment 68 » (Belliveau, 2014) en Acadie, la création du Parti québécois, les consultations de l'Association canadienne-française d'éducation d'Ontario en vue de l'élargissement de son mandat (l'Association redéfinit ce dernier en 1969 et devient l'année suivante l'Association canadienne-française de l'Ontario) et la fondation de la Société franco-manitobaine. Notons également que la Commission royale d'enquête sur le bilinguisme et le biculturalisme fait paraître, en 1968, le deuxième des six volumes de son

---

[11]   Frédéric Rondeau en brosse un excellent tableau général : « La contre-culture offre [...] une forme de réponse à la société américaine de l'époque. Face au développement rapide des médias de masse, elle crée la *Free Press* et les médias alternatifs ; constatant l'industrialisation galopante, elle propose des expériences communautaires (retour à la nature, communes) ; s'opposant à la Guerre au Viet Nam, elle promeut le mouvement pacifiste ; rompant avec la tradition et la morale petite-bourgeoises [*sic*], elle prône la libération sexuelle et l'usage de drogues ; dénonçant les privilèges accordés à la majorité blanche, elle cherche à mettre en valeur les minorités (*Black Panther Party*, « Chicanos », Amérindiens, mouvements homosexuels) ; se détournant du christianisme, elle s'intéresse à la spiritualité orientale ; enfin, luttant contre la technocratie, elle préconise la création, les *happenings* et l'improvisation » ([s. d.], [s. p.]).

rapport final (il s'agit de celui sur la question cruciale de l'éducation) et que c'est sur la recommandation de cette commission que *La loi sur les langues officielles* du Canada est promulguée en 1969. Outre ces quelques repères historiques qui auront une influence durable sur la francophonie canadienne, il importe de remarquer, en ce qui concerne le domaine littéraire, que c'est en 1968 que paraît *Nègres blancs d'Amérique* de Pierre Vallières et que Michèle Lalonde rédige, à la suite de l'emprisonnement de Vallières pour ses activités au sein du Front de libération du Québec, le fameux poème *Speak White*, qu'elle récitera à la mythique Nuit de la poésie du 27 mars 1970 au théâtre Gesù, à Montréal. On sait aujourd'hui que ce *happening* poétique a galvanisé autant la population québécoise que les autres communautés francophones du Canada, si bien qu'il apparaît comme étant à l'origine de la grande majorité des événements publics ou privés consacrés à la poésie – ces « cuisines » ou « soirées » de poésie ayant lieu tantôt dans des bars, des cafés ou des salles de spectacle, tantôt chez tel poète – qui scandent la longue décennie 1970 et dont l'héritage se prolonge jusqu'à nos jours. Au début de cette longue décennie, l'heure est donc manifestement à l'affirmation de soi véhémente, voire militante, ressentie comme une libération, un cri du cœur, et conjuguée à l'éveil d'une conscience en quête de légitimation. Il en va de même, d'ailleurs, pour la fin de la période, soit 1985. En fait, en dépit de certains événements majeurs sur le plan international et national (affaire du *Rainbow Warrior*, crise de Sigonella, attentat terroriste du vol 182 d'Air India, séparation entre les associations des travailleurs de l'automobile du Canada et des États-Unis, etc.), les bouleversements socioculturels de 1985 influent nettement moins sur la francophonie canadienne et, partant, sur sa littérature que ceux de 1968. Or, si ce ne sont pas eux qui, en transitant par la création artistique, signent en 1985 la fin de la longue décennie 1970, à quoi tient ce jalon terminal ? En bref, à l'essoufflement de la volonté d'affirmation de soi telle qu'elle s'est manifestée jusqu'alors.

Tout porte à croire, en ce sens, que l'affirmation de soi, à force de déceler peu à peu ses limites durant la longue décennie, cède le pas à une nouvelle quête qui implique d'autres *topos*, d'autres voyages, d'autres itinéraires[12]. Si l'on devait donner un nom à cette nouvelle quête, qui est souvent entreprise par une exploration de l'ailleurs ou une rencontre de

---

[12]   Sur ce sujet, on consultera avec intérêt Jacques Paquin (2012), Robert Yergeau (2004) et Lélia L. M. Young (2012).

l'autre, ce serait vraisemblablement celui de la *connaissance de soi*. L'acte de passer de la volonté d'affirmation de soi à celle de connaissance de soi est on ne peut mieux illustré dans le film *Toutes les photos finissent par se ressembler* d'Herménégilde Chiasson. Paru en 1985, ce magnifique court-métrage met en scène une conversation que tiennent, dans un restaurant de Moncton, un artiste, en l'occurrence Herménégilde Chiasson, et sa fille. Aspirant à devenir écrivaine, la fille demande des conseils au père qui, en guise de réponse, lui raconte, dans un vacillement constant entre présent et passé, entre récit enchâssé et récit enchâssant, son cheminement tâtonnant et son engagement, supposément déclinant, dans le milieu littéraire et artistique acadien moderne. Si l'on se demande à la fin de l'œuvre qui, du père ou de la fille (ou du spectateur), a bénéficié le plus de cet échange curieux, il reste que la possibilité même d'un retour sur le passé révolu à la faveur d'un regard sobre, réflexif et rétrospectif repose sur une volonté de connaissance dépassant de loin le besoin élémentaire, immédiat, de se dire. Il y a donc eu non seulement passage, mais aussi cheminement. Cheminement vers la connaissance de soi (de la fille et du père) à travers l'affirmation de soi (du père et de la fille).

En poésie, ce cheminement vers la connaissance de soi semble passer par l'une ou l'autre de quatre déclinaisons de l'affirmation de soi (ou encore par des combinaisons de ces dernières), déclinaisons qui s'articulent en autant de courants poétiques qui façonnent, de bout en bout, la poésie franco-canadienne de la longue décennie 1970. L'affirmation de soi ayant d'emblée été associée à l'éveil d'une conscience collective, il n'est pas étonnant que le courant esthétique qui prédomine pendant la longue décennie 1970 soit la « poésie du pays ». Prônant le réalisme et la quotidienneté, celle-ci s'attache à promouvoir et à exalter les valeurs de la communauté. Si cette écriture identitaire est présente aussi bien en 1968 qu'en 1985, elle a pour ainsi dire changé de terroir. Car, après avoir été exploitée au Québec par les poètes réunis autour de Gaston Miron et des Éditions de l'Hexagone à compter de 1953 et après avoir atteint son apogée à la Nuit de la poésie en 1970, elle va progressivement s'effriter dans la Belle Province et élira domicile, jusqu'à la fin de la longue décennie 1970, en Acadie, en Ontario et, dans une moindre mesure, dans l'Ouest canadien. Le deuxième courant esthétique majeur de la période est représenté par la « poésie contre-culturelle ». Elle prend aussi son envol en 1968 avec la parution de *Pornographic Delicatessen* de Denis Vanier (1968). Puisant dans la poétique de la *beat generation*, se faisant volontiers bercer par les rythmes de la révolte ou de la plainte (rock, jazz, soul) et affectant parfois l'image du poète « maudit » ou « déchu », les poètes contre-culturels explorent corps et âme le goût et le mal de vivre dans l'ici-maintenant. Il est intéressant d'observer que c'est en Acadie et en Ontario français qu'émergent, à partir de 1973, les œuvres qui marient peut-être de la manière la plus constante et la plus riche poésie du pays et poésie contre-culturelle. Nous songeons ici, du côté acadien, aux œuvres poétiques de Raymond Guy LeBlanc, de Guy Arsenault et d'Herménégilde Chiasson et, du côté ontarien, à celles de Jean Marc Dalpé, de Patrice Desbiens et de Michel Vallières. En 1968, on assiste à un autre mariage poétique puissant : *L'écho bouge beau* (1968) de Nicole Brossard unit le formalisme au féminisme, et ce, dans cet ordre. En effet, tandis que la poésie formaliste, orientée vers l'exploration de l'imaginaire et du langage, s'implante dans les littératures franco-canadiennes au moins depuis la création de la revue *La Barre du jour* [13] en 1965, la poésie féministe, axée sur l'expression du sujet féminin par l'exploration du langage, s'imposera réellement à partir de 1975, grâce à un autre recueil de Brossard, *La partie pour le tout* (1975). À l'instar de Brossard, la plupart des poètes franco-canadiens de la longue décennie affichent, en effet, une prédilection pour plus d'un courant poétique. En font foi, parmi d'autres, Claude Beausoleil, François Charron, Madeleine Gagnon et France Théoret au Québec ; Rose Després, Gérald Leblanc et Dyane Léger en Acadie ; Robert Dickson et Michel Dallaire en Ontario ; et J. R. Léveillé et Paul Savoie dans l'Ouest canadien. Voilà qui montre que la poésie du pays, la poésie contre-culturelle, la poésie formaliste et la poésie féministe, qui traversent, toutes, les œuvres franco-canadiennes de la longue décennie 1970 ne sont ni étanches ni mutuellement exclusives. Elles n'en investissent pas moins les textes de cette période d'un lien sociopoétique qui leur est propre.

Les contributions qui composent ce dossier proposent donc une (re)lecture de la poésie issue des différentes régions francophones du Canada dans l'optique de la longue décennie 1970. Partant de la prémisse que l'on assiste à un mouvement global d'affirmation identitaire au sein des communautés de la francophonie canadienne qui n'est plus celui de l'ancien Canada français, les articles du dossier nous invitent à comparer et à contraster la prise de parole issue des différentes régions, lesquelles manifestaient à l'époque leurs particularités culturelles tout en maintenant un certain lien sociopoétique. L'idée du présent dossier

---

[13]   La revue devient *La Nouvelle Barre du jour* en 1977.

n'est évidemment pas de gommer les particularités culturelles des diverses communautés, mais bien de voir comment ces communautés, par la poésie, ont porté un même désir de s'affirmer, de se dire, de prendre une place dans le monde littéraire qui ne les enfermerait pas d'emblée dans une identité réductrice, menottée aux traditionnelles références régionalistes, religieuses et folkloriques.

Les deux premiers textes du dossier abordent la poésie de différentes régions francophones du Canada par un regard croisé qui révèle certaines cohérences dans leur affirmation sociale et culturelle. Jimmy Thibeault explore en ce sens le discours d'affirmation identitaire qui se met en place en Acadie et en Ontario français au cours des années 1970 et 1980 à travers le prisme de la franco-américanité. Élise Lepage étudie, pour sa part, trois auteures majeures, André Lacelle, Hélène Dorion et Dyane Léger, dont les premiers recueils ont d'abord reçu un accueil timide parce qu'ils ne correspondaient pas au discours identitaire de l'époque, essentiellement masculin. Les articles de Thibeault et Lepage ouvrent ainsi la réflexion sur la longue décennie 1970 en repensant les espaces culturels issus de l'ancien Canada français à partir de l'image de l'archipel, telle qu'évoquée plus tôt.

Les articles de Lise Gaboury-Diallo et de Thierry Bissonnette revisitent respectivement les mouvements de la modernité franco-manitobaine et ceux de la contre-culture québécoise. Gaboury-Diallo offre une lecture de la poésie franco-manitobaine qui se profile dans les années 1970 et 1980, et qui repose en partie sur le désir des poètes – particulièrement Paul Savoie, J. R. Léveillé et Charles Leblanc – de se dire dans leur modernité. Les poètes, en tant qu'individus, habiteraient alors leur poésie, non à la manière de porte-parole de la communauté, mais à la manière de sujets se mettant au service de l'écriture. Bissonnette, quant à lui, relève un même désir d'individualisation de la poésie chez les poètes québécois de la contre-culture, notamment chez Claude Péloquin, Lucien Francoeur et Michel Beaulieu. En examinant plus précisément la posture de ces poètes, Bissonnette tire au clair un certain malaise intergénérationnel qui oppose ces écrivains, d'une part, aux générations précédentes et, d'autre part, à la génération suivante, en laquelle ils ne reconnaissent pas, ou peu, une véritable relève.

Le dossier se termine par deux articles qui proposent une relecture, au moyen du concept de longue décennie 1970, d'œuvres bien connues de la critique. Dans son article, Michael Brophy s'intéresse au rôle qu'a joué la poésie d'Herménégilde Chiasson dans la construction d'une « poéthique » acadienne. Pour Brophy, l'œuvre de Chiasson, particulièrement *Mourir à Scoudouc* (1974) et *Toutes les photos finissent par se ressembler* (1985), proposerait, à travers l'appel d'une certaine finitude, de passer de la « survivance » à la « survenance » d'une parole véritablement acadienne. Julia Hains, pour sa part, étudie la tension qui existe dans la poésie de J. R. Léveillé entre la revendication d'autonomie du texte et la participation active du sujet écrivain à la légitimation de la communauté. Si, à l'instar de Gaboury-Diallo, Hains reconnaît que Léveillé refuse de limiter son œuvre à son contexte d'écriture, il lui semble que cette écriture n'est pas exempte de tension entre l'autonomie esthétique et la parole communautaire, une tension qui amène à penser l'écriture, non pas par le rejet de toute trace identitaire, mais plutôt dans son dépassement.

Examiner la poésie franco-canadienne dans la perspective de la longue décennie 1970 permet, somme toute, de constater combien la réception différenciée de la parole poétique est à même d'alimenter un regard toujours renouvelé, non seulement sur un corpus littéraire, mais encore sur l'être-ensemble de l'ondulant imaginaire diasporique de la francophonie canadienne.

BIBLIOGRAPHIE

BELLIVEAU, Joel (2014). *Le « moment 68 » et la réinvention de l'Acadie*, Ottawa, Les Presses de l'Université d'Ottawa et le Centre de recherche en civilisation canadienne-française.

BERNARD, Roger (1998). *Le Canada français : entre mythe et utopie*, Ottawa, Les Éditions du Nordir.

BROSSARD, Nicole (1968). *L'écho bouge beau*, Montréal, Éditions Estérel.

BROSSARD, Nicole (1975). *La partie pour le tout*, Montréal, Éditions de l'Aurore.

CHIASSON, Herménégilde (1974). *Mourir à Scoudouc*, Moncton, Éditions d'Acadie.

CHIASSON, Herménégilde (réalisateur) (1985). *Toutes les photos finissent par se ressembler*, [film documentaire], Office national du film, 54 min 2 s, [En ligne], [https://www.onf.ca/film/toutes_les_photos_finissent_par_se_ressembler/] (14 janvier 2017).

Doyon-Gosselin, Benoit (2010). « (In)(ter)dépendance des littératures francophones du Canada », *Québec Studies*, n° 49 (été), p. 47-58.

Fargue, Léon-Paul ([1944] 2015). « Notes sur la poésie », *Lanterne magique : chroniques littéraires de Paris occupé*, Paris, Seghers, p. 23-26.

Juteau-Lee, Danielle (1980). « Français d'Amérique, Canadiens, Canadiens français, Franco-Ontariens, Ontarois : qui sommes-nous ? », *Pluriel*, n° 24, p. 21-42.

Lalonde, Michèle (1974). *Speak White*, Montréal, Les Éditions de l'Hexagone.

Lepage, Yvan G. (2005). « Rôle et enjeux de la collection "Bibliothèque canadienne-française" », *Liaison*, n° 129, p. 73-76.

Louder, Dean (2013). *Voyages et rencontres en Franco-Amérique*, Québec, Éditions du Septentrion.

Louder, Dean, Jean Morisset et Éric Waddell (dir.) (2001). *Vision et visages de la Franco-Amérique*, Québec, Éditions du Septentrion.

Louder, Dean, et Éric Waddell (dir.) ([1983] 2007). *Du continent perdu à l'archipel retrouvé : le Québec et l'Amérique française*, Québec, Les Presses de l'Université Laval.

Louder, Dean, et Éric Waddell (dir.) (2008). *Franco-Amérique*, Québec, Éditions du Septentrion.

Nepveu, Pierre (2012). « L'océan Amérique : notes sur un archipel identitaire », dans Lélia L. M. Young (dir.), *Langages poétiques et poésie francophone en Amérique du Nord*, Québec, Les Presses de l'Université Laval, p. 17-30.

Paquin, Jacques (dir.) (2012). *Nouveaux territoires de la poésie francophone au Canada, 1970-2000*, Ottawa, Les Presses de l'Université d'Ottawa.

Paré, François ([1992] 2001). *Les littératures de l'exiguïté*, Ottawa, Les Éditions du Nordir.

Paré, François (2003). *La distance habitée*, Ottawa, Les Éditions du Nordir.

Paré, François (2007). *Le fantasme d'Escanaba*, Québec, Éditions Nota bene.

Paré, François (2010). « La poésie franco-ontarienne », dans Lucie Hotte et Johanne Melançon (dir.), *Introduction à la littérature franco-ontarienne*, Sudbury, Éditions Prise de parole, p. 113-152.

Rondeau, Frédéric ([s. d.]). « Contre-culture », dans Anthony Glinoer et Denis Saint-Amand (dir.), *Le lexique socius*, [s. p.], [En ligne], [http://ressources-socius.info/index.php/lexique/21-lexique/60-contre-culture] (10 janvier 2017).

Sartre, Jean-Paul ([1948] 2008). *Qu'est-ce que la littérature ?*, Paris, Éditions Gallimard.

Tremblay, Gaston (2016). *La littérature du vacuum : genèse de la littérature franco-ontarienne*, Ottawa, Éditions David.

Valéry, Paul (1960). *Œuvres*, t. II, édité par Jean Hytier, Paris, Éditions Gallimard.

Vallières, Pierre ([1968] 2011). *Nègres blancs d'Amérique*, Montréal, Éditions Typo.

Vanier, Denis (1968). *Pornographic Delicatessen*, Montréal, Éditions Estérel.

YERGEAU, Robert (dir.) (2004). *Itinéraires de la poésie : enjeux actuels en Acadie, en Ontario et dans l'Ouest canadien*, Ottawa, Les Éditions du Nordir.

YOUNG, Lélia L. M. (dir.) (2012). *Langages poétiques et poésie francophone en Amérique du Nord*, Québec, Les Presses de l'Université Laval.

La prise de parole poétique de la longue décennie 1970 : une trace de la franco-américanité

Jimmy Thibeault
Chaire de recherche du Canada en études acadiennes et francophones
Université Sainte-Anne

Demain	*Ici*
Nous vivrons les secrètes planètes •	où la distance use les cœurs pleins
D'une lente colère à la verticale sagesse des rêves	de la tendresse minerai de la
J'habite un cri de terre en amont des espérances	terre de pierre de forêts et de froid
Larguées sur toutes les lèvres	*nous*
Déjà mouillées aux soleils des chalutiers	
incandescents	têtus souterrains et solidaires
	lâchons nos cris rauques et rocheux
Et toute parole abolit le dur mensonge	aux quatre vents
Des cavernes honteuses de notre silence	de l'avenir possible
RAYMOND GUY LEBLANC ([1972] 2012 : 47)	ROBERT DICKSON (1978 : [26])

LES ANNÉES 1970 et le début des années 1980 représentent dans l'espace culturel franco-canadien des années d'une grande effervescence sur les plans social, artistique et littéraire, plus particulièrement en poésie. Il se produit effectivement, dans le sillage de l'affirmation nationaliste du Québec et de son rejet d'une certaine idée du Canada français perçu comme passéiste, une importante mobilisation artistique qui donnera lieu à la création d'un discours identitaire qui se veut représentatif de la réalité propre aux espaces minoritaires évoluant hors des frontières québécoises. Ce mouvement d'affirmation identitaire a entraîné chez plusieurs le constat d'une fracture nette entre les différents espaces culturels qui formaient jusque-là le Canada français. Yves Frenette, par exemple, affirme, dès l'ouverture de son ouvrage *Brève histoire des Canadiens français,* que les Canadiens français représentaient « un groupe doté d'une forte identité nationale qui s'est pourtant fragmentée de façon irrémédiable dans les années 1960 » (1998 : 9)[1]. Pour d'autres, ce

---

[1]   Notons également la position du sociologue Fernand Dumont, qui constate l'effacement de certaines structures culturelles et politiques qui permettaient de créer une
unité identitaire au sein du Canada français, amenant ainsi « les diverses communautés

morcellement du Canada français est devenu l'occasion, particulièrement
à partir des années 1980, de redéfinir la présence française en Amérique
à partir des traces d'une expérience francophone qui ne serait plus
réductible à la quête d'une identité nationale canadienne-française. Les
travaux des géographes Dean Louder, Éric Waddell et Jean Morisset, qui
s'inscrivent dans la suite de l'ouvrage de Louder et Waddell *Du continent perdu à l'archipel retrouvé : le Québec et l'Amérique française*, paru
en 1983, ont permis de repenser la présence francophone sur le continent
américain dans l'optique d'une mémoire fragmentée et plurielle, qui
serait représentative de ce qu'ils ont nommé la Franco-Amérique. Cette
« Amérique *franco* », précisent Waddell et Louder, dégagée de la nécessité
nationale, se définit par deux prémisses qu'ils considèrent comme « *non
négociables* », à savoir qu'elle « est, d'une part, de *dimensions continentales*
et, d'autre part, de *configuration pluraliste* » (2008 : 14 ; en italique dans
le texte). Ainsi libéré de la nécessité de faire de la présence française en
Amérique le témoin de la grandeur d'une identité nationale canadienne-
française qui trouverait essentiellement son centre au Québec, le regard
que portent les géographes sur la Franco-Amérique permet de mieux
comprendre la trace et l'évolution des foyers francophones qui ont
contribué, selon les mots de Jean Morisset, à faire l'Amérique (2007 : v).

C'est dans le prolongement de cette idée de la Franco-Amérique,
associée à celle de l'américanité, que Jean Morency et moi-même avons
proposé d'aborder non seulement la production littéraire du Canada
francophone, mais également celles du Canada anglophone et des États-
Unis, plus particulièrement les romans publiés depuis les années 1960.
Il s'agissait

> d'étudier les visions et les représentations de la Franco-Amérique dans la
> perspective de leur contribution à une nouvelle définition de l'américanité,
> cette dernière n'étant plus uniquement considérée à partir des influences
> exercées par les États-Unis sur les autres collectivités américaines ou encore
> des analogies entre ces collectivités, mais bien à partir des tentatives visant

---

[à se donner] des *références* propres, une mémoire et un projet : l'Acadie, les Franco-
Américains, le Québec, l'Ontario, les provinces de l'Ouest » (1997 : 458 ; en italique
dans le texte). Joseph Yvon Thériault parle, pour sa part, d'un Canada français qui
n'existerait, en fait, que dans la mémoire, puisqu'il n'aurait pas survécu à l'épreuve de
la Révolution tranquille : « L'actualité du Canada français doit se comprendre, non
pas dans le sens d'une réalité vivante, mais dans celle d'une mémoire vivante, d'une
trace [...] » (2007 : 214).

à la réintégration d'une certaine mémoire canadienne-française ou franco-américaine (Morency et Thibeault, 2012 : 3-4).

C'est en observant la résurgence d'une mémoire oubliée – rendue possible, dans ce que nous avons nommé les « fictions de la franco-américanité » (Morency et Thibeault, 2012), par un éveil des personnages aux traces qu'ont laissées les francophones sur le continent à travers le temps – que Jean Morency a pu relever dans la littérature québécoise un retour vers une certaine image ancienne de la diaspora canadienne-française en Amérique :

> Cette réalité correspond à ce que j'ai appelé, dans un autre texte, « le retour du refoulé canadien-français[2] » : tout se passe comme si l'identité canadienne-française ou même franco-américaine, marquée par l'expérience de la dispersion et du contact de l'altérité, revenait hanter les identités contemporaines, notamment l'identité québécoise, mais aussi, dans une certaine mesure, les autres identités qui ont été tributaires du Canada français traditionnel. [...] [C]e mouvement de résurgence s'avère symptomatique de l'existence d'une franco-américanité qui n'a de cesse de mettre en balance le centre et la périphérie, le foyer et la diaspora, en vertu d'une dynamique qui lui est consubstantielle (Morency, 2013 : 142).

Pour ma part, je me suis davantage intéressé au remodelage des identités francophones contemporaines dans un rapport de proximité avec l'ensemble des voix formant l'imaginaire continental. Si l'on assiste effectivement, depuis quelques années, au « retour du refoulé canadien-français », comme le constate Morency, il faut préciser que, bien qu'il renvoie à certaines valeurs traditionnelles associées à l'identité canadienne-française d'autrefois, il ne s'agit pas d'une quelconque régression culturelle par la réactivation d'un passé folklorique tombé en désuétude. Avant son retour, ce Canadien français a voyagé, il est sorti de son folklore, il s'est ouvert au monde et, surtout, à sa modernité, il a visité ce qui constitue le « centre culturel » (le Québec et, plus particulièrement, Montréal) et s'en est démarqué. Surtout, le retour du passé canadien-français ne représente en rien une tentative de reconstruire une identité nationale à la grandeur du continent, ce qui serait d'autant plus impossible que les espaces francophones se sont nettement définis dans leurs particularités régionales. Le passé canadien-français semble, effectivement, retrouver sa place dans l'imaginaire francophone, mais jamais au détriment d'un désir d'émancipation à la fois de la communauté et, surtout, du sujet en

---

[2] Voir Morency (2008).

quête de nouveaux repères identitaires. C'est ainsi que j'ai pu observer comment, en revisitant des figures emblématiques du passé canadien-français et en constatant la caducité d'un certain discours identitaire traditionnel, le temps des identités en est venu à se rétrécir au point de faire de la mémoire identitaire une mémoire de courte durée, essentiellement fondée sur l'expérience du sujet, de la lecture que ce dernier fait du passé et du rapport qu'il entretient avec le monde qu'il habite au moment présent. En ce sens, ma vision de la franco-américanité rejoint celle des géographes puisque l'expérience continentale dont elle témoigne s'inscrit nettement dans la pluralité des voix qui, dans le déplacement récent des repères identitaires qu'a entraîné la mondialisation des réseaux de communication culturels, se font entendre au-delà des identités nationales[3]. En effet, comme le remarque Jean Morency, cette Franco-Amérique que décrivent les géographes est « caractérisée par une vision qui ne repose pas sur la nationalité mais sur l'individu, ce dernier étant certes fortement marqué par son origine ethnique, mais aussi par sa formidable mobilité et, consécutivement, par son détachement du groupe [...] » (2013 : 141).

C'est donc sur cette individualisation des expériences communautaires et continentales qu'a porté une partie de ma réflexion sur les fictions de la franco-américanité et c'est également dans cette optique que je propose d'aborder, dans cette étude, la prise de parole poétique en Acadie et en Ontario français pendant les années 1970 et la première moitié des années 1980. Si cette prise de parole semble symptomatique de l'effondrement symbolique du Canada français et de la représentation traditionnelle de l'Acadie et de l'Ontario français, le processus d'affirmation à l'œuvre dans les différentes sphères culturelles correspond à une même revendication d'une identité localisée dans un espace culturel continental défini par sa modernité, donc en opposition avec le folklore. Il faut préciser que le réinvestissement de l'espace et de l'imaginaire dont il est question répond à un désir du sujet d'ancrer son identité dans l'expérience intime du territoire, qu'il partage avec d'autres[4], tout en reconnaissant les influences d'un monde extérieur en plein bouleversement. Paradoxalement, c'est la

---

[3]   Voir Thibeault (2011, 2012, 2015).

[4]   L'individualité qui se met en place émerge, comme le souligne Lucie Hotte, « [n]on pas d'un individualisme qui fait abstraction de l'appartenance de l'individu à un groupe, mais plutôt d'un individualisme qui fonde la communalité » (Hotte, 2002 : 42). Il s'agit dès lors d'une communauté qui se fonde *différemment*.

prise de parole des artistes et des poètes au cours des années 1970 et au début des années 1980 en Acadie et en Ontario français qui permet, d'une part, d'affirmer l'originalité des cultures acadienne et franco-ontarienne par rapport à celle en pleine affirmation au même moment au Québec et, d'autre part, d'inscrire ces cultures dans un mouvement culturel plus largement continental – notamment par la double influence du discours nationaliste québécois et de la forme poétique de la contre-culture américaine – et de naviguer ainsi entre l'affirmation de la spécificité identitaire et de l'appartenance à l'espace continental. Sans nier les particularités de la poésie acadienne et de la poésie franco-ontarienne, je propose d'en explorer brièvement certaines similarités qui ont marqué, sur le plan de l'affirmation identitaire, les années 1970 et 1980. Ces similarités montrent bien comment le processus permettant de définir les particularités des différentes régions culturelles (et on pourrait y inclure le Québec) participe d'un mouvement plus large relevant d'une certaine représentation de l'imaginaire francophone sur le continent. C'est d'ailleurs en ce sens que je m'intéresserai à l'ouverture du discours poétique en Acadie et en Ontario français à une certaine américanité, situant les réalités acadienne et franco-ontarienne dans un contexte plus largement continental. Je m'attarderai plus particulièrement à la poésie d'un certain nombre d'auteurs importants de l'époque qui s'inscrivent nettement dans le discours identitaire de la période dans leur région respective et qui participent à la construction d'un « mythe » moderne, encore bien vivant, en Acadie et en Ontario français.

Les lieux de l'identité : l'expérience intime du territoire

Les voix qui s'élèvent en Acadie et en Ontario français durant la longue décennie 1970 ont ceci en commun qu'elles se dégagent de tout *a priori* identitaire pour se repenser dans le temps et l'espace, mais également dans une langue régionalisée qui n'est plus celle des autres, soit un français normatif épuré de tout régionalisme et de toute trace de proximité avec l'anglais. Certes, le fonds symbolique des identités acadienne et franco-ontarienne qui précède les années 1970 diffère quelque peu. En Acadie, les jeunes écrivains sont confrontés à un espace identitaire lourdement chargé par une histoire douloureuse marquée par le Grand Dérange-ment de 1755 et par un discours identitaire profondément enraciné dans l'imaginaire acadien depuis la seconde moitié du XIXe siècle;

confrontés, donc, à un discours identitaire qui repose essentiellement sur la célébration du passé, des traditions et du folklore. Aussi la poésie est-elle porteuse d'un certain malaise à l'égard de l'héritage historique des Acadiens, comme en font foi les poèmes d'Herménégilde Chiasson dans *Mourir à Scoudouc*, dont « Eugénie Melanson », « Quand je deviens patriote » ou la série de poèmes sur les couleurs du drapeau acadien. Chiasson explique d'ailleurs que le projet des écrivains de sa génération est en rupture avec toute cette symbolique de l'identité acadienne, dont une partie fortement folklorique est représentée par Antonine Maillet :

> [...] nous arrivions après une œuvre majeure, celle d'Antonine Maillet, qui va faire passer la littérature acadienne de l'oral à l'écrit, devenant ainsi, à l'instar de son illustre devancier François Rabelais, une sorte de mythe incontournable qui depuis jette une ombre dont il est difficile de se départir. Il nous restait à écrire le présent puisque le passé l'avait été. Notre projet littéraire allait se concentrer sur le réel, dont le territoire formait une composante inévitable (Chiasson, 2013 : 7).

Cette affirmation fait notamment écho à son poème « Quand je deviens patriote » dans lequel le poète ne trouve pour se dire que la peur et l'impuissance qui aliènent son peuple : « Comment arriver à dire que nous ne voulons plus être folkloriques, que nous ne voulons plus être des cobayes d'*Acadie Acadie*, que nous ne voulons plus qu'on aie [*sic*] pitié de nous [...] / Comment arriver à dire que nous n'avons peut-être rien à dire [...] » (Chiasson, [1974] 1979 : 39). La question repose finalement sur la nécessité de se réapproprier la parole dans une tentative de reformuler une identité acadienne mieux ancrée dans l'ici et le maintenant, c'est-à-dire une identité acadienne qui serait désormais tournée vers l'avenir, comme l'affirmait quelques années plus tôt Raymond Guy LeBlanc dans son poème « Je suis Acadien » : « Je suis Acadien / Ce qui signifie / Multiplié fourré dispersé acheté aliéné vendu révolté / Homme déchiré vers l'avenir » ([1972] 2012 : 57). « Déchiré vers l'avenir », certes, mais, comme Chiasson et d'autres poètes de cette période, profondément préoccupé par un présent qui ne semble trouver son sens que dans un passé intime.

Inversement, en Ontario, le discours identitaire avant 1970 s'inscrit dans une certaine continuité du discours canadien-français, ce qui laisse l'espace franco-ontarien relativement libre de toute symbolique identitaire spécifique et, par le fait même, ouvert à un mouvement de revendication et d'affirmation identitaire proprement franco-ontarien. À l'instar de l'Acadie, c'est la prise de parole d'une nouvelle génération de poètes et d'artistes émergents de Sudbury, rassemblés sous le nom de Coopérative des artistes du Nouvel-Ontario (CANO), qui permet d'inté-grer dans le discours littéraire cette parole revendicatrice :

> Il importe de souligner qu'avec la génération des poètes et artistes de la Coopé-rative des artistes du Nouvel-Ontario (CANO), ce n'est pas tant la littérature franco-ontarienne qui prenait naissance (puisqu'elle existait déjà amplement), mais plutôt son institution sociale, entièrement axée, pour CANO, sur le com-bat identitaire (Paré, 1995 : 278).

Ce projet est d'ailleurs nettement explicité dans une demande de subven-tion du Théâtre du Nouvel-Ontario (TNO) dans laquelle les animateurs expliquent :

> Le Théâtre du Nouvel-Ontario croit tout simplement qu'il existe une culture franco-ontarienne mais qu'elle est au stade latent. Il s'agit pour nous de mani-fester cette culture, de l'actualiser sur scène. Nous croyons ainsi mettre en branle une dynamique culturelle propre aux Franco-Ontariens[5] (Rodrigue, 1991 : 17).

Le théâtre d'André Paiement, notamment, jouera un rôle essentiel dans ce désir de provoquer un éveil de la culture franco-ontarienne, en parti-culier par la mise en scène d'une jeune génération de Franco-Ontariens désireux de s'émanciper de la condition sociale à laquelle ils semblent condamnés, ce qui ne peut être possible que par une rupture nette avec l'asservissement de leurs parents, souvent forcés de travailler dans l'indus-trie forestière ou minière. Dans *Moé j'viens du Nord, 'stie*, Roger refuse d'emblée le discours de son père, qui valorise le travail à la mine, et affir-me d'entrée de jeu son désir d'aller à l'université pour se sortir de ce milieu social qui se contente de travailler pour la majorité anglophone et qu'il voit comme une condamnation à l'effacement social : « Pis l'année prochaine, j'vas aller à l'université. J'ai ben hâte d'y arriver. T'sais, aller à l'université, c'est comme sortir de prison » (Paiement, 2004 : 39). Mais l'émancipation, ici, repose moins sur le désir de s'approprier un savoir, une parole qui permettrait à Roger d'afficher avec éloquence son identité ; il s'agit davantage d'atteindre la reconnaissance et l'indépendance dans le regard des autres. Si, comme chez Chiasson, Roger prend la parole pour dire qu'il n'a rien à dire – « Vous savez, hein, j'dis ça pour fourrer l'chien ! (*Il rit jaune.*) Ça, c'est parce que j'sais pas quoi dire. J'ai pas la parole

---

5   Extrait d'une demande de subvention présentée par le TNO au Conseil des arts de l'Ontario en septembre 1970.

facile [...] » (Paiement, 2004 : 32) – c'est peut-être que, dans les premiers temps de l'affirmation identitaire, l'important serait plutôt de trouver un lieu de reconnaissance, de se forger la conviction que cette parole, dégagée de tout *a priori*, peut être entendue, même si c'est pour faire le constat d'un sentiment de vide.

Dire. Se dire. Voici donc le projet littéraire qui semble rassembler les poètes de Moncton et ceux de Sudbury pendant cette période de la longue décennie 1970. Pour eux, « se dire » signifie essentiellement rompre avec les grandes vérités du discours identitaire qu'ils se sont vu imposer et construire un discours qui porterait la trace de leur vécu au quotidien, réduisant ainsi la mémoire au temps subjectif. En fait, la mémoire et l'espace sont ramenés à l'expérience intime, au contexte familial, aux lieux de sociabilité avec les amis dans la ville, dans le village, dans la rue, dans les cafés, chez le barbier, à l'église, à la maison et dans la chambre à coucher. Aussi est-il possible d'observer un désir marqué de nommer l'espace habité, de lui donner une profondeur émotive en l'instituant en lieu d'identification du sujet. En Acadie, notamment, il n'est plus question de l'Acadie perdue, de l'espace mythique d'avant la déportation, mais d'une Acadie intime qui se définit dans le regard du poète ; l'Acadie n'est plus ce qui définit le sujet, c'est désormais l'expérience et le regard du sujet qui définissent l'espace habité. C'est ainsi que Guy Arsenault, dans *Acadie rock*, donne une nouvelle profondeur à l'espace acadien dont le sens même qu'il y attribue s'inscrit dans l'expérience du sujet, dans « l'Acadie expérience », pour reprendre le titre d'un poème du recueil. Les lieux se définissent ainsi moins dans le discours acadien établi, dont le véritable sens s'efface dans les musées – comme la beauté d'Eugénie Melanson dans le poème de Chiasson –, que dans le regard du poète et dans sa manière de les nommer et de les habiter :

> Buctouche [*sic*] by the sea
> Cocagne in the bay
> Shédiac on the rocks
> Northumberland
> Straight
> pi un jardin de patates
> au côté de la mer.
>
> [...]

pi la senteur
pi la chaleur
du bon bois d'érable brûlé
cé pas pareil comme
la senteur
pi la chaleur
d'un poêle à l'huile

Ta maison
Cé ton ché vous (Arsenault, [1973] 1994 : 29).

L'Acadie d'*Acadie rock* représente l'expérience intime du poète, qui ne regarde jamais plus loin que les souvenirs de l'enfance, reconstruisant ainsi cette Acadie du « je », celle qui l'obligeait à se rendre à l'église, mais aussi celle qu'il habitait dans ses passages chez le barbier, à l'épicerie, « su Deluxe pour acheter des French Fries » ou à la maison où il « watchait Bugs Bunny et les cartoons su'l TV » (Arsenault, [1973] 1994 : 85). Les lieux trouvent alors leur véritable sens dans le regard du poète qui, d'une manière ou d'une autre, les habite.

On trouve sensiblement le même phénomène dans la littérature franco-ontarienne où l'espace semble trouver son véritable sens dans la mémoire du quotidien et des lieux de l'intime. Si l'Acadie est aux prises avec une mémoire collective trop envahissante, qui fait des Acadiens les éternelles victimes de l'Histoire et que les poètes cherchent à remplacer par une mémoire récente et intime, l'Ontario français semble, au contraire, être aux prises avec un vide historique à combler. D'ailleurs, Lucie Hotte montre bien « comment la littérature franco-ontarienne inscrit la mémoire dans l'espace qu'elle représente afin de suppléer à l'absence ou à l'ignorance de lieux de mémoire réels » (Hotte, 2009 : 338) :

> [...] les écrivains ne cherchent pas à témoigner du passé en faisant appel aux grands événements historiques, mais plutôt en relatant l'histoire quotidienne, en énumérant les noms des lieux colonisés, habités, et en témoignant de l'ancienneté de la communauté. Faisant appel à l'émotionnel, plutôt qu'au rationnel, l'écrivain cherche dès lors à suppléer à l'historiographie absente afin de légitimer le passé de la communauté. Les lieux deviennent des symboles de la détermination d'une collectivité et, ce faisant, ils légitiment l'identité du groupe. C'est ainsi qu'en l'absence de lieux de mémoire consacrés, ces écrivains ont fondé un territoire franco-ontarien imaginaire où la mémoire de la collectivité peut s'inscrire (2009 : 363).

Chez Jean Marc Dalpé, par exemple, le récit franco-ontarien est inscrit, un peu comme chez Arsenault, sur « les murs de nos villages » (Dalpé,

1980 : 9), témoins des histoires intimes de ses habitants, porteurs d'une mémoire du quotidien qui confère à l'espace son sens communautaire. Comme chez les poètes acadiens, le récit identitaire franco-ontarien se construit en marge de la grande Histoire, à travers les histoires de ces « gens d'ici » qui vivent à l'intérieur de ces murs : « L'Histoire, la nôtre / qui nous nourrit d'espoirs et de rêves / est celle des porteurs d'eau et des petites gens / plutôt que celle des Grands de ce monde » (Dalpé, 1983 : 55). Et, comme le remarque Lucie Hotte, ces histoires ne peuvent être relatées que dans les non-lieux de l'existence franco-ontarienne, toujours repoussée en marge de l'Histoire. Ce ne sont donc pas les monuments historiques qui symbolisent la présence franco-ontarienne dans l'espace, mais les lieux chargés d'une mémoire au quotidien : « Les murs de nos villages se souviennent / Les murs de nos villages se rappellent / et ils nous chuchotent parfois à l'oreille de drôles d'histoires » (Dalpé, 1980 : 9). À l'instar d'Arsenault, Dalpé reconstruit donc l'espace habité en se référant aux lieux où se construit la vie des Franco-Ontariens, comme la *Main Street*, les églises, les écoles ou la maison : « Sur les murs de nos villages / dans notre langue couleur terre / couleur misère / Nous avons inscrit nos vies et nos hivers, / De père en fils, de mère en fille » (1980 : 11). Et, malgré « Les murs de nos usines / qui ne sont jamais les nôtres » (Dalpé, 1980 : 11), malgré le « jardin de / Kent Homes / au côté d'la Highway / cultivay par : / Irving Plus » (Arsenault, [1973] 1994 : 29), l'espace prend forme autour du poète qui reconnaît en ces (non-)lieux du pays impossible les traces d'une appartenance qui lui permettent de dire « Icitte c'est chez nous » (Dalpé, 1980 : 42), ou encore, « Ta maison / cé ton ché vous » (Arsenault, [1973] 1994 : 29). Certes, Dalpé pose cette quête du pays dans la longue durée – « Au matin de notre peuple, / nous avions la quête du pays au ventre, au cœur… / et nous l'avons encore » (1980 : 42) – alors que les poètes acadiens tentent plutôt de raccourcir le temps de la mémoire ; mais le réinvestissement de l'espace habité qui est à l'œuvre a finalement le même objectif : recomposer le territoire qui représente le sens du je et du nous, du poète comme individu et de la collectivité, et ce, afin de pouvoir affirmer, comme Raymond Guy LeBlanc, « Je suis Acadien » ([1972] 2012) ou, comme André Paiement, *Moé j'viens du Nord, 'stie* (2004). Déjà, dans le rapprochement possible de la construction d'une parole propre à l'Acadie et à l'Ontario français, d'un dire servant à se dire dans le temps et l'espace, il est possible de relever une constante qui influera, dans une certaine mesure, sur la constitution d'un imaginaire continental francophone.

Se dire dans l'espace américain : de la ville au continent

La parole poétique des années 1970 et du début des années 1980 apparaît donc comme une parole de réappropriation et de réinvestissement symbolique de l'espace habité. Cette parole repose essentiellement sur le désir de se dire dans l'espace, de lui donner un sens et, à travers l'expérience intime, de légitimer l'être acadien et franco-ontarien. Le réinvestissement suppose cependant un changement dans l'ordre du monde qu'on représente, une coupure avec la représentation première du lieu, celle d'une Acadie mythique ou d'un Canada français folklorique, et une recomposition du sens qui, en dépassant la seule expérience du sujet dans l'espace et dans la mémoire du lieu, tient également compte de l'expérience globale de celui-ci dans un monde moderne qui s'ouvre de plus en plus aux cultures environnantes. Aussi la ville et les références culturelles à une Amérique contre-culturelle, postmoderne, apparaissent-elles dans la poésie comme des éléments importants de l'expérience identitaire, comme en fait foi le titre même du recueil de Guy Arsenault, *Acadie rock*, qui renvoie d'emblée à une sonorité moderne. Ici, la parole intime, la pluralisation du « nous » de la collectivité, devient le lieu par excellence de l'ouverture à un espace autre, à un ailleurs et à un Autre qui habite une distance qui rétrécit progressivement. La poésie devient alors le lieu d'une tension créatrice où se jouent à la fois le désir de légitimation d'une identité proprement acadienne ou franco-ontarienne par l'entremise de références familières et la reconnaissance d'une culture donnée comme autre, mais qui habite le sujet de la même manière que ce dernier l'habite :

> La Coulson crie et braille
> crie et braille, crie et braille

rit et prie dans sa bière
des cauchemars de sous-terre
la Coulson écoute les entrailles de l'Amérique
en chœurs cacophoniques
raconter le goût de cendre
des visages graffitis
sur tous les shifts de nuit

....

Pis tout le monde icitte
veut jouer lead guitar
pour un fuckin' Rock n' Roll band

juste pour sortir d'icitte
comme tous les autres pauv'chriss
de Détroit ou de Kap
de Tennessee ou de Cochrane (Dalpé, 1984 : 21-22).

En fait, ce qui est à l'œuvre dans *Et d'ailleurs* de Jean Marc Dalpé, c'est l'américanité de l'espace franco-ontarien : au cœur de la vie franco-ontarienne, au cœur de Sudbury, se trouvent les « entrailles de l'Amérique » qui vit ses rêves de fuite à l'instar des « autres pauv'chriss », qu'ils soient de Détroit, du Tennessee, de Kapuskasing ou de Cochrane.

Cette américanité qui marque le recueil de Dalpé traverse la période qui nous intéresse, mais devient plus marquante au début des années 1980 en Acadie comme en Ontario français alors que le sujet s'invente à partir de l'expérience de l'urbanité, directement associée à la modernité. Certes, comme plusieurs critiques ont pu le souligner au sujet des poètes de Moncton et de Sudbury, la ville et la modernité apparaissent souvent comme le lieu d'une aliénation qui place le minoritaire face à une vision trouble du devenir possible du sujet. Herménégilde Chiasson, dans la préface de *L'extrême frontière* de Gérald Leblanc, constate d'ailleurs à propos du Moncton de Leblanc :

> Moncton. Un lieu exact, une erreur monumentale sur la carte de notre destin, le nom de notre bourreau comme un graffiti sur la planète. Moncton. Un espace difficile à aimer (un espace difficile pour aimer), une ville qui nous déforme et où nous circulons dans les ramages du ghetto. Et pourtant, c'est de cet espace que jaillit notre conscience, vécue dans les méandres de la diaspora et articulée dans un faisceau rutilant de colère et d'ironie (Chiasson, 1988 : 7).

Robert Dickson fait un commentaire similaire concernant le Sudbury de Patrice Desbiens – où l'amour se vit comme à Moncton : « L'amour n'est pas facile à Sudbury. / Facile n'est pas l'amour à Sudbury » (Desbiens, [1983] 2013 : 119). Il remarque, en introduction à la réédition des premiers recueils de Desbiens sous le titre général de *Sudbury* : « Desbiens mettra décidément Sudbury sur la carte littéraire du pays, il la "littérarise", mais elle demeure terriblement vraie, souvent cruelle, parfois sordide, le lieu des sans-abri de l'amour, des paumés, de Bill le bouncer, de la faune des bars » (Dickson, 2013 : 11). Aussi la tension qui existe dans la ville se pose-t-elle comme le fondement même de la réflexion du sujet sur le sens de son être, comme dans le poème « Babel (Moncton) » de Gérald Leblanc :

> dans chaque ville me faut un docteur. au coin de chaque crise de nerfs. je bois une autre bière. la radio me pogne la fourche. je mange une cigarette. le tapis

me suce. mes doigts pensent au temps. aux dents.

le chant rouge. sur des lits de feu. *the red sounds.* les orteils me crispent.

j'étudie mes maladies (Leblanc, [1981] 2003 : 24).

Au sujet du recueil *Sudbury* de Desbiens, François Ouellet remarque que

> [l]a vacuité des lieux que traverse le poète [...] est à l'image de son absence
> d'identité. Ce que nomme le titre, ce n'est pas tant la ville que l'état d'aliénation
> auquel elle confine : cette ville sans couleur, "qui nous écrase", est représentée
> comme un non-lieu silencieux et dévasté par l'ennui et la routine dans toute sa
> banalité des gestes sans importance (2012 : 247).

À Sudbury, affirme le poète,

> On boit parce que ça fait mal.
> On boit et ça fait encore plus mal.
> On essaie d'oublier la douleur
> On essaie d'oublier la chaleur.
> On est assis dans Coulson et on essaie de s'oublier
> mais tout le monde se ressemble (Desbiens, [1983] 2013 : 158).

Cette douleur que ressent le poète l'enferme en lui-même, persiste malgré – on serait tenté de dire « à cause de » – la présence d'une parole francophone qui cherche à se faire entendre au cœur de la ville. Ainsi, affirme le poète, Radio-Canada, CANO, La Nuit sur l'étang, le festival Boréal, le patriotisme et l'Association canadienne-française de l'Ontario (ACFO), pour n'en citer que quelques-uns, « ne brise[nt pas] la douleur » (Desbiens, [1983] 2013 : 158), le confrontant à la dure vérité qui semble marquer le Franco-Ontarien de Sudbury : « Il ne reste que le silence. / Il ne reste que la distance. / Il ne reste que la douleur » (*Ibid.*). Ce silence, cette distance et cette douleur traversent donc le recueil comme un *leitmotiv* qui en vient à effacer la présence même du Franco-Ontarien dans la ville : « Maintenant qu'on sait qui on est, personne nous / reconnaît. / Le temps raccourcit. / Le soleil se cache derrière un nuage de whisky. / La rue Elm s'étend comme un fleuve sans fond sous / le ciel anémique de Sudbury » (Desbiens, [1983] 2013 : 129). Desbiens, dans *Sudbury*, fait ressortir la part d'ombre qui hante l'espace francophone au cœur de Sudbury, la quête d'oubli et de fuite qui fait écho au poème « La chérie canadienne » dans lequel le poète affirme : « je suis la chérie / canadienne. / je suis le franco-ontarien / dans le woolworth / abandonné de ses rêves. // [...] je suis le franco-ontarien / cherchant une sortie / d'urgence dans le / woolworth démoli / de ses rêves » ([1979] 2013 : 43-44). Affirmation qui n'est pas sans rappeler l'effacement identitaire des Acadiens dans le poème « Acadie » de Raymond Guy LeBlanc – « Gens de mon pays / Sans identité / Et sans vie » ([1972] 2012 : 45) – et l'interrogation fondamentale de Gérald Leblanc :

> qu'est-ce que ça veut dire, venir de Moncton ? une langue bigarrée à la rythmique chiac. encore trop proche du feu. la brûlure linguistique. Moncton est une prière américaine, un long cri de coyote dans le désert de cette fin de siècle. Moncton est un mot avant d'être un lieu ou vice versa dans la nuit des choses inquiétantes. Moncton multipiste : on peut répondre fuck ouère off et ça change le rythme encore une fois. qu'est-ce que ça veut dire, venir de nulle part ? (Leblanc, 1988 : 161)

C'est donc dire que l'aliénation ne vient pas uniquement de la position du minoritaire face au majoritaire, mais plus globalement du discours identitaire qui marque la ville et qui en vient à effacer l'individu dans cette masse où « tout le monde se ressemble ».

Si l'aliénation est perceptible tant dans les représentations de Moncton que dans celles de Sudbury, soulignons que tout n'est pas entièrement sombre au cœur de la ville et qu'on trouve des lueurs d'espoir qui permettent au sujet de surpasser sa condition de minoritaire et de prendre part à la vie de la ville, même lorsque cette vie se déroule en marge du discours social, dans les lieux de l'intimité. Ce qui est intéressant dans ces moments d'émancipation du sujet, c'est qu'ils se produisent souvent hors de la contrainte identitaire, qu'elle soit linguistique, sociale, économique ou familiale. Le phénomène est particulièrement présent chez deux des poètes majeurs que je viens d'évoquer, soit Gérald Leblanc et Patrice Desbiens.

Dans *Sudbury*, la ville et la condition de francophone semblent condamner le sujet à sombrer dans une certaine médiocrité, contraint qu'il est par les paramètres qui définissent son être. Pourtant, il arrive dans le recueil que le sujet rompe avec la colère et la violence qui l'habitent pour se laisser aller à la lumière du matin qui éclaire Sudbury. Le sujet se présente alors en amoureux, porté par l'intimité qui s'installe entre lui et la femme avec qui il entretient une relation et qui trouve son sens hors des *a priori* identitaires, seul moment où il semble trouver une certaine forme de plénitude :

> (Après que tu es partie, je me promène dans ton
> appartement.
> Des ombres de toi traînent ici et là au soleil.
> J'allume la radio et c'est ta voix aux nouvelles.
> C'est une entrevue et tu dis : « Oui, je l'aime… »

J'allume la télévision et tu es là, entre les
massacres au Salvador et l'économie canadienne.)
L'amour n'est pas facile à Sudbury.
Facile n'est pas l'amour à Sudbury.
Les rues sont couvertes d'un asphalte de promesses.
Les maisons sont couvertes d'un givre de larmes.
Des cris attendent le printemps sous la neige. Qui,
qui tombe en amour à Sudbury ?
Pour le moment, c'est toi et moi.
Pour le moment, c'est nous les chanceux, les gagnants
de la loterie. On se cherche, on se trouve.
Souplesse du désir. Discipline du délire. J'aime,
donc je suis. Je suis celle que j'aime. Le verbe
être couche avec le verbe avoir (Desbiens, [1983] 2013 : 119).

Dans le poème « Auprès de ma blonde », le poète fait d'ailleurs de cet espace intime, en marge du besoin de se définir socialement, le lieu d'un véritable bien-être :

auprès de ma blonde,
les larmes dorment au pied
du lit comme des chats,
et on valse,
joue contre joue,
beigne contre beigne,
pays contre pays,
on se baigne
on se saigne,
et l'amour est comme ça,
kétaine et terriblement
cassant.

auprès de ma blonde
ma blonde est folle et
moi aussi mais
j'aime mieux remplir
ma blonde que remplir
une formule du
conseil des arts (Desbiens, [1979] 2013 : 18).

L'américanité de la poésie de Patrice Desbiens se trouverait donc en partie dans le refus du confinement identitaire qu'impose sa condition sociale, celle de francophone dans une ville minière. En ce sens, le rapport qu'entretient Desbiens avec Sudbury s'apparente à ce que Pierre Nepveu a nommé, à partir du poème de Carl Sandburg intitulé « The Sins of

Kalamazoo », « le complexe de Kalamazoo » pour définir l'écriture des petites villes nord-américaines : « Ville moyenne située à l'est du lac Michigan dans l'État du même nom, Kalamazoo est une ville où l'on tue le temps et où l'on se nourrit d'espoirs fragiles et de rêves de départ » (Nepveu, 1998 : 266). À l'instar de ces villes américaines, les petites villes qui habitent l'écriture du Canada français participent du « complexe de Kalamazoo », mais en y ajoutant « une dimension culturelle spécifique : elles sont des points de contact réel entre la tradition canadienne-française et l'Amérique anglophone » (Nepveu, 1998 : 277-278). La source de l'aliénation serait cette confrontation entre l'Amérique moderne, mal assumée, et la tradition canadienne-française qui occupe l'espace identitaire des francophones. Malgré tout, remarque Stéphane Lépine, la ville de Sudbury « demeure l'ultime espoir de s'en sortir, de vaincre la torpeur, le travestissement des âmes et des consciences, de mettre fin à la grande noirceur » (1983 : 18), le lieu où il semble possible pour le sujet de s'émanciper et d'affirmer : « Viens me voir. / Viens me croire. / Tu sais où je reste. / La tendresse est ma seule adresse » (Desbiens, [1983] 2013 : 155).

Le Moncton de Gérald Leblanc, comme le souligne Jean Morency,

> correspond beaucoup moins à une ville *imaginaire*, représentée de plus ou moins longue date par une ou des générations d'écrivains (comme Paris ou Berlin, par exemple), qu'à une ville *imaginée*, c'est-à-dire un espace que le poète a construit de toutes pièces, *ex nihilo* pourrait-on dire (2007 : 95 ; en italique dans le texte).

Pierre Nepveu résume d'ailleurs le projet poétique de Leblanc à partir de cette idée de l'invention d'une ville, Moncton, qui refuserait, en quelque sorte, son sort de petite ville nord-américaine :

> Leblanc transforme justement, dans *L'Extrême frontière*, sa ville de « nulle part » en un « quelque part », que ce soit comme lieu de la mémoire écorchée, ou comme oreille à l'écoute des musiques continentales. […] Pour « sauver » Moncton et son parler chiac que « rote » sa « Main Street », le poète fait un saut volontariste dans la sacralisation. Sa petite ville anonyme devient un nom, une formule, un mantra, une prière et elle s'ouvre dans cette récitation aux quatre vents du continent, de Vancouver à l'Arizona, de New York à Cancún, elle déborde de tout un espace imaginaire habité par les poètes québécois contemporains (Chamberland, Beausoleil, Villemaire, entre autres), les écrivains *beat* (Kerouac, Burroughs), les musiques en tous genres (blues, rock, new wave, punk, rap, les chansons de Joni Mitchell ou de Tom Waits). Ainsi s'élabore la véritable polyphonie de Moncton […] (1998 : 284-285).

Il est vrai qu'Herménégilde Chiasson constate également cette tentative de Leblanc de transcender l'aliénation vécue dans la ville[6] pour faire de Moncton le lieu d'un dire acadien qui résonnerait dans l'espace continental :

> Leblanc a souvent affirmé que l'élément francophone constituait l'âme de Moncton, que si elle perdait cette composante, la ville n'aurait pas plus de prestance que n'importe quelle autre petite ville nord-américaine. Moncton fut toujours pour lui un lieu d'inspiration, qu'il résumait dans cette boutade voulant qu'il n'y ait pour lui que deux villes au monde : Moncton et New-York [*sic*] (2012 : 14-15).

Pour Jean Morency, la polyphonie que relève Nepveu dans le Moncton de Leblanc serait

> moins liée au statut urbain de Moncton qu'à sa situation dans l'espace communicationnel nord-américain. Avant même d'être une ville, le fameux « Moncton multipiste » [...] de Leblanc constitue en effet un espace extrêmement poreux, ouvert à toutes les influences, à toutes les musiques, à toutes les ondes. Si Moncton vibre, c'est moins parce qu'elle est une ville (de taille modeste au demeurant) que parce qu'elle est en mesure d'entrer en communication, par l'entremise des ondes musicales et des canaux multiples par lesquels circulent la culture et la contre-culture, avec toutes les formes d'expression issues de la société nord-américaine. [...] En ce sens, le Moncton de Leblanc constitue une figuration des plus achevées du village global pressenti par MacLuhan [*sic*], dont la structure repose non seulement sur la circulation de l'information, mais aussi sur la possibilité qu'ont les individus de s'y exprimer (Morency, 2007 : 96).

Leblanc, comme Desbiens, fonde effectivement l'expérience de la ville, celle qui peut déboucher sur une expression favorable du sujet, dans l'expérience intime du poète qui s'ouvre au monde, qui se laisse atteindre par la présence de l'autre, et qui ouvre, par la même occasion, la ville au monde. Il est d'ailleurs intéressant de constater que Robert Dickson parle du rapport que Desbiens entretient avec Sudbury un peu comme le fait Nepveu lorsqu'il décrit de quelle façon Leblanc conçoit Moncton. Dickson présente Desbiens comme un poète qui habite littéralement la ville, qui écrit dans les cafés et qui se laisse bercer par une multiplicité d'influences : « C'est ici, dans son intimité, qu'il livre aux amis son

---

[6]   « Même l'aliénation linguistique ("Moncton notre ville de mots bâtards / *we are bastard children of the / city*") devient ici le creuset d'une expérience transcendante et utopique : "nous créons des courants de démesure" » (Nepveu, 1998 : 285).

amour de la poésie, ses connaissances encyclopédiques de la musique, allant du jazz au punk. C'est ici qu'il passera une soirée avec l'auteur de ces lignes à pleurer la mort du jazzman Jaco Pastorius [...] » (Dickson, 2013 : 10). Il semble cependant que, par son projet de création d'une ville phare d'où la parole acadienne puisse se faire entendre, Leblanc ait créé, plus que Desbiens à Sudbury, un espace où le sujet se trouve d'emblée libéré des attaches identitaires traditionnelles, et ce, malgré la présence de *L'Évangéline*, du village de l'enfance et d'autres références à une Acadie folklorique. Mais ces références, qui feraient en sorte que « tout le monde se ressemble », n'ont jamais de véritable emprise sur le sujet, qui garde toujours son indépendance, son individualité. C'est par cette individualité que Leblanc crée finalement le « village global » dont parle Morency. Dans *Comme un otage du quotidien*, notamment, la ville est définie à travers l'expérience du poète qui nomme le monde qui l'entoure un peu à la manière du villageois, tellement la « ville et le village [sont situés] en étroite relation l'un avec l'autre » (Morency, 2007 : 97). Dans « portrait », par exemple, le village est inscrit dans la ville par la filiation entre le « fils [qui] travaille à la ville » et cet homme, le père, « dans un champ », qui « répète le rythme de son père » (Leblanc, [1981] 2003 : 25). Malgré la distance, malgré le départ du fils pour la ville et son passage vers le monde moderne, le fils ne peut que constater que « le passé se promène dans ses veines » :

> il écrit une chanson
> la corrige et la partage
> il glisse dans la conscience ethnique
> où les couleurs changent
> les rythmes s'intensifient
> où le son de son père lui éclate dans la tête (Leblanc, [1981] 2003 : 25).

Cette omniprésence du village et d'un passé qui ne disparaît jamais complètement semble cependant moins prégnante chez Leblanc que chez Desbiens, en ce sens que ce mouvement identitaire entraîne le poète dans « l'extrême frontière » de lui-même. Dans le poème « hommage à Ferlinghetti », le poète observe effectivement la ville en passant « d'un village au pays jusqu'à la ville », en traversant l'espace « comme un otage du quotidien » (Leblanc, [1981] 2003 : 41), et lui donne un sens qui l'empreint, comme le signale Jean Morency, d'une certaine « tension constante entre un regard de type villageois et la vision qu'il porte sur la ville » (Morency, 2007 : 97). Cependant, le titre permet d'élargir la perception de la ville. S'il n'est jamais fait directement référence dans le poème ni à Ferlinghetti ni à la *beat generation*, il y est bien question d'un espace éminemment acadien par certaines références, dont *L'Évangéline*. Le titre permet, par ailleurs, d'élargir l'expérience du sujet au-delà de l'expérience acadienne et de repositionner le regard sur le sujet lui-même de sorte à l'ancrer dans son présent. C'est ainsi qu'il affirme plus loin : « Ici, j'adhère profondément au cri d'Herménégilde Chiasson : *écrire le présent*. […] L'important, c'est de vivre sa vie, oser un mieux-être » (Leblanc, [1981] 2003 : 45 ; en italique dans le texte). Un positionnement qui permet à Leblanc d'affirmer que « les complications viennent des éditorialistes, des curés, de la police, de l'auteur de *L'Acadie perdue*, de ceux qui n'acceptent pas la différence » ([1981] 2003 : 45), comme Desbiens affirmait que les lieux d'identification collective de tous ceux qui se ressemblent « n'enlèvent pas la douleur » (Desbiens, [1983] 2013 : 158), que le bien-être se trouve dans la folie des rapports intimes. Ainsi, la poésie de Patrice Desbiens et celle de Gérald Leblanc permettent-elles d'atteindre cette liberté du poète qui s'articule dans le désir non plus de dire, mais de *se* dire : « le désir de dire éclate / la poésie arrive en vie / en bourrasque / à l'aventure de liberté » (Leblanc, [1981] 2003 : 49).

Entre le *Cri de terre* de Raymond Guy LeBlanc et *Les murs de nos villages* de Jean Marc Dalpé, entre le Sudbury de Patrice Desbiens et le Moncton de Gérald Leblanc, il se produit donc un mouvement qui recentre le discours identitaire sur le sujet, qui raccourcit la distance avec le monde extérieur, qui élargit le territoire jusqu'à son « extrême frontière », jusqu'à rejoindre le continent à travers les voix francophones de l'Amérique de la même manière que Dalpé affirme : « Je rejoins New York en moi » (1984 : 35).

Conclusion

La longue décennie 1970 modifie considérablement le paysage franco-canadien : pris dans le sillage de la Révolution tranquille au Québec et de l'éclatement symbolique du Canada français qui en a résulté, les différentes régions francophones du Canada, particulièrement l'Acadie et l'Ontario français, ont entamé un réinvestissement de l'espace identitaire à travers un discours communautaire fondé sur de nouveaux référents. Le processus de création poétique repose alors sur un désir de s'approprier l'espace et d'affirmer les particularités de son identité, notamment en faisant référence au nouveau mode de pensée qu'entraîne l'expérience de la modernité. C'est ainsi que plusieurs critiques ont affirmé que la poésie acadienne et la poésie franco-ontarienne sont nées, justement, de la modernité. Ce qui est intéressant, c'est que cette naissance, prise dans le constat de l'éclatement du Canada français, aura contribué à rapprocher, par l'affirmation des particularités, les différentes régions francophones, y compris le Québec. Si l'ancien Canada français, avec son rêve d'homogénéisation identitaire, sombre dans la désuétude, il se construit un nouvel imaginaire francophone qui, avec l'ancrage de plus en plus marqué de la culture américaine dans l'expérience identitaire des poètes, repose désormais sur la pluralité des voix qui ne se fondent plus en un bloc canadien-français, mais qui permettent de mieux saisir l'expérience de l'être acadien et de l'être franco-ontarien, de même que québécois, dans leur appartenance à un imaginaire plus largement continental. C'est ainsi que l'évolution du discours identitaire vers la modernité permet la réactualisation d'un Canada français assumant pleinement à la fois sa conscience francophone, définie par la pluralité des expériences géographiques, et sa conscience américaine, caractérisée par l'appartenance à un continent auquel chaque communauté ajoute sa voix propre. Il s'agit là d'une réactualisation qui, loin de se fonder sur une rupture avec le monde, participe finalement à l'expression d'une certaine franco-américanité au cœur de l'imaginaire continental.

BIBLIOGRAPHIE

Arsenault, Guy ([1973] 1994). *Acadie rock*, préface d'Herménégilde Chiasson, postface de Gérald Leblanc, Moncton, Éditions Perce-Neige ; Trois-Rivières, Écrits des Forges.

Chiasson, Herménégilde ([1974] 1979). *Mourir à Scoudouc*, Moncton, Éditions d'Acadie ; Montréal, Les Éditions de l'Hexagone.

Chiasson, Herménégilde (1988). « Pour saluer Gérald Leblanc », dans Gérald Leblanc, *L'extrême frontière (poèmes 1972-1988)*, Moncton, Éditions d'Acadie, p. 7-13.

Chiasson, Herménégilde (2012). « Préface : le mémorable mantra de Moncton », dans Gérald Leblanc, *Moncton mantra*, 3ᵉ éd. ([1997, 2008] 2012), Sudbury, Éditions Prise de parole, p. 9-16.

CHIASSON, Herménégilde (2013). « "Triptyque", 8 septembre 1992 (essai inédit) », dans David Lonergan, *Acadie 72 : naissance de la modernité acadienne*, Sudbury, Éditions Prise de parole, p. 7.

DALPÉ, Jean Marc (1980). *Les murs de nos villages*, Sudbury, Éditions Prise de parole.

DALPÉ, Jean Marc [1981] (1983). *Gens d'ici*, Sudbury, Éditions Prise de parole.

DALPÉ, Jean Marc (1984). *Et d'ailleurs*, Sudbury, Éditions Prise de parole.

DESBIENS, Patrice (2013). *Sudbury (poèmes 1979-1985) : L'espace qui reste* [1979] suivi de *Sudbury* [1983] et de *Dans l'après-midi cardiaque* [1985], Sudbury, Éditions Prise de parole.

DICKSON, Robert (1978). *Une bonne trentaine*, Sudbury, Éditions Prise de parole.

DICKSON, Robert (2013). « Préface », dans Patrice Desbiens, *Sudbury (poèmes 1979-1985) : L'espace qui reste* [1979] suivi de *Sudbury* [1983] et de *Dans l'après-midi cardiaque* [1985], Sudbury, Éditions Prise de parole, p. 5-11.

DUMONT, Fernand (1997). « Essor et déclin du Canada français », *Recherches socio-graphiques*, vol. 38, n° 3, p. 419-467.

FRENETTE, Yves (1998). *Brève histoire des Canadiens français*, avec la collaboration de Martin Pâquet, Montréal, Éditions du Boréal.

HOTTE, Lucie (2002). « La littérature franco-ontarienne à la recherche d'une nouvelle voie : enjeux du particularisme et de l'universalisme », dans Lucie Hotte (dir.), *La littérature franco-ontarienne : voies nouvelles, nouvelles voix*, Ottawa, Les Éditions du Nordir, p. 35-47.

HOTTE, Lucie (2009). « La mémoire des lieux et l'identité collective en littérature franco-ontarienne », dans Anne Gilbert, Michel Bock et Joseph Yvon Thériault (dir.), *Entre lieux et mémoire : l'inscription de la francophonie canadienne dans la durée*, Ottawa, Les Presses de l'Université d'Ottawa, p. 337-367.

LEBLANC, Gérald (1988). *L'extrême frontière (poèmes 1972-1988)*, Moncton, Éditions d'Acadie.

LEBLANC, Gérald (2003). *Géomancie : Comme un otage du quotidien* [1981] suivi de *Géographie de la nuit rouge* [1984] et de *Lieux transitoires* [1986], Ottawa, Les Éditions L'Interligne.

LEBLANC, Raymond Guy ([1972] 2012). *Cri de terre*, Moncton, Éditions Perce-Neige.

LÉPINE, Stéphane (1983). « Desbiens (Patrice) *Sudbury* », *Nos livres*, vol. 14 (octobre), p. 17-18.

LOUDER, Dean, Jean MORISSET et Éric WADDELL (dir.) (2001). *Vision et visages de la Franco-Amérique*, Québec, Éditions du Septentrion.

LOUDER, Dean, et Éric WADDELL (dir.) ([1983] 2007). *Du continent perdu à l'archipel retrouvé : le Québec et l'Amérique française*, Québec, Les Presses de l'Université Laval.

LOUDER, Dean, et Éric WADDELL (dir.) (2008). *Franco-Amérique*, Québec, Éditions du Septentrion.

MORENCY, Jean (2007). « Gérald Leblanc, écrivain du village planétaire », *Revue de l'Université de Moncton*, vol. 38, n° 1, p. 93-105.

MORENCY, Jean (2008). « Dérives spatiales et mouvances langagières : les romanciers contemporains et l'Amérique canadienne-française », *Francophonies d'Amérique*, n° 26 (automne), p. 27-39.

MORENCY, Jean (2013). « Les fictions de la Franco-Amérique, cartographies d'une diaspora oubliée », dans François Paré et Tara Collington (dir.), *Diasporiques : mémoire, diasporas et formes du roman francophone contemporain*, Ottawa, Éditions David, p. 137-149.

MORENCY, Jean, et Jimmy THIBEAULT (dir.) (2012). « Fictions de la franco-américanité », *Québec Studies*, n° 53 (printemps-été), p. 3-158.

MORISSET, Jean (2007). « Du continent perdu à l'imaginaire restitué! », dans Dean Louder et Éric Waddell (dir.), *Du continent perdu à l'archipel retrouvé : le Québec et l'Amérique française*, Québec, Les Presses de l'Université Laval, p. i-viii.

NEPVEU, Pierre (1998). *Intérieurs du Nouveau Monde*, Montréal, Éditions du Boréal.

OUELLET, François (2012). « Patrice Desbiens par lui-même : 1974-1995 », dans Jacques Paquin (dir.), *Nouveaux territoires de la poésie francophone au Canada, 1970-2000*, Ottawa, Les Presses de l'Université d'Ottawa, p. 235-265.

PAIEMENT, André (2004). *Les partitions d'une époque : les pièces d'André Paiement et du Théâtre du Nouvel-Ontario (1971-1976)*, vol. I, Sudbury, Éditions Prise de parole.

PARÉ, François (1995). « Repères pour une histoire littéraire de l'Ontario français », dans Jacques Cotnam, Yves Frenette et Agnès Whitfield (dir.), *La francophonie ontarienne : bilan et perspectives de recherche*, Ottawa, Les Éditions du Nordir, p. 269-281.

RODRIGUE, Michel (1991). « 1970-1975 : une nouvelle vision : la création collective », dans Guy Gaudreau (dir.), *Le Théâtre du Nouvel-Ontario : 20 ans de création et d'engagement*, Sudbury, Théâtre du Nouvel-Ontario, p. 12-22.

THÉRIAULT, Joseph Yvon (2007). « Le Canada français comme trace », dans E. Martin Meunier et Joseph Yvon Thériault (dir.), *Les impasses de la mémoire : histoire, filiation, nation et religion*, Montréal, Éditions Fides, p. 213-228.

THIBEAULT, Jimmy (2011). « Reconfigurer la cartographie de la Franco-Amérique : la représentation de l'espace et du récit identitaire dans *Nikolski* de Nicolas Dickner », dans Emir Delic, Lucie Hotte et Jimmy Thibeault (dir.), « Devenir soi avec les autres : identité et altérité dans les littératures francophones du Canada », *@nalyses*, vol. 6, n° 1 (hiver), [En ligne], [http://www.revue-analyses.org/index.php?id=1790].

THIBEAULT, Jimmy (2012). « L'invention de la Franco-Amérique : la relecture de l'Histoire en histoires chez Antonine Maillet et Jacques Poulin », dans Jean Morency et Jimmy Thibeault (dir.), « Fictions de la Franco-Amérique », *Québec Studies*, n° 53 (printemps-été), p. 9-28.

THIBEAULT, Jimmy (2015). « L'acadianité au cœur du "Vortex" américain : l'inscription de l'Acadie dans l'imaginaire continental chez Jean Babineau », dans Anne-Andrée Denault et Mireille McLaughlin (dir.), « Francophonie, légitimité et devenir =

Francophonie, Legitimacy and Future », *Minorités linguistiques et société*, n° 5 (2015), p. 197-231, [En ligne], [http://id.erudit.org/iderudit/1029113ar].

WADDELL, Éric, et Dean LOUDER (2008). « Conceptualiser et cartographier la Franco-Amérique : une tâche redoutable », dans Dean Louder et Éric Waddell (dir.), *Franco-Amérique*, Québec, Éditions du Septentrion, p. 13-23.

« Coïncidence secrète » : les premiers recueils d'Andrée Lacelle, d'Hélène Dorion et de Dyane Léger

Élise Lepage
Université de Waterloo

Dès que la page du même auteur s'étoffe, la figure d'un écrivain se fige et se brouille à la fois. On ne le lit plus qu'à travers le filtre du déjà lu, d'une liste de titres dont l'étagement dresse une muraille. Ses premiers livres ne semblent plus que la préfiguration de ceux qui ont suivi, les derniers prolongements des précédents ; ou encore leur succession s'abolit dans la contemporanéité d'une œuvre dont les parties se répondent. Ce qui fut risque, tâtonnements, invention prend la figure du prévisible et de l'attendu ; on lit du X, trouvant à chaque page ce qu'on y attend, rassuré de repasser par un chemin dont on connaît chaque courbe, chaque montée, chaque descente. Dans le livre nouveau, on relit les anciens ou plutôt l'idée vague qu'on a fini par s'en former, sédimentée par l'oubli. Pour échapper à cet appauvrissement, il faut rouvrir le premier livre d'un auteur – dans sa première version s'il a été retouché plus tard – en s'efforçant d'ignorer ou de mettre entre parenthèses ceux qui ont suivi, et le lire autrement que dans l'éclairage rétrospectif de l'œuvre qu'il préfigurait sans doute mais qu'il ne permettait pas de prévoir, gros qu'il était aussi d'autres possibilités.

ROBERT MELANÇON, *Pour une poésie impure*

E N 1983, les géographes Dean Louder et Éric Waddell publiaient l'ouvrage *Du continent perdu à l'archipel retrouvé*. Ce livre montrait comment le Canada français s'était tout d'abord imaginé comme un continent, c'est-à-dire une entité continue, massive et visible. Tout en se reconnaissant une certaine homogénéité, cet imaginaire était animé de toutes sortes de dynamiques migratoires. Au fil du temps, l'influence considérable de ces migrations a eu un impact significatif sur cet imaginaire qui a dû se redéfinir. Cette métaphore du continent a progressivement cédé la place à une autre, celle de l'archipel, qui souligne, au contraire, la discontinuité et l'éparpillement, les distances qui séparent chaque petit « îlot » qui risque soudainement de se faire engloutir ou dont les plages se laissent gagner peu à peu par les marées. L'archipel, c'est la diversité, l'hétérogénéité, l'insularité démultipliée et qui, pourtant, rassemble secrètement ; un ensemble de fragilités, en somme.

Cette double métaphore du continent et de l'archipel a suscité bien des échos dans la sphère littéraire. Du côté des auteurs, cela s'est traduit par la mise en œuvre de formes fragmentées, éclatées, parfois inclassables, qui leur permettaient de se réjouir de cette liberté et du simple fait de pouvoir se dire. Du côté de la critique, la métaphore s'est déclinée, ouverte et transformée de différentes façons sous la plume de Jean Morency (1994), de Maurice Lemire (2003) et de François Paré (1992, 2007), parmi d'autres. Si cette métaphore ne vaut plus par sa nouveauté, elle n'en demeure pas moins éloquente et prégnante lorsqu'il s'agit de décrire les dynamiques relationnelles entre les différentes minorités francophones du Canada. Porteurs tantôt de connotations positives, tantôt de connotations négatives, les termes d'éclatement et de morcellement qu'évoque l'image de l'archipel demeurent une voie féconde pour l'analyse de bien des œuvres singulières ou de corpus entiers issus de ces contextes culturels. Mais précisément parce que ce morcellement est omniprésent, il peut lui-même être considéré comme un *topos* à l'aune duquel penser les œuvres. Ce lieu commun emblématique de la postmodernité demande aussi à être (ré)évalué : à quel(s) niveau(x) le morcellement agit-il ? Comment s'inscrit-il dans le texte, quels éléments affecte-t-il ? Et enfin, quels sens lui attribuer ? On peut pousser l'interrogation plus loin et se demander s'il s'agit toujours d'ailleurs de rupture et d'éclatement total. Qu'en est-il alors des déplacements sans fracas, plus subtils, mais qui à la longue produisent des effets de décentrement ou de dérive ?

La présente réflexion tient compte de cette temporalité longue qui a souvent pour effet qu'on ne prend la pleine mesure de l'œuvre d'un auteur qu'au fil de ses publications, alors qu'une trajectoire, aussi discontinue ou aléatoire puisse-t-elle paraître, semble se dessiner. C'est dans cette optique d'une inscription dans la durée que l'on propose d'examiner les premières œuvres de trois auteures présentes dès les débuts de la modernité poétique en Ontario et en Acadie et à un moment où la poésie québécoise se renouvelle et voit l'émergence d'une nouvelle génération. Les premiers recueils d'Andrée Lacelle en Ontario et de Dyane Léger en Acadie sont ainsi parmi les premiers à paraître dans leurs aires géographiques respectives, tandis que ceux d'Hélène Dorion au Québec coïncident avec la première réelle « vague » de production au féminin[1] au tournant des années 1970 et 1980. Si ces premiers recueils ont souvent été salués au moment de leur parution, ils ont par la suite été éclipsés par

---

[1]   Mentionnons, toutefois, Rina Lasnier et Anne Hébert, deux précurseurs qui ont également été des sources d'inspiration importantes.

les œuvres subséquentes. En cela réside l'un des points communs fondamentaux entre ces trois auteures : leur importance au sein du champ littéraire ne s'est jamais démentie depuis leurs débuts, et chacune continue
à écrire et à œuvrer dans le monde littéraire. Les réflexions de Robert
Melançon citées en épigraphe se révèlent donc à la fois clairvoyantes et
précieuses pour la présente étude. Au vu de la longévité des œuvres de
ces trois poètes, il faut revenir, avec le recul des années, à ces recueils des
commencements par lesquels les auteures sont nées à l'écriture, afin de
faire émerger un discours critique qui, plutôt que de cloisonner chaque
œuvre à son aire d'origine et au métarécit qui lui est associé, s'essaie
à montrer leurs zones de convergence esthétique en dehors de toute école
de pensée. Il importe de se demander comment ces œuvres qui se situaient
en marge des principaux courants littéraires de leur milieu de production
ont tout de même participé à jeter les fondements d'une littérature certes
parfois restreinte sur le plan quantitatif, mais indéniablement moderne
et pérenne. Selon le beau titre du recueil d'Andrée Lacelle, on se propose
ainsi de mettre au jour la « coïncidence secrète » entre ces trois postures
poétiques. On étudiera les deux recueils que chacune des auteures a
publiés entre 1979 et 1985 : *Au soleil du souffle* (1979) et *Coïncidence
secrète* (1985) d'Andrée Lacelle, *L'intervalle prolongé* suivi de *La chute
requise* (1983) et *Hors champ* (1985) d'Hélène Dorion, et *Graines de fées*
(1980) et *Sorcière de vent!* (1983) de Dyane Léger. On montrera que
cette période de six ans seulement clôt la « longue décennie 1970 » pour
mieux ouvrir sur de nouvelles mouvances littéraires. Mais encore faut-il,
au préalable, revenir sur le contexte de cette « longue décennie ».

Quelques éléments de contextualisation

La « longue décennie » 1970, qui s'étire de 1968 à 1985 environ, est
marquée sur le plan poétique par des pratiques avant-gardistes qui affichent ostensiblement leur littérarité. Selon cette conception de la poésie,
le texte, tout entier tourné vers lui-même, devient à la fois sa propre
matrice et son propre horizon, la figure auctoriale ayant le bon goût de se
faire aussi discrète que possible. Selon le mot de Mallarmé, l'initiative est
cédée aux mots tandis que la forme précède et subsume le contenu, qui
paraît presque contingent. La poésie québécoise qui s'écrit durant cette
période porte les marques de ces aspirations et accomplissements. Dans
le sillage de la revue *La Barre du jour*, l'œuvre de Nicole Brossard est sans

doute l'une de celles qui a le plus ouvert et exploré les virtualités du texte et du recueil, que ce soit dans *L'écho bouge beau* en 1968 ou *Le centre blanc* en 1970. Aux côtés de ces quêtes formelles inspirées à l'origine pour une bonne part de l'avant-garde française, se développe au cours de la décennie 1970 une autre poétique qui puise plutôt du côté de la *beat generation* et de la contre-culture américaine. Notons que cette autre tendance, tout aussi déterminante pour l'avenir de la poésie de langue française au Canada, se refuse à dévaloriser le réel, qui lui fournit un ancrage et un matériau de première main, souvent inséré tel quel dans le texte. Tant les textes de Denis Vanier et de Josée Yvon au Québec, pour ne citer qu'eux, que ceux de Gérald Leblanc en Acadie ou de Patrice Desbiens à Sudbury à la même époque s'inscrivent dans cette mouvance qui assume sa réalité nord-américaine. Ainsi que l'écrivent Laurent Mailhot et Pierre Nepveu dans l'introduction à leur anthologie, *La poésie québécoise des origines à nos jours,*

> [à] la fin des années soixante, la poésie illustre mieux que jamais la double polarisation culturelle du Québec, entre la France et les USA. La réflexion sophistiquée sur le texte voisine avec la révolte brute des poètes *beat*. L'écriture de l'avant-garde se cherche entre Sollers et Ginsberg, Denis Roche et Ferlinghetti (1996 : 29).

Il faut citer également, tant elle est remarquable, la place considérable que s'est adjugée à cette période au Québec l'écriture au féminin, dont la visibilité doit beaucoup aux Éditions du remue-ménage, fondées en 1976. Cette veine se distingue par les enjeux théoriques qu'elle suscite. Elle est vue tantôt comme une figure de proue, tantôt à la remorque des autres tendances. Comme l'indiquent les auteurs de l'*Histoire de la littérature québécoise,*

> [...] l'écriture des femmes prend le relais du formalisme tout en le modifiant. Au texte, neutre jusqu'à l'illisibilité, les femmes préfèrent l'écriture en tant que processus, dans lequel s'engage un sujet sexué. À la « mort de l'auteur », elles répondent par la présence de « l'écrivante » qui s'adresse volontiers à ses lectrices (Biron, Dumont et Nardout-Lafarge, 2007 : 518).

Il reste que, bien souvent et selon des combinatoires variables, ces trois tendances se télescopent : « Il n'est pas si facile de départager ce qui relève de la *modernité* et ce qui appartient à la *féminité*, puisque toutes deux au Québec se sont faites ensemble », remarque Louise Dupré dans *Stratégies du vertige* (1989 : 16 ; en italique dans le texte), bien qu'elle admette, quelques lignes plus loin, que la modernité a généralement précédé l'exploration de la féminité. Le champ poétique québécois paraît ainsi extrêmement cadastré entre ces différents pôles.

Si les mêmes dynamiques se retrouvent en Acadie et en Ontario, leur articulation diffère pour deux raisons. D'une part, il s'agit de la première génération de textes émanant de ces régions, qui coïncide avec les débuts de l'affirmation culturelle à la fin des années 1960. Le monde littéraire, et plus globalement culturel, s'efforce de susciter la création, de permettre sa diffusion et sa reconnaissance. En d'autres termes, il s'agit de mettre en place une institution littéraire propice au développement d'une littérature, l'heure n'étant pas encore à sa théorisation en différents mouvements. D'autre part, aux tendances formaliste, contre-culturelle et féministe, s'en ajoute une autre, fondamentale, en Acadie et en Ontario, qui consiste à fonder une appartenance identitaire. Il faut souligner le décalage temporel existant entre le Québec et les autres minorités francophones sur ce point : l'équivalent québécois à cette poétique de l'appartenance n'est autre que la poésie du pays, une ère qui s'est ouverte par la publication aux Éditions de l'Hexagone en 1953 de *Deux sangs* d'Olivier Marchand et de Gaston Miron. Au début de la longue décennie 1970, au moment même où la poésie du pays s'essouffle au Québec et cède la place aux nouvelles esthétiques que nous avons mentionnées, commencent à paraître, en Acadie et en Ontario, des recueils ayant trait à l'appartenance identitaire. Du côté de l'Acadie, il s'agit de *Cri de terre* (1972) de Raymond Guy LeBlanc, *Mourir à Scoudouc* (1974) d'Herménégilde Chiasson, *Comme un otage du quotidien* (1981) de Gérald Leblanc. Dans l'introduction à l'*Anthologie de la poésie des femmes en Acadie*, Monika Boehringer écrit ainsi que

[d]eux cris signalent l'avènement de la poésie acadienne moderne. Le *Cri de terre* de Raymond Guy LeBlanc coïncide avec l'inauguration des Éditions d'Acadie en 1972, alors que la fondation des Éditions Perce-Neige est marquée par le cri de cœur d'une femme : Dyane Léger lance en 1980 son premier recueil dont le contenu tantôt frénétique, tantôt désinvolte se cache sous le titre faussement naïf, voire « féminin », *Graines de fées* (2014 : 23).

Du côté de l'Ontario français, citons *Ici* (1974), *L'espace qui reste* (1979) et *L'homme invisible/ The Invisible Man* (1981) de Patrice Desbiens, ou encore *Les murs de nos villages* (1980) et *Gens d'ici* (1981) de Jean Marc Dalpé. Dans le chapitre qu'il consacre à la poésie dans l'*Introduction à la littérature franco-ontarienne*, François Paré dénombre cinq poétiques : « l'identité, le déplacement, l'intime, le mythe et l'urbanité » (2010 :

120). Il ne fait nul doute que la première poétique recensée est aussi la première sur le plan chronologique, celle qui émerge durant cette longue décennie en Acadie et en Ontario. La problématique identitaire existait déjà au Québec, mais au tournant des années 1970 et 1980, elle se trouve alors écartelée, démultipliée selon des géométries complexes : identités individuelles, collectives, genrées, générationnelles, etc. Est-ce aux confins de ces géométries identitaires que s'élaborent les premiers textes de Lacelle, de Léger et de Dorion ? Ou, au contraire, est-ce en réaction à la diffraction croissante de la question identitaire que prennent forme leurs poétiques ? Louise Dupré privilégie cette seconde piste de lecture lorsqu'elle prend acte

> [d']une génération d'écrivaines moins directement impliquées par la recherche d'une identité-femme, concernées plutôt par le désir d'exprimer une subjectivité qui colle à leur imaginaire. Citons par exemple France Daigle, Carole David, Louise Desjardins, Hélène Dorion, Danielle Fournier, Élise Turcotte et Louise Warren. Chez elles en effet, les thématiques se déplacent quelque peu vers les contingences d'une existence qu'on tente beaucoup moins de théoriser : les rapports amoureux, la mémoire du passé, l'enfance, la déception, la souffrance ne sont pas explorés de façon à ce qu'on sente une condition qui serait le lot des femmes, mais d'une manière très intimiste (1989 : 236).

Ce constat est d'importance au regard du corpus que l'on propose : si l'on se penchait sur la question de l'identité dans ces recueils, il y aurait fort à parier que cet angle critique inciterait à replacer chaque poète dans son aire d'appartenance géographique. On soulignerait les contrastes irréductibles, et l'analyse vaudrait pour Lacelle, Léger et Dorion comme pour n'importe lequel ou laquelle de leurs contemporains. En accord avec l'observation de Louise Dupré qui relègue la question identitaire au second plan, nos analyses privilégieront plutôt certains thèmes, tels que le rapport au temps et au désir, ainsi que la posture lyrique adoptée.

Le sujet en devenir d'Andrée Lacelle

Andrée Lacelle publie son premier recueil, *Au soleil du souffle*, en 1979 aux Éditions Prise de parole. S'il est impossible de reconstruire fidèlement l'horizon d'attente d'un lecteur de 1979, la lecture de ce recueil quelque trente-cinq ans plus tard frappe d'abord par son paratexte très visible et qu'on pourrait décrire comme explicite et militant. Cette plaquette d'une cinquantaine de pages semble appartenir autant à Lacelle qu'à Prise de parole, tant le discours éditorial est présent. Deuxième volume de la collection « Les perce-neige », il arbore en couverture une illustration de cette fameuse fleur, reprise l'année suivante en Acadie dans le nom d'une nouvelle maison d'édition. L'illustration de la page couverture du recueil fait davantage référence au nom de la collection qu'elle n'évoque le texte lui-même. Au verso de la page de titre, Prise de parole précise : « Cette collection est réservée aux auteurs qui malgré leurs talents n'ont jamais eu l'occasion d'être publiés par un éditeur. Prise de parole espère ainsi faire partager l'expérience de la publication, par un plus grand nombre de talents nouveaux » (Lacelle, 1979 : 4). À la fin du livre, le discours éditorial se poursuit, énonçant notamment la « Définition » de la maison d'édition et son « Activité ». Il faut citer cette « Définition » qui résume bien l'état d'esprit de la scène culturelle du Nouvel-Ontario à l'époque, partagée entre le désir enthousiaste de faire rayonner la communauté franco-ontarienne et la crainte vague que ces espoirs n'alimentent qu'un feu de joie éphémère :

> La maison d'édition PRISE DE PAROLE se veut animatrice des arts litté-raires chez les francophones de l'Ontario ; elle se met donc au service de tous les créateurs littéraires franco-ontariens. La croyance que les Franco-Ontariens sont capables de créer des œuvres littéraires valables motive l'équipe qui, par son action, espère promouvoir une activité littéraire en Ontario (Lacelle, 1979 : 44).

On remarque au passage qu'une note en bas de page précise qu'« [e]st Franco-Ontarien, tout citoyen canadien d'expression française qui demeure en Ontario » (1979 : 44). Que le discours éditorial doive préciser à ce point son mandat en dit long sur les balbutiements de la littérature franco-ontarienne : avant même de rêver d'un futur corpus, il faut tout d'abord définir par qui et pour qui celui-ci doit être créé. Une dernière observation d'ordre paratextuel s'impose : matériellement, le livre est mince et de format étroit, plus encore que d'ordinaire pour un recueil de poèmes. Quant au texte poétique, il est imprimé en caractères inha-bituellement petits et entouré d'une grande marge blanche en haut et en bas de la page. L'absence de majuscule et de ponctuation accentue encore cette impression de dépouillement le plus complet. En outre, ce premier recueil ne comporte pas de citations d'autres auteurs ; l'épigra-phe, placée dans le coin inférieur droit, est de Lacelle elle-même. Lacelle ne se place ainsi dans le sillage d'aucune tradition ou figure littéraire, mais semble plutôt s'autoengendrer en l'absence de tout maître[2]. Cette impression d'épurement se retrouve dans *Coïncidence secrète*, second recueil paru aux Éditions du Vermillon en 1985. Quelques dessins de facture très simple et aux sujets oniriques sont disséminés entre les poèmes. Les textes, imprimés en italique, sont à peine plus longs que ceux d'*Au soleil du souffle*, et la version manuscrite de l'un d'eux est insérée sur une page miroir. Plusieurs indices matériels et paratextuels mettent donc en évidence la précarité de ces recueils et de l'œuvre en train de se faire. Toutefois, nous verrons à quel point ces recueils offrent une parole belle et confiante, qui ira en s'affermissant au fil de l'œuvre.

Si l'on revient au premier recueil, *Au soleil du souffle*, immense est la contradiction entre la fragilité suggérée par la matérialité et la présentation du livre, d'une part, et la teneur des textes, d'autre part. Ainsi, le titre même évoque déjà l'apogée de l'inspiration, le « souffle » pouvant être interprété comme l'*anima* poétique. Ce souffle n'engendre certes pas de longs vers emphatiques et rythmés. Bien au contraire, il aboutit à une parole concise et minutieuse qui soupèse chaque mot. Le lyrisme de ce premier recueil se distingue par sa fermeté, ses formulations ciselées et brèves. Une voix s'affirme dans toute sa singularité, forte de tous ses doutes. La « parole vaste chose » (Lacelle, 1979 : 5) est posée en absolu dès l'épigraphe. Le recueil est divisé en quatre sections, chacune composée de quelques poèmes seulement, entre lesquelles circulent des motifs, même si chaque section possède des caractéristiques propres. La section « Axe du lieu », comme ce titre l'indique, fonctionne comme le méridien zéro ou la colonne vertébrale du recueil.

Une poésie très nominale s'impose d'emblée dans ce recueil :

> au creux du cerveau le mince mouvement d'un vieil astre
> la vieillesse de la main au fond de la mémoire songeuse
> les accrocs de la malsaine envie
> d'être un pic de montagne (1979 : 9).

On compte très peu de verbes, le plus fréquent étant le verbe être ; on note plusieurs verbes d'état ou de verbes qui laissent envisager un espoir, un rêve, une transformation du sujet : « je suis le parfum » (1979 : 7), « je souhaite », « ton vieillissement m'entraîne » (1979 : 9), « je traverse », « je deviens » (1979 : 17), « je rêve la suite des arbres » et « je me poursuis » (1979 : 42). *Coïncidence secrète* reprend ce chapelet de verbes d'ouverture :

---

[2]   Voir, à propos de cette problématique, Biron (2000).

« j'épouse », « je viens », « j'aime », « je m'ouvre », « je deviens » (1985 : 14).
Ces verbes incitent le lecteur à percevoir le sujet comme un être en
construction, qui se projette et s'imagine dans l'avenir. À ces différents
états virtuels du sujet, il faut adjoindre ses avatars, qu'il s'agisse du corps
fragmenté (« le torse étêté » [1979 : 8]), séparé de l'âme (« fait de mon corps
s'échapper mon âme » [1979 : 9]), ou de son ombre (« je deviens patiente
lointaine / sans ombre » [1979 : 17]). « [M]on ombre me chasse à l'Est »,
dit la poète plus loin (1979 : 18), indice d'un pénible dédoublement
de soi. À ce sujet instable et peu sûr de lui-même s'opposent les motifs
du séjour, de la mémoire, de la continuité : « la vieillesse de la main
au fond de la mémoire songeuse » (Lacelle, 1979 : 9) ; « deux roses
séchées sont pays immobiles » ; « deux roses demeurées » (1979 : 14) ;
et « mon vaste séjour » (1979 : 17). Cette durée s'appuie sur quelques
motifs évoquant la stabilité et qui reviennent dans quelques poèmes ; il
y a tout d'abord l'arbre :

un arbre
un arbre rêvant à ses feuilles fragiles
regarde
et prend tout son temps
[...]
il dort longtemps (1979 : 10).

À la page suivante, l'arbre n'est plus seulement un être-là qui s'enracine
dans une durée longue et lente. Il devient aussi figure de stabilité qui permet une ouverture, un élan vers le ciel :

un arbre s'envole
il se couche debout au milieu de l'air

un arbre se repose longtemps (1979 : 11).

Les deux poèmes suivants s'attachent au motif du pont, figure là
encore de solidité, mais aussi de solidarité, de passage entre deux réalités
et deux temporalités : « un pont séjourne près de là / où il fut » (1979 : 13).
Mais c'est la mer, immense et agitée, qui fait que « nos chambres étroites
se défroissent / deviennent ciel » (1979 : 15). La mer abolit les espaces
clos qui enferment et limitent pour mieux ouvrir et libérer. Un seul autre
passage, peut-être, offre une lecture métaphorique de la transgression
inhérente à la situation minoritaire : « comme mon âme est loin de mon
sang / l'isolement de mon souffle décante la naissance lointaine » (1979 :
9). L'âme est détachée de son aire d'appartenance et d'origine, sur laquelle

la parole poétique permet de poser un regard distancié. Ainsi que l'écrit
Jules Tessier au sujet d'*Au soleil du souffle*, « l'écrivaine utilise des mots
qui évoquent un environnement géopolitique, mais en les assujettissant
à des actants ou déterminants qui les "déterritorialisent" » (2001 : 92).
Les deux derniers poèmes évoquent ainsi la fuite ou la quête de l'Est
(« mon ombre me chasse à l'Est » ; « ma prière monta en Est » [1979 : 18,
19]). Pour Lacelle, originaire de l'Est ontarien, aller plus à l'Est veut dire
regarder du côté des origines, d'autres aires francophones.

Or certains poèmes de la section « Plainte des os » semblent se placer
dans la filiation d'Anne Hébert. Le premier poème, par son sujet et son
lexique, s'apparente à une réécriture de « La fille maigre » :

j'ai pris une coupe d'étain	Je suis une fille maigre
j'ai taillé une crevasse avec mes dents	Et j'ai de beaux os.
j'ai pris un couteau de fer	[…]
j'ai sculpté un cœur avec mes os	Je les polis sans cesse
	Comme de vieux métaux.
j'ai pris le cœur	
l'ai greffé à la coupe	[…]
et j'ai joué à la satiété	Un jour je saisirai mon amant
repue de tristesse amère incrustée dans	Pour m'en faire un reliquaire
mon champ de nuit	d'argent.
dans cette coupe (Lacelle, 1979 : 21).	
	Je me pendrai
	À la place de son cœur absent
	(Hébert, 1992 : 29).

Les mains fournissent à plusieurs reprises une autre image du corps vio-
lenté : « la chute de nos mains moites » (Lacelle, 1979 : 24) ; « des millions
de mains offertes / comme des oiseaux aveugles » (1979 : 26) ; « de la terre
énigme / mains surgissant » (1979 : 31) ; « deux mains déchirées » (1979 :
29) ; et « main renversée » (1979 : 32). Là encore, ce motif des mains
rappelle « nos mains coupées », « nos mains fondues » du poème « Nos
mains au jardin[3] » d'Anne Hébert. Cette section présente également
plusieurs réflexions à valeur métapoétique. Andrée Lacelle affirme la « très
secrète fougue de [s]on angle intime » (1979 : 25) dont elle revendique
la singularité, tout en évoquant les défis que pose le lyrisme : « Ô la très

---

[3]   Voir Anne Hébert (1992 : 43).

difficile chose que le souffle » (1979 : 26). En effet, dans plusieurs poèmes le silence semble prendre la place de la parole – « la parole ne tend plus », « le silence s'écrase sans bruit » (1979 : 26), « la mort d'un souffle » (1979 : 28) ; « terre essoufflée » (1979 : 29) – si bien que la poète conclut ainsi : « je languis mes êtres nombreux / insuffisante nymphe vivace comme sable venteux fleuve proche » (1979 : 32). Le verbe « languir » et les « êtres nombreux » rappellent ces verbes du devenir et la diffraction du sujet relevés un peu plus tôt, mais cette fois-ci, le sujet se déclare « nymphe insuffisante », comme si sa parole n'était pas à la hauteur de son projet. La section « Étonnement » s'attache à des motifs ténus tels qu'un « fil de soie », une « bille d'argile » (1979 : 33) ou « un caillou de hasard » (1979 : 36), avant de refuser la totalisation du sens : « le songe est vaste / pourquoi chercher la clef » (1979 : 35).

La dernière section, non titrée, est composée de deux poèmes très différents. Le premier est plus long et plus lié que les autres. Il s'ouvre sur une urgence qui rompt avec la durée qui régnait jusqu'alors : « vite vite je pense au milieu de mon front ». Un bel emportement se remarque, une énergie gonfle, prend forme : « j'anime des frontières / hautes comme les vivants », « à la province de mon geste je poursuis vos tambours / et les aime comme âmes debout ». La voix se dit « ensemencée comme mer blanche » et il est question de « flamme verte », d'« éclat », de « chante[r] le monde », avant que tout cet élan se résorbe dans le dernier vers : « le pôle de mon songe s'est tu » (1979 : 41). En raison non seulement de l'énergie qui se dégage des analogies entre corps et nature et des motifs du chant et du feu régénérateur, mais aussi de sa clausule finale plus pessimiste, ce poème rappelle le lyrisme déployé par les poètes du pays au Québec dans les années 1950 et 1960. Il est intéressant de remarquer que ce lyrisme a été pratiqué presque exclusivement par des hommes ; Andrée Lacelle semble s'y essayer à la fin de ce recueil, mais ses poèmes subséquents montrent qu'elle n'a pas poursuivi dans cette voie.

Le dernier poème est une énumération sous forme de liste, qui débute par « je suis fidèle à ma race » et trois premiers vers qui marquent le sacrifice et le mal-être avant que commence à poindre une ouverture : « je suis vaste », « je suis rapide », « je traverse », « je rêve », qui aboutit au « je me poursuis » final (1979 : 42), marquant l'inachèvement du projet et l'ambition d'un sujet en devenir.

Dans *Coïncidence secrète*, le sujet établit une cartographie pluri-dimensionnelle de l'être en insistant sur une habitation signifiante du monde : « au centre du corps / au large de la mémoire » (Lacelle, 1985 : 1) et « en chacun de nous » (1985 : 2). Les images liées au corps sont redoublées par celles de la maison et de la terre, qui sont travaillées suivant la même volonté de souligner une intimité féconde : « ma maison est profonde comme la Terre » (1985 : 3) ; « à l'endroit de mon cœur » (1985 : 8) ; « le cercle du désir au creux du ventre » (1985 : 14). Le corps, la maison et le territoire constituent des points d'ancrage forts pour exprimer cette exploration de l'intérieur, tel que l'a défini Pierre Nepveu dans *Intérieurs du Nouveau Monde* (1998). Ainsi, d'*Au soleil du souffle* à *Coïncidence secrète*, le lecteur découvre déjà la tension agonistique qui innervera la suite de l'œuvre de Lacelle, soit l'image de la voyageuse en mouvement, tournée vers l'ailleurs et l'extérieur, mais également soucieuse d'un recentrement introspectif. Ces recueils font découvrir un *Je* féminin intime, en devenir, qui tantôt s'ouvre et s'élance, tantôt semble perclus de doutes.

En somme, la lecture des deux premiers recueils d'Andrée Lacelle ne laisse pas de plonger dans l'ambivalence. La matérialité et le paratexte des recueils indiquent que l'auteure débute dans un champ institutionnel en émergence, alors même que la voix qu'ils donnent à lire montre déjà une maîtrise remarquable de la forme et une indéniable cohérence du propos grâce à la récurrence de certains motifs (l'arbre, le pont, la mer). Le souffle, à la fois vital et poétique, est au cœur de cette poétique dont l'immense désir est de durer, ainsi que le formule le dernier poème de *Coïncidence secrète* :

> Je pense à ce qui n'est pas le rêve noir du mirage, à ce qui est plus loin que le regard, le chant du corps avec les yeux, cette chair de l'instant, et ce désir du souffle long, à ce qui ne se raconte pas et se poursuit sous le ciel, au-dessus de la terre (1985 : 20).

Hélène Dorion : l'intensité d'un regard par-delà les déchirures

Hélène Dorion publie *L'intervalle prolongé* suivi de *La chute requise* en 1983. Dans le premier recueil, le *Je* demeure discret, en retrait derrière un lyrisme qui se veut essentiellement abstrait, impersonnel. Plusieurs motifs reviennent dans tout le recueil, certains étant surtout concentrés dans telle ou telle section. Il faut, tout d'abord, évoquer le regard, presque toujours désigné par la métonymie de l'œil, ainsi que les dispositifs optiques qui l'entravent ou l'altèrent : « l'œil s'accroche », « l'œil fend » (1983 : 16),

« derrière la cloison / je multiplie l'approche » (1983 : 21), « l'œil remonte
le sombre » (1983 : 35), « l'épuisement du regard » (1983 : 37), « derrière
l'œil » (1983 : 44), « l'œil s'insinue » (1983 : 45) et « l'horizon que je ne
vois pas » (1983 : 46) sont autant d'exemples de cette prééminence du
regard. Ce premier recueil est baigné dans la blancheur dès la première
section intitulée « Empreintes du jour » : « la blancheur inonde / ce silence
du ventre » (1983 : 18), « l'écran / blanc / souverain des herbes / éclaté / se
déploie » (1983 : 20). Ce blanc est associé à la lumière et au feu créateur
et régénérateur : « la lumière trace l'assaut » (1983 : 13), « le vibrant du
jour » (1983 : 14), « le feu extrême » (1983 : 18), « lumière / éclatée des
orages » (1983 : 19), « la face embrasée de la terre » (1983 : 20). Le début
de ce recueil peut se lire comme une aube grandissante qui fait reculer
la nuit, ou bien comme une page blanche en voie de reculer également,
puisqu'elle donne lieu au feu de la création. On retrouve, comme chez
Andrée Lacelle, l'évocation du souffle inspirant : « le souffle tenant lieu
de rupture » (1983 : 38) ; « suivre l'élan vivace / en quête du souffle »
(1983 : 46). Cette recherche du souffle peut être associée aux motifs de la
naissance à l'écriture : « l'œuf en son espace / le germe / entre terre et lèvre
se corrompt » (1983 : 38). Dans ces vers se côtoient l'œuf et le germe,
deux symboles de promesse et de croissance, mais dans le second vers, « se
corrompt » est l'indice d'un début difficile.

Ainsi, tout n'est pas uniformément lumineux, donné ou en devenir
puisqu'on trouve de nombreuses évocations de failles. Les deuxième
et quatrième sections sont respectivement intitulées « Déchirures » et
« Dans le tranchant ». Brèches et blessures se répondent dès le début en
tant d'occurrences qu'on se contentera de quelques exemples : « écharde
qui creuse / brèche verticale » (1983 : 20) ; « blessure explorée » (1983 :
21) ; « au murmure des brèches » (1983 : 22) ; et c'est sans compter tout
un réseau lexical constitué de mots tels « incision », « fêlure » (1983 : 25),
« embrasure », « brisures » (1983 : 26), « rompue », « intervalle »,
« crevasses », « incisive[s] » (1983 : 27 ; entre crochets dans le texte),
« plaie » (1983 : 27), « faille », « cassure » (1983 : 28), « rompues »
(1983 : 29), « déchirure » (1983 : 45). Rarement aura-t-on vu une telle
concentration de ce sème. La dernière section est celle qui va le plus
loin dans l'exploitation de ce motif puisque la disposition même du
texte signale la rupture. En effet, chaque page comporte deux strophes,
l'une en haut, l'autre en bas, créant un « intervalle prolongé » entre
les deux. Ces poèmes sont de loin les plus abrupts et les plus hachés

du recueil. Tant leur lexique (« l'intervalle », « le heurt », « l'éparse », « secousse / dispersée » [1983 : 51], « suspens » [1983 : 53], « fissures », « circuit inapte » [1983 : 55], « la cassure » [1983 : 57], « la fissure », « le geste soudain haché » [1983 : 59], « ce regard entravé », « rupture » [1983 : 60]) que leur syntaxe expriment une disruption généralisée. On peut lire, à titre d'exemple, la strophe qui donne son titre à la section :

> puis ce fut ma vie
> peaux refaites
> > *dans le tranchant*
> ce refus de brûler
> au-dessous du sol
> semblable érosion
> *fêlure extrême*
> *ce tissu broyé* (1983 : 61 ; nous soulignons).

Ce refus de la linéarité syntaxique et de la continuité logique annonce *La chute requise,* qui va reprendre, mais de façon distincte, cette esthétique de la dislocation. Publiée sous la même couverture que *L'intervalle prolongé,* cette suite poétique s'essaie à un lyrisme différent. Le *Je* et le *Tu* y sont beaucoup plus présents. Du point de vue de la forme, le poème fait penser à une suite de versets, car les vers sont longs et ne forment pas de paragraphes distincts. Ils « chutent », pour reprendre le titre, se dévidant les uns après les autres. Pourtant, ces versets arborent une forme oxymorique en cela que, s'ils sont assez longs, ils sont aussi systématiquement entrecoupés. Non seulement les connecteurs logiques, mais aussi les articles sont réduits au minimum, voire absents, ce qui donne lieu à une syntaxe disloquée : « Cicatrice de la démesure, d'une passion à outrance. Ce terme que marque l'inachevé, y consentir » (Dorion, 1983 : 71).

D'autres motifs déjà présents dans *L'intervalle prolongé* s'y retrouvent, tels que le regard : « L'œil réinvente l'horizon » (Dorion, 1983 : 68); « Ravages extrêmes derrière l'œil » (1983 : 69). Voir est considéré comme une action pleine et entière : « le geste de te regarder » (1983 : 67). On retrouve également le désir et la soif comme sources d'énergie et d'expansion de l'être, et sans doute de l'acte d'écrire aussi : « Sinon la fuite, que multiplier? Cette soif peut-être » (1983 : 70); « *poursuivre le désir – seul réel* » (1983 : 79; en italique dans le texte). Parmi les singularités de cette suite poétique, il faut mentionner l'amour, ou plutôt le « [t]rajet d'aimer » (1983 : 68), c'est-à-dire l'amour conçu comme cheminement ou processus. En revanche, l'essence de l'être est perçue moins comme une construction progressive que saisie dans un moment d'épiphanie au terme de son cheminement ; le *Je* évoque ainsi des « [d]ésirs faufilés au solstice d'être » (1983 : 67) et le « vacarme d'être » (1983 : 70), autrement dit l'être à son apogée. Ces moments où l'existence semble culminer, où le sujet se sent vivant et en coïncidence avec lui-même se détachent de la douleur ordinaire, à peine perceptible, du quotidien : « Dans la douce morsure d'exister, la distance qu'il importe d'habiter » (1983 : 77). Ils permettent également d'échapper au « gouffre de narrer la blessure » (1983 : 79). Un extrait conjugue fort bien les différents thèmes explorés, soit la présence de l'être aimé, l'écriture et l'affirmation de l'être : « Relecture : *l'encre coule en mots et parvient peut-être à te dire combien tu existes, combien je t'aime* » (1983 : 71 ; en italique dans le texte). Les tout derniers vers suspendent cependant l'ensemble : « Je suffoque. *Tout ce qui n'en a pas été dit.* / [...] Faillite inexorable » (1983 : 79-80 ; en italique dans le texte). La suffocation semble avoir pour origine le mal-être lié à la rupture amoureuse qui est suggérée ; elle menace le souffle vital et poétique. Le vers en italique exprime l'impuissance de l'écriture dont prend acte le dernier vers cité.

Avec *Hors champ*, paru en 1985, Hélène Dorion revient à ce thème de la rupture amoureuse, qui confère à ce second livre une plus grande cohérence qu'au premier. Mais cette impression de cohérence naît sans doute aussi d'une trame narrative qui se dessine derrière les poèmes : les quatre premières sections ainsi que la moitié de la dernière racontent l'échec amoureux, tandis que les dernières pages du recueil portent sur la naissance d'un nouvel amour. La dissolution du lien amoureux s'exprime, tout d'abord, par le corps, cet « écran fait chair » qu'il s'agit d'« invertir » et dont il faut « relever [l]es traces, car il savait, le corps, s'affubler de doublures » (1985 : 11). Le corps de l'autre est perçu comme une cloison, comme un masque qui fait écran aux véritables sentiments de l'être aimé, alors que, quelques pages plus loin, le *Je* indique que son corps exprime la subjectivité dont il est le support et devance et surpasse en cela toute tentative d'écriture : « Que dire que le corps n'ait déjà parlé ? » (1985 : 28) Mais alors qu'on avance dans le recueil, ce traitement du corps évolue et devient douleur physique, notamment dans la section « Ce qui remue sous la chair », dont les premiers vers donnent un aperçu :

> Les nerfs dévient du muscle
> les tendons se fragmentent
> l'os fissure la peau
> la main se liquéfie
> entre les cuisses des filets
> de chair rouge
> l'œil s'enfonce dans l'orbite
> les dents tranchent la gorge (1985 : 47).

La douleur corporelle est ici hyperbolique, elle dépasse largement les symptômes du dépit amoureux, qui est illustré par l'exploitation d'un lexique plus scientifique que sentimental. Cependant, cette section montre un cheminement dans le traitement du corps :

> Était-ce une pierre
> le silence de ta peau
> qu'un jour tu arrachas
> pour l'avoir étouffé
> trop longtemps ce corps
> te parlait sans cesse (1985 : 58).

Cette redécouverte du corps, cette naissance à soi survient par l'écriture : « Je te parle de ce geste / d'un corps se déplaçant / pour écrire ce poème » (1985 : 60). Dans les derniers poèmes qui suivent, le corps est perçu comme réceptif et ouvert :

> Ce matin-là il pleuvait
> sur le sable mon corps
> buvait ces peaux
> de la mer et mes lèvres
> rivées aux sucs de l'étendue
> je sentais tout cela qui passe
>
> mes pores aspiraient cette lumière
> d'une vie plus proche (1985 : 61).

Finalement, les derniers vers de la section disent la coïncidence avec soi-même : « tu / ne seras plus que ce geste / de glisser vers toi-même vers / toi-même ne te retenant plus » (1985 : 62).

La lente agonie de l'amour est mise en relation avec d'innombrables parois (1985 : 18, 37) et murs de silence (« emmurée de silence » [1985 : 16]) qui entravent la circulation de l'énergie et du désir : « Espace aménagé à même le regard, l'énergie allusive. Au centre du tumulte, l'intrigue des corps racontée, la circulation dense du désir » (1985 : 29). Ces parois métaphorisent également la cécité, le regard absent tel qu'il se trouvait déjà dans *L'intervalle prolongé.* Les jeux de regard expriment dans la relation la même dissymétrie que les corps, si l'on compare les deux citations suivantes : « *Assise près de toi, tu dis ne pas m'avoir vue. Je sais – tu ne m'as jamais vue* » (1985 : 21 ; en italique dans le texte) ; « Combien de jours à te voir pour la première fois ? » (1985 : 24) Le *Je* redécouvre perpétuellement l'être aimé, revit l'expérience de l'émoi du premier regard bien qu'il n'existe manifestement pas ou plus dans le regard du *Tu*.

« Hors champ », la section éponyme, n'est constituée que d'un seul poème en italique qui condense admirablement tous ces sèmes :

> *En ce temps-là je n'avais de regard*
> *qu'absent de moi-même mon corps*
> *verrouillé du dedans*
> *[…]*
> *je marchais au bord de moi*
> *conjuguant l'exil et la fuite*
> *à même ce qui restait*
> *dans les muscles*
> *un fragment de geste*
> *sachant bien la préhension*
> *d'une ombre*
> *qui ne m'appartient pas* (1985 : 41 ; en italique dans le texte).

« Le long des choses » est la section la plus discontinue, dans laquelle le silence, l'opacité et les heurts atteignent leur intensité maximale, tandis que la dernière, « Comme une prise sur l'éphémère », sans doute la plus importante du recueil, commence par évoquer la dissolution du lien amoureux dans un cadre temporel à paramètres variables. La solitude s'énonce au présent : « Trois heures du matin je ne retiens / que ton ombre sillonne la mienne / ou les brûlures de l'attente » (1985 : 81). Le désir d'écrire se conjugue au futur : « Je n'écrirai que cette forme / de toi sous mon regard » (1985 : 79), et l'amour au passé : « Ce que nous fûmes ne regarde / personne surtout pas nous / ce faux pli / au milieu des draps » (1985 : 86). Un autre poème, le dernier à évoquer la rupture, répète cette volonté d'en finir avec l'histoire passée :

> Contrainte à l'absence
> de geste je n'ai plus
> que ce ponctuel
> reflet de toi
> me racontant combien de fois
> encore l'histoire
> qui n'a pas eu lieu (1985 : 96).

Puis le *Tu* disparaît soudain pour laisser la place à un *Il* inconnu et qui, très vite, fait émerger un nouveau *Nous*, un nouveau *Tu* : « m'aimeras-tu / demain serai-je encore / l'embrasure de tes chemins ? » (1985 : 103) La fin de ce recueil est parsemée de fragments de chansons d'Elton John, d'Alan Parsons et de Cat Stevens, d'abord attribués au *Il*, puis : « je reprends ses mots / sa marche », dit la poète (1985 : 99). Les quatre derniers poèmes réitèrent, chacun à sa manière, un vers de Susan Musgrave extrait de *Cocktails at the Mausoleum* (publié en 1985, comme *Hors champ*) : « *There's something in you that's different* » (1985 : 106-109 ; en italique dans le texte). La versification et la syntaxe de chacun des poèmes font que ce vers se trouve coupé de différentes manières chaque fois, faisant émerger un sens légèrement différent à chaque occurrence.

Dans un compte rendu consacré à *Hors champ* lors de sa parution, André Brochu soulignait « de belles qualités d'écriture » en ajoutant qu'il y trouvait « [p]eu ou pas de facilités, même si le registre thématique les favorise » (1986 : 136). On souscrit volontiers à cette appréciation tant les premiers textes d'Hélène Dorion réussissent à imposer une voix et un regard qui parviennent à se détacher du prosaïsme par la mise en place de réseaux de sens qui confèrent cohérence et résonance à l'ensemble. Si la mélancolie est presque attendue de la part d'un poète à ses débuts et peut même être un cliché, elle n'a rien d'une posture chez Dorion. Comme l'a souligné ultérieurement François Paré dans un article consacré à *Un visage appuyé contre le monde* d'Hélène Dorion paru en 1990, cette poésie ne craint pas de s'aventurer là où le ridicule et la dérision signeraient d'une main sûre une mort littéraire (Paré, 1999 : 341). Paré évoque ainsi « le resurgissement, sans égal depuis Saint-Denys Garneau, d'une écriture du désespoir que la poésie québécoise contemporaine avait pratiquement oubliée » (1999 : 339). Ce faisant, il évoque une ascendance littéraire qui mettrait Dorion en porte-à-faux avec les féministes de sa génération[4]. En effet, on ne trouve aucune trace de vindicte féminine dans ses recueils

---

[4]   François Paré propose plutôt de lire Dorion comme une héritière de Saint-Denys Garneau (1999 : 346) même si toute sa démonstration tend à souligner la singularité absolue du sujet chez Dorion, de même que son « détachement » (1999 : 346) à l'égard du corps, de la politique, de l'histoire, de l'action, etc. Il qualifie à maintes reprises son entreprise littéraire d'« écriture féminine », mais sans jamais rapprocher Dorion d'autres auteures ou théoriciennes ayant contribué au développement de cette veine littéraire.

même si le contenu s'y serait admirablement prêté. Ces recueils évoquent un sujet certes féminin, mais dont le vague à l'âme et les fragilités sont présentés comme universels.

Se regarder naître à l'écriture : feinte et autoréflexivité chez Dyane Léger

Les deux premiers recueils de Dyane Léger, *Graines de fées*[5] (1980) et *Sorcière de vent!* (1983), ont beaucoup de points en commun. Les livres, de format carré, présentent en couverture des figures féminines qui se détachent sur le fond de la page. Dans le cas de *Graines de fées*, il s'agit d'un visage aux lèvres rouges entouré de lignes manuscrites signées par l'auteure ; le second recueil reprend dans le coin supérieur gauche un visage très ressemblant au premier auquel se superpose une photo en noir et blanc d'une femme en longue robe noire fendue qui se détache sur des biffures diagonales à l'encre rouge. Dans les deux cas, les poèmes sont des textes en prose, longs de quelques pages chacun ; on les qualifierait volontiers de déroutants. À quoi tiennent la surprise, l'incertitude, voire le malaise qu'ils créent et entretiennent ? Dyane Léger donne naissance à des textes faussement naïfs. Ses titres font appel à un imaginaire de contes enfantins que viennent corroborer ceux de ses deux premiers recueils. Le texte qui apparaît sur la couverture de *Graines de fées* introduit le lecteur à ce même univers :

> Il était une fois une petite fille qui aimait beaucoup écrire. Son passe-temps était écrire, son beau temps était écrire. Le jour elle jouait à la catin avec son crayon. La nuit il couchait avec elle. Une nuit le frou-frou d'ailes les réveilla. Ils aperçurent des fées qui patinaient sur un cahier. Le matin la petite fille lut l'histoire bizarre que les fées avaient patinée sur le cahier. Beaucoup beaucoup de nuits se sont écoulées depuis la visite de ces patineuses extra-terrestres. La nuit, la nuit j'attends toujours le frou-frou de leurs ailes, la musique de leurs petits pieds sur le prélat refroidi, la magie de leurs patins danser en mots sur mes cahiers. Beethoven et Jong, et Nelligan et Yvon ont tous créé pour elles. C'est à mon tour (Léger, 1980, première page de couverture).

Ce récit de l'accession à l'écriture donne déjà un aperçu de plusieurs motifs récurrents : l'enfance, l'écriture, l'inspiration poétique, une logique onirique qui échappe à l'entendement et, finalement, le désir de

---

5   L'édition originale citée dans les pages qui suivent ne comporte pas de pagination.

prendre la parole à son tour. Tout cela peut paraître frais et léger – sans mauvais jeu de mots avec le nom de l'auteure – d'autant que ce premier recueil est constellé de calembours. Or la fin de ce prologue qui s'affiche en couverture nomme clairement des modèles esthétiques et un réel désir d'écriture, tandis que les calembours à venir trahissent une certaine détresse. Si d'emblée « l'Attente […] me sourit tempsdrement », comme le dit la poète, que cette attente « nous donne à chacun une boîte de mots » et qu'on s'affaire alors à « revêtir nos costumes d'enfants », bien vite « l'araignée tisse la cage à nostalgies, y fait vibrer l'âme du piano tué », « [m]on miroir applique une autre couche de maquille-âge » et « [n]os costumes vieilliss[ent] trop vite » (Léger, 1980). « Au lieu des rires, des joies et des drôleries, » nous dit la poète, « [les enfants] avaient écrit des ennuis, des misères, et des agonies ». Ce poème intitulé « La porte dans mon miroir » se termine par une paronomase qui évoque parfaitement le passage de l'insouciance à la souffrance :

> Accalmis dans une toile de consolation qu'une araignée nous avait tissée, nous avons gratté le fond d'une cannette pour fripper les restants de mensonges secs. Ils étaient si chocolats, si bons si doux. Nous en avons mangé beaucoup trop de ces douCeurs avec un « L » au lieu d'un « C », beaucoup trop (Léger, 1980).

De fait, chaque poème commence par une phrase mise en exergue qui précède le titre. Toutes ces phrases sont construites à partir du même modèle binaire qui insiste sur la déception ou la déchéance : « La Fantaisie… c'est la plus cruelle des réalités » ; « Le rien d'un rire… c'est le mal des heureux » ; « Le cinéma… c'est le mon songe de la vérité » ; « L'Amour… douxl'heure atroce » ; « Le temps… absurde guillotine qui décapite mes illusions » ; « Notre vie… n'était qu'un rêve castré » (Léger, 1980). À travers ces quelques citations se dessine un imaginaire baroque qui joue sur les apparences, les distorsions entre réalité, rêves, reflets et représentations. Cet imaginaire imprègne les deux recueils et affecte tant le sujet que le monde qui l'entoure. *Sorcière de vent!*, quant à lui, s'ouvre sur le poème « Intrigue onirique », qui commence ainsi :

> Ma chambre me *renvoie l'image* d'un enfant *barbouillé du maquillage* de sa mère. Ce soir je n'ai pas envie de romans harlequins; je *ne vois que* des arcs-en-ciel bossus qui *ressemblent étrangement* à des ventres de saumons échancrés. J'allume et ils fuient, laissant sur mes murs des poèmes sans mots. Écœurée par ce *sentiment de déception* et d'amertume qui habite mes yeux, je contourne mes paupières de jaune et de mauve, et je m'efforce de sourire aux plantes. […] Dans leur résignation, je sens leur silence brûler le peu de bonheur que me

reste ; je sens leur désespoir avorter le chapelet qui flambe aux seins de la Vénus de Milo. C'est dommage que le soleil *que j'ai collé* au dehors de ma fenêtre n'ait pas su braver les éléments. C'est dommage qu'il se soit mouillé à la première neige et que le temps de *croire au Père Noël* soit passé... (Léger, 1983 : 11-12 ; nous soulignons).

Les illusions sont présentes dans le maquillage, l'allusion à la croyance au père Noël, les perceptions toujours susceptibles d'être fallacieuses (« je ne vois que [...] », « qui ressemblent étrangement à [...] ») et la facticité (« le soleil que j'ai collé au dehors »). De fait, il semble que ce recueil s'efforce de démonter plus généralement toute l'artificialité textuelle dans des passages à forte teneur métatextuelle. Dans l'extrait précédent, la poète dit trouver « sur [s]es murs des poèmes sans mots » (1983 : 11) ; à la page suivante,

c'est la même histoire, le même scénario. En blanc et noir mes heures se répètent comme un vieux film à la télévision. [...] Et puis, comme il était une fois une cerise sur un « jell-o », il y a mes mots, mes mots qui crient et qui pleurent et qui beuglent et qui baignent dans le silence comme des petits bébés, quand on leur écrase la tête (1983 : 12).

La métatextualité s'intensifie d'ailleurs un peu plus loin dans le recueil lorsque dans le poème « Les ivrognes interdits », le sujet se rebelle contre un poète autoritaire : « Le poète a-t-il le droit de tuer ses personnages ? [...] Je l'ai prié, je l'ai supplié de réécrire toute cette scène. Mais entêté, il a suivi son idée. Il m'a menacé [*sic*] du bout de son crayon comme du bout d'un revolver » (1983 : 29). Dans ce poème, le sujet est donc dépendant d'un auteur omnipotent : « Je me souviens seulement de m'être réveillée dans un cadre, sur le bureau du poète, et que je le méprisais plus que jamais » (1983 : 32). Mais dans « Lesbiennes latentes », la perspective change : le *Je* est l'instance auctoriale ; à travers un dialogue dont seules les répliques du *Je* nous sont données, on devine la révolte du personnage d'Esther qui essaie d'échapper à l'auteur :

– Esther ! Qu'est-ce qui te prend ? Tu es folle ! [...] Tu ne dois pas briser la suite littéraire. Parle plus fort, je ne t'entends pas. Des cigarettes !... Tu veux que j'aille chez le dépanneur ?... Merde. Esther, ne vois-tu pas que je suis en plein drame poétique ! Quoi ?... Bien sûr que je suis le poète ! (1983 : 40)

Le *Je*-auteur est contraint de sortir acheter des cigarettes pour son personnage d'Esther. En sortant, il fait une autre rencontre, à qui il doit également rendre des comptes :

> – Oups! Mais, qu'est-ce que c'est…? Sacrée misère. Et toi! Qui es-tu? Qu'est-ce que tu fais, assis comme ça en plein escalier! Veux-tu me casser les deux jambes?
> – Le lecteur?… Oh!… Mille pardons. Je dois m'absenter de ce texte pendant quelques instants. […] J'ai donné naissance à un personnage; mais vous savez, c'est comme des enfants, ils grandissent indépendants et souvent ils développent des caprices. Entre nous, dans leur vanité ils se prennent pour du vrai monde […]. Je vais revenir et je terminerai le texte (1983 : 40-41).

À la fin de ce texte, Esther veut ressusciter Magloire, autre personnage que le *Je*-auteur a tué auparavant. Voyons comment se terminera cette comédie de la métatextualité :

> – Mais qu'est-ce que tu fais?… Tu n'as pas le droit! Je te le défends! Esther, ne fais pas sortir Magloire de tes beaux yeux. Il est mort. Je l'ai tué. Esther, je t'aime bien. Je te laisserais faire n'importe quoi; je ferai tout ce que tu me demanderas; mais je t'en prie, ne ressuscites [*sic*] pas Magloire. Personne ne comprendra. Personne ne le croira! […] Dis-moi que pendant que je m'affolais en cherchant un complément d'objet et que l'orage vrombissait de rires enneigés d'araignées, que toi Esther, pour t'amuser, tu as jeté dans mon café un confetti de folie, et que j'hallucine!!! Dis-moi, dis-moi n'importe quoi, je ne veux que te croire… (1983 : 44-45).

Curieux dénouement dans lequel le *Je*-auteur semble vivre au même niveau de fiction que son personnage et qui se retrouve dans une situation non de toute-puissance, mais de dépendance et de supplication envers son personnage. Le brouillage des niveaux de fiction entre l'auteur et le personnage est évident, mais la dernière phrase de ce passage laisse penser que la confusion s'étend aussi à l'auteur et au lecteur dans la mesure où le « je ne veux que te croire » est plus ou moins la requête implicite de tout lecteur de fiction envers l'auteur. Or la fameuse « suspension consentie de l'incrédulité[6] » de Coleridge est ici attribuée à la figure de l'auteur et non à celle du lecteur.

Dans un recueil comme dans l'autre, il faut noter la cohérence d'ensemble : bien que la lecture linéaire semble mettre en place un imaginaire débridé, presque surréaliste tant les associations proposées peuvent paraître surprenantes, l'encadrement de chaque recueil permet de restituer le sens à l'ensemble. Dans *Sorcière de vent!,* la figure de la mère, par exemple, ouvre et clôt le recueil. Si la première phrase, nous l'avons vu, évoque une petite fille qui veut grandir trop vite (« un enfant

---

[6]   Traduction la plus fréquente de la célèbre expression de Coleridge : « *the willing suspension of disbelief* ».

barbouillé du maquillage de sa mère » [1983 : 11]), le dernier paragraphe montre une régression :

> – Maman! Maman, je veux retourner dans ton ventre. J'y remettrai tout ce que j'y ai pris. Laisse-moi y retourner. Maman, si tu savais combien j'en ai marre de cette poésie qui pourrit mon bonheur, qui rend mes muses malades et folles, folles et malades, j'en ai tellement marre de cette poésie qui néglige mon temps de vivre. Comprends-tu? J'ai beaucoup trop mal au pays! Je ne peux plus continuer. Maman, ouvre tes jambes!... (1983 : 75-76)

Graines de fées, quant à lui, s'ouvrait sur « l'Attente » qui « donn[ait] à chacun une boîte de mots » (Léger, 1980). Autrement dit, le *Je* est en attente d'une mise en forme de ses mots. Il les a à sa disposition, il lui reste à les assembler, à les disposer et à les faire résonner ensemble. Le dernier poème s'intitule « Suicide littéraire » et se termine ainsi :

> Mais j'ai changé tranquillement depuis le premier chapitre. J'ai changé énormément depuis mon séjour en ce désert déguisé. Mes belles ailes de cupidon sont tombées, mes délicates fanfreluches d'amants sont toutes ternies. J'ai poussé des mots : des beaux des laids, des grands des petits. J'ai poussé des fautes de français, des participes mal accordés, des comparaisons exagérées, et les fantaisies d'une poète folle. [...] Je me sens plus lourde, beaucoup plus lourde. Je ne peux plus flotter sur la brise comme lorsque je n'étais pas. Je me sens comme prise. Prise d'un entourd'âges qui me serre par le temps, qui construit avec ce même temps la chair de ma prison. Je suis nature-morte, vivante. Je suis le poème écrit (Léger, 1980).

La mention « Dédié à Émile Nelligan » suit immédiatement ces lignes. Tout premier recueil est une naissance à l'écriture, mais *Graines de fées* rend ce passage conscient et le thématise explicitement, ou presque. Alors pourquoi « Suicide littéraire » plutôt que « Naissance littéraire »? Cela ne peut se comprendre que grâce à la mention explicite de Nelligan. L'introduction de cette référence littéraire ne surprendra pas celui qui se prête à une lecture attentive du recueil. En étudiant en effet le mode d'engendrement du texte, et notamment ses allusions intertextuelles, on comprend que cette dédicace à Nelligan ne vient que confirmer sa présence spectrale, mais indéniable dans tout le texte.

La matrice textuelle de Dyane Léger semble fonctionner à l'oreille : les mots s'interpellent, leurs sonorités s'attirent, s'engendrent et leurs colocations font se lever à l'horizon du texte des réminiscences littéraires. L'exemple est probant dans ces lignes extraites de *Graines de fées* :

> De ma fenêtre, je regarde germer les navires de nuit sur les vagues du havre. J'écoute la romance du noir fringer dans les rues absentes, comme la valse

ivre des rêves. Et je dessine, je dessine sur ma vitre un frimas d'allégresse qui parcourt la falaise en un seul élan! La cloche sonne.

La cloche sonne et audedans [*sic*] de la taverne les rires éclatent comme des bombes de fêtes. Et les désirs des robes énamourent quelques soldats. Et les lanternes clignotent aux couples valsants [*sic*]. Et les couleurs s'élancent comme des ballerines neigées (Léger, 1980).

La matrice sonore dans ce passage semble être le *v* présent dans beaucoup de mots importants (navires, vague, havre, valse, ivre, rêve, vitre, taverne, valsants). Ce lexique et les motifs qu'il fait naître rappellent certains des plus fameux poèmes de Nelligan : « Le vaisseau d'or » (« navires », « rêves »), bien sûr, mais de façon plus ponctuelle aussi « La romance du vin » (« romance », « éclatent », « rires », « ivre », « la cloche », « croisée ») ou encore « Soir d'hiver » (« de ma fenêtre », « ma vitre », « un frimas », « neigées »)[7]. Il y a aussi quelque chose de vaguement rimbaldien dans cet extrait. Le bateau (« navire »), pris dans une atmosphère de « valse ivre des rêves », rappelle assurément le poème bien connu[8], mais aussi les marques de frivolité (« les désirs des robes énamourent » et les éclats de rire) qui rappellent moins un poème précis de Rimbaud, que des motifs récurrents présents dans plusieurs de ses poèmes[9]. Dyane Léger sollicite ainsi des figures marquantes de la poésie qui, tant au Québec qu'en France, ont permis la naissance de la modernité poétique.

Ce constat est important dans la mesure où, par le jeu des références intertextuelles, Léger aurait pu choisir de s'inscrire dans la poésie acadienne alors en pleine éclosion, mais la raison de son silence à propos de Raymond LeBlanc, Herménégilde Chiasson, Gérald Leblanc et des autres poètes acadiens apparaît évidente : Léger ne se conçoit pas comme une porte-parole de la société acadienne, comme l'étaient ces auteurs. Hormis quelques rares vocables qui indiquent la provenance acadienne

---

[7] Voir « Le vaisseau d'or », « La romance du vin » et « Soir d'hiver » (Nelligan, 2008 : 73, 217, 112).

[8] « Le bateau ivre » de Rimbaud (1998 : 203).

[9] Les éclats de rire de la femme convoitée reviennent à au moins quatre reprises dans « Les reparties de Nina » (Rimbaud, 1998 : 100-101) et « Première soirée » (1998 : 106-107), mais aussi de façon plus marginale dans « À la musique » (1998 : 77-78). Ces poèmes, tout comme « La Maline » (Rimbaud, 1998 : 133-134), utilisent ce motif pour créer une atmosphère de frivolité et de jeu de séduction. La « taverne » rappelle « Au Cabaret-Vert, cinq heures du soir » (Rimbaud, 1998 : 133) et le mot « ballerines » apparaît dans « Mes petites amoureuses » (1998 : 152).

de ses textes, aucun des thèmes clés des débuts de la poésie acadienne moderne, tels que l'identité, l'aliénation, le Grand Dérangement, l'anglicisation, la condition minoritaire, la mémoire, la crainte de la perte, n'est présent. Les premiers recueils de Léger se présentent comme le produit d'une conscience propre et individuelle, d'un sujet unique. Elle aurait également pu se réclamer de la poésie au féminin, alors en plein essor au Québec. Les recoupements thématiques sont déjà beaucoup plus évidents dans ce cas. Pourtant, aucune référence ni allusion ne laisse entendre que ces recueils pourraient être lus dans cette optique. Aux textes souvent militants ou extrêmement formalistes et construits qu'a pu produire la littérature au féminin à ses débuts au Québec, Dyane Léger oppose une volonté très claire de lisibilité du texte. Non pas que le sens de ses poèmes soit limpide et déjà donné – tant s'en faut ! –, mais ils se coulent dans une linéarité textuelle et un faux-semblant de logique narrative ou poétique qui laissent le lecteur moins désorienté que certains textes très éclatés et autoréférentiels de la même époque. Léger se distingue là encore par l'imaginaire faussement naïf qu'elle déploie. À la suite de ces observations, on retient qu'elle se pose en héritière directe de grandes figures de la modernité poétique, sans passer par des générations ou des filtres intermédiaires de sensibilité. Dyane Léger fait advenir une poésie neuve, en rupture avec ses contemporains immédiats et qui semble venir de nulle part, produisant certainement un effet un peu comparable à celui créé par les poètes auxquels elle se réfère. Nelligan acquiert dans les recueils de Léger une prégnance toute particulière : il est mentionné dans *Sorcière de vent !* au moment où le *Je* s'apprête à partir en safari (1983 : 16), mais plus encore dans *Graines de fées,* où l'imaginaire de l'enfance, comme chez Nelligan, n'est jamais très loin. Nous avons pu voir comment, à travers la condensation de certains termes marqués, l'intertexte nelliganien affleure dans le dernier extrait cité ; outre la dédicace finale, il faut aussi mentionner un poème qui a pour titre « Sept folles-lits d'hôpital ». Mis en résonance avec certaines des dernières expressions du recueil (« la chair de ma prison » ; « Je suis nature-morte, vivante » [Léger, 1980]), ce titre nous rappelle le destin tragique du pensionnaire de Saint-Jean-de-Dieu. On comprend dès lors pourquoi ce premier recueil se referme sur un poème intitulé « Suicide littéraire ».

Les traits faussement enfantins des premiers recueils de Dyane Léger tiennent de la feinte ; le traitement de l'enfance chez cette auteure n'a que peu à voir avec la nostalgie de l'enfance telle que l'a nourrie Nelligan. Elle s'approche davantage de celui qu'en a fait Réjean Ducharme, avec ses enfants de papier qui permettent un mouvement autoréflexif du langage et du texte en train de s'écrire. Entre une inventivité débridée qui joue avec les conventions littéraires et l'expression d'un cri effaré et révolté, Dyane Léger met en scène sa naissance à l'écriture. Monika Boehringer résume admirablement ces débuts :

> Le sujet femme qui s'énonce dans ce recueil [*Graines de fées*] ne « maîtrise » ni la langue ni les procédés poétiques au sens conventionnel ; plutôt il crie, balbutie et détruit les mots afin d'en trouver d'autres [...]. Il fonce à travers les miroirs des apparences pour en briser les glaces qui s'envolent en éclats. L'acte de se libérer de la bienséance, des conventions littéraires et du silence, l'acte de se dire en tant que femme n'est pas pour les faibles d'esprit et les apeurées, au contraire, il exige des transgressions audacieuses et Dyane Léger les accumule aux niveaux lexical et sémantique ainsi que sur les plans de la ponctuation et des images outrancières (2014 : 23).

Conclusion : de pures « coïncidences » ou de réels points de convergence ?

Dans sa présentation de la poésie franco-ontarienne, François Paré brosse le portrait d'ensemble suivant :

> Contre toute attente, cette première poésie n'est guère euphorique. Si elle est portée par un grand enthousiasme, c'est qu'elle ressent un fort besoin de baliser la culture et de nommer l'expérience particulière du sujet minoritaire. Cependant, son propos est hanté par la tragédie anticipée de la disparition collective. La langue, qui est sa matière première, lui semble menacée de toute part par les formes insidieuses de l'anglicisation tout autant que par le renvoi à un français désincarné (2010 : 122).

À quel point cet effort de synthèse est-il pertinent pour les recueils à l'étude ? La posture quelque peu paradoxale qui se veut pleine d'élan et d'énergie tout en se refusant à l'euphorie paraît très juste ; le recours à un français désincarné s'applique aussi aux recueils de Lacelle et de Dorion, mais beaucoup moins à ceux de Léger. En revanche, les considérations portant sur la langue, la collectivité, l'expérience minoritaire, si elles sont évidentes chez les poètes masculins, sont absentes ou presque chez les femmes poètes. En cela réside sans doute la principale « coïncidence secrète » qui permet de réunir les trois auteures dont il est question : en dépit de leur irréductible singularité, chacune d'elles écrit en marge des principales préoccupations de l'institution littéraire dans laquelle elle cherche à s'inscrire. Il faut savoir gré à ces institutions qui ont accueilli – ou, bon gré, mal gré, ont fini par accueillir – ces voix féminines différentes qui, parmi les premières, ont contribué à désenclaver les littératures acadienne et franco-ontarienne de ce qui allait devenir l'ornière identitaire pour la poésie québécoise, à donner à entendre une poésie au féminin, en marge des textes féministes engagés. Ainsi que le formule Jules Tessier,

> il est rassurant en quelque sorte de constater que certains écrivains de la diaspora française d'Amérique produisent autre chose qu'une littérature-miroir d'une collectivité en s'orientant vers une œuvre dérégionalisée, intemporelle, avec un objectif de perfection formelle. Les deux courants peuvent très bien cohabiter, se métisser ; il y va d'une question de variété, de polyvalence et, tout compte fait, de maturité et de richesse (2001 : 93).

Dans son étude consacrée à l'écriture féminine des années 1980 en Acadie, François Paré va même plus loin en affirmant qu'« au moment même où s'élaborait une poésie néo-nationaliste acadienne de grande envergure », les écritures féminines « ont fini par [en] constituer le revers » (1997 : 118).

Au terme de cette étude, on peut affirmer que l'éclatement est omniprésent à bien des égards dans ces œuvres, tout comme il se trouvait inscrit dans le projet même de comparer, rapprocher ou distinguer ces trois poètes. Pourtant, par-delà les différences, quelques « coïncidences secrètes » semblent indéniables à la fin de ce parcours critique. Nous en retiendrons trois : le refus de s'inscrire dans un mouvement littéraire, fût-il acadien, féministe, franco-ontarien, formaliste ou autre ; l'émergence d'un lyrisme singulier qui souvent s'observe accéder à l'écriture ; enfin, il importe de souligner non seulement les doutes, les inquiétudes et les failles que nomment, chacune à sa façon, Andrée Lacelle, Hélène Dorion et Dyane Léger, mais aussi le souffle, l'*energeia* vitale qui se dégage de ces premiers recueils.

BIBLIOGRAPHIE

Biron, Michel (2000). *L'absence du maître : Saint-Denys Garneau, Ferron, Ducharme*, Montréal, Les Presses de l'Université de Montréal.

Biron, Michel, François Dumont et Élisabeth Nardout-Lafarge (2007). *Histoire de la littérature québécoise*, Montréal, Éditions du Boréal.

Boehringer, Monika (2014). *Anthologie de la poésie des femmes en Acadie*, Moncton, Éditions Perce-Neige.

Brochu, André (1986). « Lascaux, les limbes et autres lieux », *Voix et Images*, vol. 12, n° 1 (automne), p. 131-140.

Dorion, Hélène (1983). *L'intervalle prolongé*, suivi de *La chute requise*, avec cinq dessins de l'auteure, Saint-Lambert, Éditions du Noroît.

Dorion, Hélène (1985). *Hors champ*, Saint-Lambert, Éditions du Noroît.

Dupré, Louise (1989). *Stratégies du vertige : trois poètes : Nicole Brossard, Madeleine Gagnon, France Théoret*, Montréal, Éditions du remue-ménage.

Hébert, Anne (1992). *Œuvre poétique : 1950-1990*, Montréal, Éditions du Boréal.

Lacelle, Andrée (1979). *Au soleil du souffle*, Sudbury, Éditions Prise de parole.

Lacelle, Andrée (1985). *Coïncidence secrète*, Ottawa, Éditions du Vermillon.

Léger, Dyane (1980). *Graines de fées*, Moncton, Éditions Perce-Neige.

Léger, Dyane (1983). *Sorcière de vent!*, Moncton, Éditions d'Acadie.

Lemire, Maurice (2003). *Le mythe de l'Amérique dans l'imaginaire canadien*, Québec, Éditions Nota bene.

Louder, Dean, et Éric Waddell (dir.) (1983). *Du continent perdu à l'archipel retrouvé : le Québec et l'Amérique française*, Québec, Les Presses de l'Université Laval.

Mailhot, Laurent, et Pierre Nepveu ([1981] 1996). *La poésie québécoise des origines à nos jours*, nouv. éd., Montréal, Éditions Typo.

Melançon, Robert (2015). *Pour une poésie impure*, Montréal, Éditions du Boréal.

Morency, Jean (1994). *Le mythe américain dans les fictions d'Amérique : de Washington Irving à Jacques Poulin*, Québec, Nuit blanche éditeur.

Nelligan, Émile ([1998] 2008). *Poésies complètes*, Montréal, Éditions Typo.

Nepveu, Pierre (1998). *Intérieurs du Nouveau Monde*, Montréal, Éditions du Boréal.

Paré, François (1992). *Les littératures de l'exiguïté*, Hearst, Les Éditions du Nordir.

Paré, François (1997). « La chatte et la toupie : écriture féminine et communauté en Acadie », *Francophonies d'Amérique*, n° 7, p. 115-126.

Paré, François (1999). « Hélène Dorion, hors champ », *Voix et Images*, vol. 24, n° 2 (hiver), p. 337-347.

Paré, François (2007). *Le fantasme d'Escanaba*, Québec, Éditions Nota bene.

Paré, François (2010). « La poésie franco-ontarienne », dans Lucie Hotte et Johanne Melançon (dir.), *Introduction à la littérature franco-ontarienne*, Sudbury, Éditions Prise de parole, p. 113-152.

Rimbaud, Arthur (1998). *Poésies complètes : 1870-1872*, édition de Pierre Brunel, Paris, Le Livre de Poche.

Tessier, Jules (2001). « Andrée Lacelle et la critique », *Francophonies d'Amérique*, n° 11, p. 91-101.

Évolution de la poésie contemporaine du Manitoba français (1970-1985) : Paul Savoie, J. R. Léveillé et Charles Leblanc

Lise Gaboury-Diallo
Université de Saint-Boniface

L ORSQUE LA PREMIÈRE MAISON D'ÉDITION FRANÇAISE dans l'Ouest canadien est créée à Saint-Boniface en 1974, elle souligne l'événe-ment avec le lancement de trois titres[1], dont le premier recueil de poésie de Paul Savoie, *Salamandre*. Ainsi naît la poésie contemporaine au Manitoba français, au début de ce que Emir Delic et Jimmy Thibeault appellent, dans le présent dossier thématique, la longue décennie 1970 (1968-1985). En publiant leurs premiers recueils de poésie au cours de ces années, Paul Savoie, Joseph Roger Louis (J. R.) Léveillé et Charles Leblanc[2] occupent l'avant-scène littéraire du Manitoba français et deviennent les fers de lance d'une littérature canadienne-française *autre*. Résolument tournés vers l'avenir, ces trois auteurs optent pour la modernité à une époque où le Manitoba français subit de profondes mutations, tant politiques que socioculturelles. Leurs nombreuses publications révèlent, au fil des ans, leur désir de s'inscrire dans la marge. Sans aucun doute, la conscience de s'épanouir en français, dans cet œcoumène particulier qui est le leur, aura une influence sur leurs préoccupations esthétiques et sur leurs modes d'expression. En nous inspirant des travaux de Jean-Claude Pinson, dont *Habiter en poète* (1995), nous étudierons le parcours de ces trois auteurs en prenant pour hypothèse que leurs écrits révèlent ce que Pinson appelle le

---

[1] Les deux autres titres sont des livres pour enfants : *Les éléphants de tante Louise*, une pièce de Roger Auger, et *Nico et Niski et la raquette volante*, un cahier d'activités de Claude Dorge et de l'illustrateur Rhéal Bérard.

[2] Nous avons choisi de présenter ces auteurs en ordre chronologique : Paul Savoie est le premier à publier une œuvre poétique avec *Salamandre* en 1974. J. R. Léveillé, quant à lui, publie *Œuvre de la première mort*, son premier recueil de poésie, en 1977. Le premier recueil de Charles Leblanc, *Préviouzes du printemps*, paraît en 1984, et cette œuvre regroupe, comme il est précisé sur la page de titre, des poèmes écrits entre 1973 et 1983.

« phénomène esth/éthique » qui « engage une façon d'habiter le monde » (2012 : 97). Qu'elle soit vécue comme une attitude ou une habitude de vie ou perçue comme un *habitus* (du) marginal, la poésie que nous proposent ces trois voix importantes de l'Ouest frappe par sa grande variabilité thématique ainsi que par ses qualités formelles novatrices.

D'entrée de jeu, nous verrons quels auteurs ont inspiré Savoie, Léveillé et Leblanc, les poussant ainsi vers de nouvelles formes d'expression littéraire. Nous retracerons ensuite en quelques lignes comment s'effectue leur entrée ainsi que celle de la communauté franco-manitobaine dans l'ère de la modernité. Enfin, après avoir évoqué rapidement quelques caractéristiques de la poésie de la fin du xxᵉ siècle, nous présenterons certaines des idées clés de Jean-Claude Pinson concernant ce qu'il appelle une démarche « poéthique » et son incidence sur le parcours de poètes qui choisissent d'explorer l'*ethos* et d'expérimenter de nouvelles façons d'habiter la poésie.

Entrer dans la modernité par la grande porte « poéthique »

Dans *Voix : portraits de douze auteurs* (Hallion, Nayet et Leblanc, 2015), Savoie, Léveillé et Leblanc révèlent certaines de leurs plus grandes influences littéraires. Savoie explique qu'au collège il a beaucoup apprécié la logique « impure » et « fracassée » de Baudelaire, car « ce qu'il fait », précise Savoie, « correspond exactement à ma façon de me positionner dans le monde : cette capacité de jouer avec la langue, les associations, les alternances, tout ça » (Savoie, 2015 : 19). Léveillé, quant à lui, considère que les poètes symbolistes, notamment Rimbaud, ont grandement influencé sa façon de concevoir la poésie. Finalement, Leblanc, qui fréquentait Gaston Miron lorsqu'il vivait au Québec, découvre à dix-sept ans Baudelaire et Rimbaud. Bref, chacun des auteurs à l'étude découvre avec bonheur la richesse de la poésie moderne des xixᵉ et xxᵉ siècles, une poésie qui les interpelle et les inspire dans un contexte plutôt conservateur : celui des années 1970 au Manitoba français.

Si ces poètes misent sur la modernité, la publication de leurs œuvres respectives ne sera rendue possible que grâce à une conjonction d'événements. Dans son ouvrage au titre fort révélateur, *La révolution tranquille au Manitoba français* (2012), Raymond-M. Hébert présente les faits marquants d'un bouillonnement politique sans précédent, parfois explosif, qui se manifestera dans sa province natale et dont les échos rappellent aussi les tensions sociopolitiques vécues à partir de 1960 au Québec. Pour Hébert, le résultat de la révolution tranquille franco-manitobaine sera la mise en place de nouvelles assises institutionnelles laïques, politiques et culturelles au service des francophones. La prise de conscience d'un groupe de jeunes chefs de file et leur lutte ardue pour faire reconnaître leurs droits aboutiront à la création, en 1968, de la Société franco-manitobaine (SFM), l'organe politique de la communauté. À l'instar des jeunes Québécois engagés qu'elle semble vouloir imiter, cette génération souhaite se libérer d'une idéologie patriarcale conservatrice et de l'emprise très lourde de l'Église. Et ce ne sera, d'après Hébert, qu'à la suite de la création de la SFM que « la communauté entr[era] enfin pleinement dans le XXe siècle » (2012 : 175).

Au sujet du monde de l'édition, même si quelques publications voient le jour dans les espaces francophones minoritaires avant 1970, Léveillé précise que c'est grâce à la fondation des Éditions du Blé (1974) et des Éditions des Plaines (1979) au Manitoba français que les écrivains de l'Ouest peuvent désormais donner libre cours à leurs talents, car ils n'ont plus à se « plier à des convenances ou à des critères de lisibilité, ou encore au programme que pourrait exiger un journal d'appartenance politique ou religieuse » (2005a : 47). Ces maisons d'édition publient dès lors des auteurs qui vivent et écrivent en marge du Québec. Ainsi naît une littérature dite moderne au Manitoba, dans le sens premier du qualificatif tel que défini par l'Académie française[3], mais il s'agit d'une littérature qui est aussi singulière parce qu'elle naît justement à la périphérie des grands centres de la Francophonie.

Or, nous paraissent encore plus pertinents les traits particuliers de cette littérature que dégage Léveillé en parlant d'une production écrite et publiée dans l'Ouest franco-canadien. Cette production se démarque, selon lui, par une prise en considération de la spécificité géographique, identitaire et culturelle de l'artiste. Celui-ci ne cherche plus simplement à proposer une écriture mimétique, à célébrer ou à sauvegarder le passé, mais s'applique à développer une pratique heuristique originale

---

[3] Définition de « moderne » : « emprunté du bas latin *modernus*, "récent, actuel" […].
En parlant d'une personne. Qui épouse pleinement les conceptions et les modes de son temps » (Druon et Carrère d'Encausse, 2011).

(Léveillé, 2005a : 13-48). Pour Léveillé, ce type d'auteur privilégie des approches expérimentales, telles que l'utilisation d'une langue anglicisée ou l'intermédialité, propose une révision de l'Histoire et/ou aborde des sujets d'actualité. Cette volonté de s'inscrire dans la contemporanéité nécessite une recherche continue afin d'être au premier rang de l'innovation esthétique.

En ce qui concerne les caractéristiques d'une poésie dite moderne, c'est-à-dire celle produite à la fin du XXᵉ siècle – la période qui nous intéresse justement – rappelons brièvement ces propos de Pierre Ceysson :

> La poésie depuis 1970 est globalement orientée par une double postulation, assurément relayée par des enjeux et des prises de position opposés :
>
> – d'une part, une poésie caractérisée par un travail sur le signifiant comprend ce qui relève du textualisme et de la littéralité [...] ;
>
> – d'autre part, une poésie de l'« habiter en poète », caractérisée soit par un souci ontologique soit par l'inscription dans la « circonstance », réunit les poètes de la présence au monde [...] et le lyrisme critique le plus récent [...] (2006 : 37).

Ainsi, pris sous un angle plutôt inclusif, le terme « moderne » peut, de nos jours, venir englober plusieurs notions, dont celle d'une présence au monde actuel.

Or, dans ses écrits, le poète-philosophe Pinson s'interroge justement sur « les liens de la poésie et de l'existence, sur la possibilité (ou l'impossibilité) d'une vie poétique, sur ses fins et ses modalités, sur ses chemins (fussent-ils de ceux qui ne mènent nulle part) [...] » (2013 : 5). Il avance l'idée d'habiter la poésie[4], d'une part, et de s'y investir d'un point de vue non seulement esthétique, mais également éthique, ce qu'il nomme une « poéthique ». Pour lui, la posture de certains poètes révèle « une certaine façon d'être-au-monde », car leur écriture « excède de beaucoup le seul espace du texte » (Pinson, 2013 : 37). Il s'agit pour Pinson d'un « *ethos* dissident (dépris de la logique impériale du profit et de la marchandise) [qui] a besoin néanmoins de la poésie, au sens large, comme au sens restreint » (2013 : quatrième page de couverture). Si cette idée d'une poésie comme attitude de vie semble viable, il en découle que ce choix esth/éthique de

---

4   Pinson signale que, d'une part, l'expression « habiter en poète » apparaît dans un poème de Hölderlin et que, d'autre part, le néologisme « poéthique » est emprunté de Perros (Pinson, 2013 : 36).

s'exprimer au moyen d'un noble et très ancien genre littéraire mène à la recherche d'un espace d'immanence, d'introspection et de subjectivation éthique. Et étant donné la singularité et le statut spécial de l'artiste depuis la nuit des temps, le poète habite un des nombreux œcoumènes du marginal[5], un lieu de création et de réinvention continuelle.

Le sens du sacré chez Paul Savoie

Les trois premiers recueils de Savoie ont été écrits alors qu'il était relativement jeune : *Salamandre* (1974) paraît alors qu'il n'a que vingt-six ans ; il en a vingt-huit lorsque *Nahanni* (1976) est publié deux ans plus tard ; et il en a trente et un à la parution de *La maison sans murs* (1979). Au début de sa carrière, il annonce déjà simplement et clairement : « je veux tresser une *distance habitable* / de l'arlequin au funambule / pour le vertige et pour la spirale » (1974 : 24 ; nous soulignons). Et au fil des ans, cet auteur prolifique ne cesse d'écrire et d'habiter en poète les espaces exigus (Paré : 1992) de la francophonie canadienne.

Célébrée par la critique, la poésie de Savoie étonne, éblouit. À ce jour, cet auteur chevronné compte à son actif plus de 30 ouvrages qu'il a publiés au Manitoba, en Ontario et au Québec, dont plusieurs en anglais. Lauréat de nombreux prix[6], Savoie bénéficie d'une réputation enviable et est désormais considéré comme l'une des voix poétiques majeures au Canada. En 1996, Val Ross note dans le *Globe and Mail* que « si cet auteur écrit mieux dans sa langue seconde (l'anglais) que la plupart des anglophones, on doit pouvoir deviner la qualité de sa première langue[7] » (1996 : C1). Ross souligne également la réception positive en France du recueil *Amour flóu* (1993) de Savoie. Le poète répond qu'en effet, il a l'impression d'appartenir à une « nouvelle génération d'écrivains [...] ».

---

5   La poésie peut également être considérée comme un genre « élitiste », puisque certains lecteurs la considèrent comme une forme littéraire plus exigeante.

6   En 2015, Savoie avait publié 14 recueils de poésie en français ainsi que plusieurs recueils en anglais. Parmi les nombreux prix qu'il a reçus, citons à titre d'exemples le Prix du Consulat de France en 1996 pour l'ensemble de son œuvre poétique, le prix Trillium 2007 pour *Crac* (2006b), le prix Trillium 2013 pour *Bleu bémol* (2012b) et le prix Champlain 2013 pour *Dérapages* (2012a).

7   Il s'agit de notre traduction du propos suivant de Val Ross : « *[...] a poet who writes better in his second language than most Anglophones – so you can deduce how good the French is [...].* »

Nous faisons bien plus maintenant que de simplement affirmer que nous existons. Il y a maintenant des auteurs qui peuvent être lus n'importe où dans la francophonie internationale[8] » (Savoie cité dans Ross, 1996 : C1). Le lecteur remarque déjà dans le premier recueil de Savoie le souci ontologique du poète. Dans *Salamandre*, il offre sa vision particulière de la parole qui rejaillit continuellement d'une source secrète. Le Verbe chez lui, comme chez la salamandre – cet animal fabuleux qui symbolise le feu et la pureté –, représente l'espoir et l'indestructibilité. Savoie se penchera sur certains thèmes récurrents : l'errance et la souffrance d'êtres en quête de bonheur et d'amour. Dès l'*incipit*, le poète annonce son intention dans un texte mi-poème en prose, mi-poème épistolaire, qui résume toute la quête de celui qui veut habiter son monde en poète. Sur le ton sobre du constat, le poète livre ses réflexions sur l'écriture, sur le poème et sa fonction : « Je veux écrire un poème pour toi, [...] un poème sans conclusion qui n'engage à rien et à tout » (Savoie, 1974 : 1). Et depuis ce premier recueil, Savoie s'applique à explorer ces voies où il erre dans une poésie qui traite de l'homme et de l'humanité.

Divisé en cinq parties, *Salamandre* débute avec la section intitulée « Les danseurs sur la mer[9] », dans laquelle le premier texte en prose poétique « Je veux écrire un poème » pose d'ores et déjà des jalons importants. Savoie y signale son intention d'écrire « un poème qui soit plus qu'un ordre ou une logique, [...] un poème sans périphérie ni contenu dépassant les limites de l'exigence et de la loi » (1974 : 1). Il signale, par ailleurs, que

> [l]'espace nous sépare, nous rattache, essaie de nous contenir dans son étau. Mais le poème échappe à l'espace. [...] Le poème existe en ce que nous sommes, l'un pour l'autre, dans l'extension de toutes les limites et de toutes les dimensions (1974 : 1).

---

[8]   Il s'agit d'une traduction libre de l'affirmation suivante de Paul Savoie : « *It's a new generation in pretty well every area.* [...] *We're way beyond just saying we exist. Now there are writers who could be read anywhere in the world* » ».

[9]   Savoie développe les thèmes de la musique et des relations amoureuses (« pas de deux », « nocturne ») et le symbole de l'eau (« la mer est enracinée »), mais au-delà de ces images attendues, il s'agit également d'une métaphore christique très riche. Car, même si l'homme a été créé à l'image de Dieu, « marcher sur l'eau » demeure toujours un miracle ; seul l'imaginaire permet l'impossible envol ou la suspension dans le vide. Or, pour Savoie, « le vide n'est pas une absence ; il est un espace » (1974 : 6).

Cerner l'« inexprimable » et sonder « l'Intarissable[10] » (1974 : 1), voilà par quels chemins la poésie unique de Savoie mène ses lecteurs, lesquels sont instamment conviés à découvrir la complexité de tous ces univers parallèles que porte en soi chaque être humain.

Dans la deuxième partie, « Le fond de l'eau », Savoie récidive avec un autre texte en prose lyrique, intitulé « Le livre », dans lequel il révèle comment son monde est habité de mots qui parlent, qui « appellent en sourdine un sens qui vient d'ailleurs que de leur propre silhouette. Les mots sont étalés, en gerbes enlignées à l'infini [...] » (1974 : 31). Et s'il écrit, enchaîne-t-il, c'est d'abord pour tâcher de combler les lacunes de cet univers qu'il (re)construit, pour que « (l'image) rattrape et rassemble tous les fragments de vie antérieure, toutes les pièces cinématographiques, les rêves, les instantanés, les phantasmes » (1974 : 33). Pour Savoie, la poésie est une façon d'appréhender son univers et elle lui permet d'explorer son vécu, en passant par une pensée po-éthique/ esthétique axée sur des expériences à la fois *singulières* – connotées ici par ses réflexions très intimes ou ses obsessions personnelles (les rêves et les phantasmes) – et plus *universelles* – expériences dénotées cette fois par les préoccupations rendues visibles par les médias de masse, ou évoquées par le cinéma ou la photographie. Selon Andrée Lacelle[11], ce qui frappe dans la poésie de Savoie, c'est son « désir de déjouer la distance, pour toucher, être touché, et en cela atteindre dans les rapports humains, le silence de la vérité » (2006 : 59). En évoquant différents états d'âme et de réalité, qu'il contraste parfois savamment, telle une beauté « lézard[ée] » ou « illumin[ée] » par exemple (1974 : 73), Savoie révèle une conscience aux prises avec l'imperfection de ce monde.

Ce sera dans la troisième section, intitulée « Le labyrinthe », et notamment dans le dernier poème qui porte le même titre, que le poète explorera les notions de perte de repères, de solitude et d'incompréhension. Il y précise qu'« [i]l n'y a jamais de porte entre [lui] et l'ombre » (1974 : 109). L'ambiguïté de ce vers nous permet de croire que le poète

---

10   « Que tu saches qu'en moi il existe un univers inexprimable, que je sache que ce même univers existe en toi, voilà l'Intarissable que ni l'espace ni le temps ni la conjecture ne peuvent englober, encore moins détruire. À travers ce poème, nos deux univers s'absorbent sans se consommer » (Savoie, 1974 : 1).

11   Andrée Lacelle formule ces commentaires à la suite de la parution de *Rivière et mer*, une réédition d'une sélection de poèmes tirés des deux premiers recueils de Savoie.

souligne autant la porosité des frontières entre le Bien et le Mal, que l'absence de seuil entre le connu et l'inconnu. Ou encore, serait-ce le décloisonnement de l'ici et de l'ailleurs?

L'avant-dernière section, « Le vol d'oiseau », permet au poète de planer sur des airs de musique, sur les ailes du bruit et du silence, pour décrire les fracas du bonheur ou du malheur. Dans « ce qui reste », le poète ambivalent semble désemparé par l'ampleur de la douleur, de la blessure, d'un silence parfait, d'une « absence / de choses à dire » (1974 : 121). Il évoque son désarroi face à l'oubli et au manque d'idées nouvelles. Tiraillé entre la parole et le mutisme, l'écueil entre le dit et le non-dit, Savoie conclut qu'il « sème le déracinement / comme un autre / récolterait / des fusées pour un ciel futur » (1974 : 141).

« Salamandre », la dernière section éponyme du recueil, propose un poème en quinze parties, une sorte de récit mythique retraçant l'itinéraire de Marco à la recherche de la prêtresse Diane. Accablée de douleur, la silhouette sans ombre d'un Marco indécis bouge à peine. Le poète précise la perte d'identité dans la septième partie, à mi-chemin dans le parcours du protagoniste errant : « tu es... / Il ne se souvient plus de son propre nom » (1974 : 159). Pendant cette quête, le temps lui-même devient fluide, sans passé ni avenir. Dans ce présent statique et intemporel, dans le vide, le protagoniste se ressaisit. Il faut « palper cette peau vivante, / gratter les veines du sol » (1974 : 161) pour constater que sous « l'envers de cette densité humaine / était le début du soleil » (1974 : 163). Lorsque Marco voit Diane à l'aurore, le cycle sacré de la vie redevient possible puisque du chaos naît la lumière.

La grande cohérence thématique de ce premier recueil illustre parfaitement la particularité de l'œuvre de Savoie. Plusieurs notent la qualité visuelle de ses descriptions, l'importance du regard[12] et de son sens aigu de l'observation. Savoie lui-même indique dans une entrevue qu'il « par[t] d'une image ou [qu'il] arrive à une image » (2015 : 20). Pour le style, Savoie cherche le rythme et l'élégance; il choisit de ne jamais mélanger l'anglais et le français[13].

---

[12]   Voir, à ce sujet, Gérald Boily (1985).

[13]   Savoie explique à ce sujet : « Alors c'est un peu ça : je travaille beaucoup, beaucoup la langue. Mais je ne mêle jamais le français et l'anglais dans mon écriture, même si je vis beaucoup dans les deux langues. [...] Je fais une distinction entre les deux *univers* de création » (2015 : 21 ; nous soulignons). Plus loin, il précise que la langue d'écriture

Pour François Paré, l'écriture de Savoie est « peuplée de rôdeurs » (1994 : 78). Le critique note chez ce poète la présence d'un « je » qui s'interroge constamment, un héros « toujours déjà disqualifié » (Paré, 1994 : 78). Pourquoi ? Parce que, selon Paré, les personnages minorisés que nous présente Savoie dans sa poésie vivent à l'écart, conscients de la violence de leur marginalisation et de la douleur de leur solitude. Hantés par la détresse, conscients que ni la Vérité ni l'Idéal n'existent, ces âmes « mutilé[e]s » (Paré, 1994 : 78) réussissent néanmoins à exprimer leur présence au monde, leur désir de sonder l'inconnu, de dire l'indicible. Que le poète exprime une altérité niée ou partagée, qu'il montre que toute résistance est futile face à la souffrance, il révèle aussi comment sa recherche du sacré vient tempérer ces expériences. L'individu se distingue certes par sa singularité, mais dans cette grande diversité de l'Univers, le poète souligne la ressemblance profonde entre les humains.

La facture de *Nahanni*, dont le titre fait allusion à la rivière sauvage du même nom, ressemble étrangement à celle de *Salamandre*, à ces deux différences près : il n'y a pas de sous-sections et le recueil s'ouvre, plutôt que se clôt, sur le poème éponyme. Ici, nous retrouvons l'érudition notée dans *Salamandre*, une constante dans l'œuvre de Savoie. Réfléchis et profonds, les poèmes de ce recueil abordent à nouveau la question de la souffrance humaine. Dans le premier récit, qui se lit comme un mythe de la Création, les forces de la nature prennent la parole. La lumière, l'espace, le temps, chacun à tour de rôle, prennent la parole ; tous, sauf l'homme et la femme. Silencieux, ces derniers se retrouvent dans un cadre idyllique où l'horizon immobile est décrit comme une « interdiction » (1976 : 9). Quand le couple franchit « une des limites du désir » (1976 : 9), quand l'homme tue un animal, c'est alors que Nahanni prend la parole : « Et la rivière dit : / Je n'ai pas de réponse / à offrir » (1976 : 13). Seul son rire éternel accompagnera désormais l'homme, ce « chercheur / dans la nuit » (1976 : 13). Cette réinterprétation de la scène d'Adam et Ève dans le jardin d'Éden permet au poète de retravailler les mythèmes de la faute originelle et de la perte de l'innocence. En fait, il exploite ces sujets dans plusieurs autres textes aussi, notamment dans la série intitulée « Saisons ».

---

qu'il choisit dépend du lieu où il se trouve. S'il évolue dans un milieu francophone, il écrira en anglais et vice versa. Cette condition essentielle, celle de vivre dans la marge linguistique, ravive la « tension » qui existe en lui et le pousse à écrire dans la langue « qui n'est pas toujours devant [lui] » (Savoie, 2015 : 27).

Les cycles naturels, que décrit admirablement le poète, passent autant par des évocations de forces mystérieuses que par un questionnement ésotérique, comme le révèlent les titres : « Le sens de la forêt », « Le sens de la nuit », « Le sens de la mort » et « Le sens du sacré » (Savoie, 1976 : 44, 46, 47, 48). Dans cette série, le poète passe subrepticement du « tu » au « nous », de « l'amère solitude » du corps et de la lutte à la prise de conscience « de l'aspect passager de la paix / et des menaces de la mort » (1976 : 45, 48). La dernière strophe évoque la révélation : « On a écarté les rideaux », mais la souffrance humaine et la menace de la mort existent toujours, comme en témoignent plusieurs poèmes, dont « Émergences », « Cerbères » et « Les portes de l'enfer » (1976 : 48, 50, 81, 86), pour ne citer que trois exemples.

Juxtaposés à ces textes sombres, quasi apocalyptiques, quelques rares poèmes, dont « pierre angulaire » et « Brunoire » (1976 : 68, 94), proposent une vision plus optimiste, sinon plus enjouée. Dans le premier, le sens de l'humour de l'auteur transparaît face à l'absurdité de la vie : « Tu es devenu équilibriste / le jour où tu as appris / comment penchait l'univers », alors que, dans le second, l'attrait d'une belle femme offre une brève distraction, « le temps de danser » (1976 : 68, 94)… Comme à la fin de *Salamandre*, l'espoir peut renaître à tout instant.

La maison sans murs s'éloigne davantage de la facture plus classique observée dans les deux premières œuvres. Néanmoins, malgré l'avis de Stéphane-Albert Boulais qui note « le risque de l'intelligence » (1979 : 18) dans une œuvre très programmatique[14], il faut souligner la volonté du jeune poète de se renouveler. Le recueil s'ouvre sur une dédicace à l'artiste Bernard Mulaire, suivie d'un extrait d'une lettre que Savoie adresse à son ami. Le poète indique qu'il essaiera « de créer un univers temps-espace-lumière (tel que celui du domaine einsteinien), un univers où la parole et la rencontre ne se font plus dans un univers clos […] » (Savoie, 1979 : 8). Une qualité surréelle se dégage de ces poèmes complexes, qui ne sont plus ancrés ni dans une logique narrative ni dans la réalité qui nous entoure. La présentation inusitée de la plasticité de lieux fixes et la malléabilité du temps rendent difficile le repérage de cadres usuels. La

---

[14]   Boulais signale que le registre choisi par Savoie met en valeur « une raison nerveuse » et un style « pour le moins vif et sec », plutôt que lyrique. Pourtant, il est important de signaler que le compte rendu est généralement très positif et que l'auteur « n'adresse pas de reproches au poète » (1979 : 18).

matière est transformée en raison de cette volonté de reconstruire « un univers de l'instantané et de l'immédiat, du déracinement presque total, de l'absence de structure et de tradition » (Savoie, 1979 : quatrième page de couverture). Le lecteur, déstabilisé, retrouvera pourtant des résonances avec les deux premiers recueils : de nombreux motifs et thèmes liés au déplacement, à la parole et à l'ubiquité de la souffrance y sont développés. Les oppositions présence/absence et vide/trop-plein traversent également en filigrane certains poèmes. Dans « Sonorités », par exemple, on lit que « [l]a parole est couchée/sur l'air, mappemonde/pour la peau vagabonde » (1979 : 12). Fait important à noter : c'est dans ce recueil qu'apparaît plus clairement la thématique de la (re)construction d'un univers de sens. Les motifs qui y sont liés seront d'ailleurs repris et étoffés dans l'œuvre subséquente de Savoie, comme dans *À la façon d'un charpentier* (1984) et *Mains de père* (1995), entre autres.

Dans les « déplacements », où l'errance et la sensibilité d'êtres marginaux sont parfois mises à rude épreuve, nous découvrons la parole d'un poète qui habite un univers où rôdent des âmes qui cherchent à (se) comprendre. Cet espace, bien que marginal puisque très personnel, reste ambigu sans les attributs qui renverraient spécifiquement à l'héritage franco-manitobain de l'auteur. Le poète, pour sa part, même s'il ne renie jamais son passé et choisit de vivre dans un milieu minoritaire, estime que le livre doit « apporter quelque chose à la conscience humaine » (2015 : 32). « Ce qui caractérise le plus la poésie de Paul Savoie, écrit Paré, c'est la conscience de l'origine toujours recommencée du spectacle dans la parole » (1994 : 124).

À la lumière de ces observations, on remarque que les premières œuvres de Savoie offrent un savant mélange de poèmes lyriques et dramatiques, où l'on retrouve fréquemment des allusions à la nature et à la mythologie. Plusieurs textes, très autoréflexifs, dont certains en prose, évoquent le « je » solitaire. Mais, comme le souligne à juste titre Léveillé, « l'écriture de Savoie est en effet une réflexion, jamais un statu quo ou un soupir nostalgique » (2005a : 32). Savoie cherche toujours ce soupçon de divinité qui élèvera l'homme et l'humanité tout entière. Le dernier texte de *Salamandre* donne sans aucun doute la clé de toute l'œuvre de ce poète, car il s'identifie clairement à cet animal capable de se réinventer et qui protège le poète grâce à ses pouvoirs magiques : « Je suis celui/qu'une salamandre/préserve de la cendre » (Savoie, 1974 : 163).

Ainsi, par l'écriture et par sa recherche du sacré, Savoie tente de rejoindre ses lecteurs dans l'immensité d'une humanité plurielle.

Vers la transcendance : J. R. Léveillé

À la manière de Savoie, Léveillé est lui aussi un des acteurs importants de la première heure sur la scène littéraire au Manitoba français, puisqu'il est l'auteur d'une abondante production protéiforme. Depuis plus de trente ans, Léveillé signe de nombreux recueils de poésie, des romans, des essais critiques et même une *Anthologie de la poésie franco-manitobaine* (1990). Intronisé au Temple de la renommée de la culture du Manitoba en 1999, reconnu tant au niveau national qu'à l'échelle internationale, cet auteur a remporté de nombreux prix et distinctions[15], dont la palme du concours *On The Same Page – Read Manitoba*, édition de 2011, décerné au meilleur livre manitobain en 2012 avec *Le soleil du lac qui se couche / The Setting Lake Sun*[16], une traduction de Sue Stewart.

Léveillé n'en est pas à ses premières armes lorsque paraît *Œuvre de la première mort* aux Éditions du Blé en 1977, puisque ses romans *Tombeau* et *La disparate* paraissent en 1968 et 1975, respectivement. L'auteur présente dans ces trois œuvres un certain nombre de thèmes récurrents, qu'il développera tout au long de sa carrière. On note ainsi la dialectique entre *Eros* et *Thanatos*, la tension entre présence et absence et des thèmes comme le désir, le plaisir, l'art et l'écriture, entre autres.

Signalons que le poète fera également valoir dans son premier recueil une forme d'expression qui deviendra un peu sa griffe personnelle, une écriture marquée par la concision : « Comme feuille devant le vent / Ainsi la page et mon désir » (Léveillé, 1977 : 32). Cette citation illustre une autre préoccupation dominante chez Léveillé, soit l'importance accordée à l'Art et au Verbe, comme en témoignent ces titres : « VERS », « page », « interligne », « FIGURE », « MIRACLE DE MÊME MOT », « complexe

---

[15]   En plus de la reconnaissance qu'il reçoit lors du concours *On The Same Page – Read Manitoba*, Léveillé se voit attribuer le Prix littéraire des Caisses populaires du Manitoba pour *Causer l'amour* (1993) et *Le soleil du lac qui se couche* (2001). Il obtient également le Prix du Consulat général de France en 1997 et un doctorat *honoris causa* de l'Université de Saint-Boniface en 2013.

[16]   Ce sera d'ailleurs la première fois que les Manitobains assisteront à la publication simultanée d'une œuvre dans les deux langues officielles du Canada.

code » (1977 : 18, 26, 27, 55, 81, 82). Pour Léveillé, il s'agit de saisir ces « prélèvements d'esprit, d'émotion, de sensations. C'est l'écosystème de ces fragments d'écriture qui finalement crée le poème [...] » (2015a : 40).

Le caractère ludique des écrits de Léveillé sera également très apprent dans ce premier recueil, car l'intertextualité et les jeux de mots émaillent bon nombre de ses poèmes, en particulier le premier, « Pose : vie et mort d'Edgar Allan Poe », et le dernier, « LIMINAIRE LIMINAL » (1977 : 13, 85). Lydia Lamontagne, dans une étude consacrée à ce recueil, conclut que « [l]es mots de certains poètes disparus sont la chair qui permet à Léveillé de laisser à son tour sa trace dans ce cycle de la mort et de la vie » (2005 : 288). En signalant de cette façon sa présence au monde (ainsi que celle des autres), Léveillé traduit sa volonté de s'inscrire dans la courbe du temps, dans un « LIEU sans espace » (1977 : 87). En paraphrasant Philippe Sollers, avec qui il est éminemment d'accord[17], Léveillé précise ailleurs que « la poésie est, avant tout, une attitude d'esprit » (2015a : 47). Ce n'est que lorsque « le vide et le temps se conjuguent » (2015a : 39) que l'esprit s'ouvre. Cette disponibilité permet au poète d'accéder librement à son imaginaire, afin d'assouvir ce désir intuitif de toujours tendre vers le bonheur. Bref, cette « TÊTE / d'imminence unitive » (1977 : 20) qu'évoque le poète, cette immanence d'une force régénératrice, à la fois créatrice et jubilatoire, est une des pierres angulaires de la réflexion qu'entame déjà Léveillé au début de sa carrière d'écrivain.

Dans le deuxième recueil, *Le livre des marges* (1981), non paginé et publié aux Éditions des Plaines, le pronom personnel « je[18] » – toujours en relation avec son milieu – apparaît à maintes reprises pour (d)écrire

---

[17] Au sujet des rapports entre le sujet et la poésie, Léveillé abonde aussi dans le même sens que Philippe Sollers. Il le cite d'ailleurs à ce propos : « Le sujet n'a pas besoin qu'il y ait un monde » (Sollers cité dans Léveillé, 2015a : 50). Et Léveillé enchaîne pour préciser son point de vue sur cette idée : « mais que le monde existe ou non, "je", l'individu, suis dans une expérience d'existence. Personne d'autre ne peut l'entreprendre pour moi » (Léveillé, 2015a : 50).

[18] Le « je » apparaît une fois en majuscules. Notons que l'auteur se sert des autres pronoms personnels, mais que le « je » parle dans la majorité de ses poèmes. Selon Léveillé, le « "je" est un tympan : ça vibre autour, on capte ces vibrations, on essaie d'interpréter la communication de ce monde sauvage autour de nous, qui nous fait vibrer, qui nous fait jouir. Je suis absolument un écrivain de l'*intérieur*, de l'émotion » (2015a : 50; nous soulignons).

sa perception de la réalité. Dans une entrevue accordée en 2015, Léveillé s'interroge : « qu'est-ce que la description sinon la relation du " je " au monde ? » (2015a : 50) D'abord, ce titre, *Le livre des marges*, plutôt lourd de significations, sera explicité à l'intérieur du livre. À la page de titre, on lit ce sous-titre bien centré et en majuscules :

LE LIVRE DES MARGES

•MILIEU•

(Léveillé, 1981 : s. p.)

Cet ajout du mot « milieu » vient nuancer, pour ne pas dire déplacer complètement l'interprétation de « marges » – un mot dont la connotation est généralement négative[19] – en rétablissant l'équilibre, en évoquant le Centre. Puis, ce titre, « emprunté » à Edmond Jabès, sera suivi d'une phrase d'Albert Camus (« "Et quand tu m'auras lu, jette ce livre,… et sors." » (Camus cité dans Léveillé, 1981 : s. p.) qui figure au début du recueil. Ensuite, pour le lecteur averti, Léveillé fait également référence au *Livre des morts,* aussi appelé *Livre des Portes*. De plus, en ayant recours à la citation, à la paraphrase ou au palimpseste, il exploite certaines stratégies littéraires basées sur les correspondances ou les associations. Le lecteur comprend rapidement que Léveillé s'inspire d'autrui et que toutes ces allusions éparses, qu'elles soient directes ou indirectes, nourrissent les nombreux réseaux de sens qui traversent l'univers particulier du poète.

La première partie, « La fin dit au début », contrevient à la structure usuelle du livre, comme la dernière partie renverse elle aussi l'ordre logique de la table des matières : « Le début dit à la fin » (1981 : s. p.). Dès lors, force est de constater que le poète aime pousser le lecteur à entrer dans le jeu de la lecture. En proposant des revirements et des glissements de sens, il souligne le côté non seulement ludique, mais aussi réfléchi de la lecture, qui peut prendre la forme d'un casse-tête à reconstruire.

Les références intertextuelles foisonnent : citations de Rimbaud et de Mallarmé, dédicaces à Roland Barthes, à Joë Bousquet, et ainsi de suite.

---

[19]   Nous avons posé la question à l'auteur et voici un extrait de sa réponse : « J'ai dit souvent […] que l'écrivain se tenait au cœur du paradoxe. […] Dans le lit du vent. Au cœur du Dao, pour ainsi dire, avec les mille manifestations qui tourbillonnent autour de lui. Mais comme, selon la formule, le dao qui peut être dit n'est pas le dao éternel, il faut écrire en marge du dao, dire sa manifestation. Il faut écrire en marge pour être au cœur des choses » (Léveillé, 2015b).

Ainsi progressera tout ce recueil non paginé, dans lequel le poète propose une alternance entre des textes plus ou moins longs et des vers d'une ligne (« illusion est illusion ») ou des diptyques souvent énigmatiques (« – Où cherches-tu, mon fils? / – Dans la quête, Maître » (1981 : s. p.)). Dans un effort d'écrire comme on peint, Léveillé propose aussi des poèmes plus visuels, en modifiant l'espace sur la page, la disposition typographique et la taille des caractères, entre autres. Une architecture visuelle où la marge bouge, s'incarne, où l'écriture devient une trace tangible de l'être et de la pensée.

Si Léveillé précise d'emblée que « le monde est [s]on lieu de fiction » (1981 : s. p.) au début de « Liminaire liminal », il enchaîne, dans le deuxième mouvement de ce poème, en signalant que « le texte excède » (1981 : s. p.), devient réseau de sens et de signifiés. Le poète, conscient que « [l]'instant est la marge de notre éternité » (Léveillé, 1981 : s. p.), prône ici la mobilité, l'ouverture, le dépassement et même la transgression. Léveillé insiste également sur l'importance de la Parole : « le texte en nous indiquant en / son milieu la clé du trésor caché (X), / en nous marquant le lieu en nous, / en nous marquant du lieu : // teXte // en effet, la poésie doit être faite par tous » (1981 : s. p.). Le dernier mouvement propose une strophe de quatre vers, justifiée à droite et composée en lettres minuscules. En vérité, il s'agit d'une citation (sans guillemets) de saint Jean le Divin, tirée de *L'Apocalypse* : « le vainqueur n'a rien à craindre / de la seconde mort » (Léveillé, 1981 : s. p.). Léveillé reprend ainsi la prophétie qui annonce qu'après la fin du monde, après la résurrection de tous les corps, les hommes justes et honnêtes n'auront rien à craindre. De ce fait, le texte qui clôt le recueil rappelle l'illumination bienheureuse, voire l'extase, rendue possible dans l'immanence de l'être touché par la Grâce, par une Sagesse divine.

Dans ce recueil où l'écriture reste elliptique, en apparence très simple et accessible, mais en réalité très dense, Léveillé souligne dans quelques vers toute la richesse du champ sémantique lié à l'idée de la marge : « Marges – marges qui errent / Passant : Mages / Passages : Marges » (1981 : s. p.). En revenant ainsi au point de départ, le poète laisse peut-être entendre que vivre en marge n'est pas chose simple, que cela relève de luttes cycliques et de quêtes continues dont les résultats ne sont jamais assurés. Toutefois, comme Léveillé le précise plus loin : « Le combat est une forme très primitive de la délivrance » (1981 : s. p.). Sans doute, le poète privilégie d'autres formes de délivrance, celles liées aux facultés morale, intellectuelle et créative, celles qui sont données à tous.

Pour Léveillé, il appert que le poème est un haut lieu de communication et de réflexion, ce qui corrobore l'opinion de Pinson qui croit que, lorsque le poète habite le monde, « son *éthos*, sa façon de séjourner consiste en une habitation de ce que Heidegger nomme […] la clairière du langage et de l'Être » (Pinson, 2013 : 67). Et « la configuration de cette clairière […] déterminée comme *Geviert*, "Quadriparti", "Cadre du monde" […] » (Pinson, 2013 : 67), se décline dans le quadruple rapport de l'humain à la terre, au ciel, au divin et à sa propre mort. Léveillé convie son lecteur à une prise de conscience particulière : comprendre que « l'instant est la marge de notre éternité » (1981 : s. p.) et qu'il faut tendre vers la transcendance pour s'y épanouir puisque, selon « le Texte de la Pyramide : au point où tu es, tout est » (1981 : s. p.). Dans ces deux recueils, où le lecteur repérera facilement une certaine récurrence de motifs et de thèmes chers à Léveillé, on devine déjà la célébration de la puissance envoûtante d'une poésie novatrice, parfois quelque peu hermétique, mais qui annonce sans aucun doute les recueils à venir, dont *Causer l'amour* (1993), *Les fêtes de l'infini* (1996), *Litanie* (2008), *Poème Pierre Prière* (2011) et *Sūtra* (2013), pour ne citer que ces derniers.

En somme, Léveillé évoluera vers une poésie de plus en plus dépouillée, où les formes d'intermédialité poussée, telles que le collage et les esquisses que nous pourrions qualifier de calligrammatiques (pour désigner ces manipulations poético-visuelles avec un néologisme amusant), s'estomperont progressivement pour être remplacées par une poésie au style aphoristique, inspirée de la tradition zen. Toutefois, il est vrai qu'à ses débuts, l'œuvre de Léveillé ressemble un peu à celle de Savoie. Tous les deux, adeptes d'une poésie plus exigeante, cherchent à interpeller le « poète » en nous, afin de l'engager à poursuivre sa quête du sacré et de la transcendance.

La démocratisation de la poésie : Charles Leblanc

Charles Leblanc, quant à lui, procède autrement pour inviter son lecteur à goûter à l'art poétique. Il encourage le lecteur non seulement à découvrir, par l'intermédiaire d'une poésie séditieuse, notre *habitus* de tous les jours, mais aussi et surtout, à reconnaître que lire la poésie, considérée ici plutôt comme expression d'une culture de masse, devient une activité agréable, sinon efficace. Pourquoi ? Parce que la Parole est l'affaire de tous, pas seulement celle d'une élite.

Né à Montréal, Leblanc s'installe à Saint-Boniface en 1978. Son premier recueil *Préviouzes du printemps : science-friction pour notre présent* paraît en 1984 aux Éditions du Blé. Cet « étudiant, enseignant, animateur, ouvrier industriel, [...] écrit depuis longtemps et au gré de ses voyages des poèmes pleins de brisures où la tendresse perce à travers la violence » (Leblanc, 1984 : quatrième page de couverture). Auteur de plus d'une douzaine de recueils, Leblanc est reconnu par la critique littéraire nationale et internationale et a reçu pour son œuvre poétique plusieurs prix et distinctions[20].

Fait à souligner, *Préviouzes du printemps* sera le premier titre à être publié dans la collection « Rouge », une collection créée sous la direction de J. R. Léveillé et consacrée aux nouveaux auteurs qui proposent des œuvres jugées plus expérimentales. Dans ce premier recueil, comme dans les autres livres de Leblanc, le lecteur découvre une poésie urbaine plus terre-à-terre que celle de Savoie et celle de Léveillé et, de ce fait, beaucoup plus accessible.

L'anglais francisé du titre n'est qu'un avant-goût des nombreux éléments novateurs à savourer dans ce recueil. D'abord, comme l'ont noté quelques critiques[21], cet emploi libre d'une langue familière, parfois vulgaire, parfois parsemée de « franglais » ou d'anglais, s'observe à maintes reprises. Il est important de le souligner, l'utilisation de l'anglais sera moins fréquente dans ses œuvres plus récentes. S'il utilise la langue de Shakespeare, précise-t-il, ce n'est pas parce qu'il a « l'âme déchirée entre deux langues », mais simplement « pour l'effet » que cela crée (Leblanc, 2015 : 96). Ce sera donc un choix délibéré puisque Leblanc, étant québécois, n'est pas né dans un contexte majoritairement anglophone. Cependant, comme Henri Boyer nous le rappelle (2010 : 138), lorsqu'un auteur évoque la relation entre langue dominante et langue

---

[20]   Charles Leblanc a reçu pour *L'appétit du compteur : poèmes accumulés* (2003) le Prix littéraire Rue-Deschambault, et *Heures d'ouverture : poèmes de la vie courante* (2007) a figuré sur la liste des candidats sélectionnés pour le Prix Lansdowne de poésie et le Prix du meilleur livre illustré de l'année 2008.

[21]   Voir, par exemple, Jules Tessier (1994), J. R. Léveillé (2000), Rosmarin Heidenreich (1990a, 1990b) et Alan MacDonell (2000).

dominée, et la diglossie qui pourrait s'ensuivre, il illustre la coexistence conflictuelle possible de ces deux langues. Il participe surtout à la création des interlectes ou des interlangues qui oscillent entre deux pôles : vernaculaire et identitaire (Boyer, 2010 : 140-141). Leblanc reproduit la réalité linguistique du Manitoba français, ce que d'aucuns appellent le « franglais », d'autres le *frenglish*.

Comme Léveillé, Leblanc a fréquemment recours aux citations ou aux allusions intertextuelles. Il intitule un poème « *"Rust never sleeps"* – Neil Young » ou fait référence à Nelligan dans « Le sexe le frette et le lavabo » (1984 : 28, 31), par exemple. L'utilisation fréquente de sous-titres, de parenthèses ou de tirets met en relief le caractère intertextuel, voire intermédial, et souvent humoristique de son écriture. Enfin, pour ce qui est du style, une versification rythmée et rimée vient fréquemment enrichir des allusions à la musique[22]. Ainsi, dans une langue poétique fortement imprégnée d'oralité et d'expressions vernaculaires, Leblanc propose une poésie du réel : des lieux et des espaces de tous les jours qu'il habite avec autrui. Il précise dans une entrevue : « je fais des poèmes pour m'expliquer à moi-même ce qui se passe. Donc des fois, c'est en réaction à ce qui se passe. […] Je m'explique le monde » (2015 : 98).

Cette réalité quotidienne, bien reconnaissable dans *Préviouzes du printemps,* sera développée à partir de trois thèmes. Premièrement, celui du déplacement, exploité à travers un récit de voyage de l'est vers l'ouest et centré sur l'évocation de l'espace et des lieux; deuxièmement, celui des relations humaines, focalisé sur des fragments de scènes anodines ou plus sérieuses; troisièmement, celui de la nature, axé soit sur les saisons, soit sur le passage du temps. Le choix des thèmes n'est pas révolutionnaire, toutefois leur traitement se révèle très original. La perspective que choisit l'auteur renvoie à ce que Pinson appelle une « avant-garde de masse » (2013 : 46). En effet, Leblanc parle toujours au nom des ouvriers, au nom des masses, au nom de monsieur et madame Tout-le-monde. Rosmarin Heidenreich résume bien la portée de la poésie de Leblanc et l'intérêt de son recueil transgressif, à saveur marxiste :

> Cette perspective esthétique et intellectuelle sur notre culture de consommation capitaliste trouve son expression non seulement dans un discours « col bleu »

---

[22]   Un exemple, parmi d'autres : « « chanson d'amour et de cul / "le sucrier est sur la table / la vie y est dialectique / la tête se remplit vite de marde / dans mon iglou série plastique" » (Leblanc, 1984 : 31).

mais dans un discours « col bleu » canadien-français, rempli d'anglicismes et d'interpolations (1990a : 27).

Leblanc, qui vivait au Québec pendant la Révolution tranquille, sera le témoin d'une crise politique d'importance historique, la crise d'Octobre 1970. Il raconte d'ailleurs qu'il se souvient clairement de cette « journée maléfique où le Parlement canadien a adopté la *Loi des mesures de guerre* [*sic*] en 1970, qui a mis le pays sous la loi martiale » (2015 : 91). D'autres grands soulèvements bien connus se dérouleront au milieu du XXe siècle, dont Mai 68 en France. Cette dernière crise socioculturelle qui a profondément marqué la période constitue, selon Pinson, un « [g]rand moment d'action multitudinaire » et de « pensée massive » ; elle « annonce une essentielle bascule de l'âge du prolétariat vers celui du "poétariat" » où, « [s]ur la scène de l'histoire, surgissent par millions des sujets bien décidés à faire entendre leur voix et à devenir acteurs de leur existence [...] » (Pinson, 2013 : 45). Leblanc correspond parfaitement à ce profil : le poète qui cherche à parler *comme* le peuple, *au nom* du peuple et *pour* le peuple.

Comme Savoie, Leblanc parle d'errance, notamment dans le poème qui ouvre *Préviouzes du printemps* :

> ma peau me fait mal parfois sluggé steppé d'sus en
> p'tits morceaux à côté de ma tuque j'ai froid en
> dessous de mes bras ici ce soir comme à Gaspé //
> there is no other way
> stuck inside of Kingston
> with the Montreal blues again
> and again (1984 : 9).

Outre le déracinement, le poète évoque également le sentiment d'aliénation et de frustration de tous ceux qui se sentent opprimés et malmenés par la vie. Même si Leblanc s'exprime différemment de Savoie, ses vers révèlent cette même conscience d'habiter un monde en perpétuel changement. La visée « poéthique » de Leblanc repose sur une versification où la sensibilisation est jumelée à un éveil critique.

En partant d'expériences intérieures, cette production poéthique, que Leblanc appelle sa « chronologie émotive » (2015 : 98), décrit des scènes familières (de l'intime au sociopolitique) afin d'engager les lecteurs qui se reconnaissent dans ces situations. Le passage de l'âge du prolétariat à celui du « poétariat » permet de reconfigurer les rapports entre la société et la culture. On assiste à un renversement des rôles puisque « le destinataire des produits de la culture se fait de plus en plus un "destinateur" au sein d'une multitude qui n'est plus une "masse indifférenciée" mais un "réseau de *singularités*"[23] », explique Pinson (2013 : 31 ; nous soulignons). Chez Leblanc, son art novateur ne doit pas être uniquement lu comme des textes de révolte personnelle, mais bien comme une poésie de réflexion critique qui tient compte de la réalité environnante et de la production culturelle face auxquelles il se sent « engagé à dire la vérité » (Leblanc, 2015 : 104).

Et pour ce faire, à l'instar de Savoie, Leblanc consacre également quelques textes à l'écriture, dont « à écrire défense de défaire maison[24] » (1984 : 14). Le lecteur y découvre la volonté d'un narrateur de se dire, de construire un édifice de vie puisque « le texte cabossé pourra parler de toi » (1984 : 14). Dans le poème de l'intimité « Aux marches du palais : tendre chanson ordinaire à jaser couchés », le poète conclut qu'il faudrait « ramasser les mots qui se perdent » (1984 : 15). Dans cette poésie éclatée, présentée comme des images prises sur le vif, comme une « chronique de l'ordinaire », ou encore comme une « Impro. films et histoires vraies – fragments éclatés » (1984 : 17, 18), le lecteur appréciera l'humour un peu pince-sans-rire et le regard critique, même cynique, qui traverse cette œuvre. Une autre constante fait la spécificité de l'œuvre : le thème de la métamorphose, car tout (la société, l'individu, les relations) évolue. Leblanc veut signifier que l'essence de notre présence se résume à quelques mots : une précaire impermanence. Mais le poète n'est pas pessimiste, même si « la réalité concentre d'autres images », car la fin parle d'amour et d'espoir, « et tout change encore tous les jours » (1984 : 55), insistera-t-il. Après tout, *Préviouzes du printemps* permet au lecteur de croire qu'il s'agit toujours de la saison du renouveau.

Comme Savoie et Léveillé, Leblanc est très sensible à l'intention de l'écrivain, à sa gestuelle et même aux divers matériaux qui lui servent d'outils. Tout un champ lexical sera réitéré : histoire, poème, page, parole,

---

[23] La singularité est généralement considérée comme l'un des traits marquants de la marginalité.

[24] Ce titre entre en résonance avec *La maison sans murs*, le troisième titre de Savoie. En effet, dans les deux œuvres, outre le thème de la création, celui de la construction identitaire est également approfondi.

note, etc. Ce dernier terme évoque par homonymie la musique[25], un motif cher au poète mélomane et qu'il a d'ailleurs abondamment traité dans ses œuvres ultérieures. Sur le plan thématique, en fin de compte, le lecteur verra dans l'évolution de la poésie de Leblanc une grande cohérence.

Debout, dans la ligne de mire

À première vue, on pourrait conclure que Savoie, Léveillé et Leblanc n'ont en commun que leur condition de poète, puisque, pour ce qui est du style et du contenu, chacun se distingue assez clairement de l'autre. Or, sur le plan idéologique, chacun de ces poètes de la marge habite son univers poétique, même si aucun ne s'affiche ouvertement comme le porte-étendard de la minorité franco-manitobaine. En effet, le Franco-Manitobain Paul Savoie ne se considère pas comme un porte-flambeau de la minorité franco-manitobaine ou franco-ontarienne. Certes, il n'a jamais renié ses racines ni son passé. Depuis de nombreuses années, il vit et s'épanouit à Toronto, et les Franco-Ontariens l'ont bel et bien adopté. L'œuvre monumentale de ce poète voyage outre les frontières du Manitoba, de l'Ontario et même du Québec. Dans sa préface à *Poèmes choisis : racines d'eau*, Paré affirme que la poésie de Savoie « dépasse [...] l'expérience individuelle, non pas parce qu'elle est une parole sociale, mais parce qu'elle s'inscrit dans l'histoire de l'imaginaire anthropologique, dont elle est en quelque sorte la gardienne attitrée » (Paré dans Savoie, 1998 : 8). De son côté, Léveillé, qui vit toujours au Manitoba, déclare que, même s'il tient sans équivoque à sa communauté et à son épanouissement, pour lui « l'écriture doit transcender le discours des communautés ». Il ajoute que le « sujet », c'est-à-dire l'écrivain, « est au service de l'écriture », et non le contraire (Léveillé, 2005b : 29). Et Leblanc, ce Québécois devenu franco-manitobain au fil des ans ? Lui non plus ne se considère pas comme un porte-parole de sa communauté adoptive. Pourtant, chacun reste très présent sur la scène culturelle ; chacun à sa façon œuvre pour sa communauté, se donne corps et âme pour contribuer à la scène culturelle de la francophonie locale. Qu'ils soient tous trois invités à participer à de nombreuses manifestations

---

[25]   Pinson souligne la filiation entre le « poétariat » et certaines formes musicales hybrides, dont le *rap* (acronyme de *rhythm and poetry*), le *beebop*, le blues et le jazz, entre autres (2013 : 50-54).

littéraires, tels les festivals, conférences, ateliers (ou encore à les animer, voire à les organiser), ou qu'ils interviennent dans le domaine de la critique ou de l'édition, force est de constater que ces poètes vivent leur culture et participent à sa vitalité et à son rayonnement en général.

Cet engagement visible, tangible, ne doit pas occulter celui qui transparaît dans leur œuvre, car il est évident que chacun se conçoit bien dans la marge, à la frontière d'un univers précis : celui de la poésie. Les œuvres de Savoie, de Léveillé et de Leblanc ont évidemment évolué au fil des ans, mais on note que ces derniers sont toujours demeurés fidèles à leur vocation de poète. Leur choix de vivre cette « poéthique » s'exprime par une vision humaniste et un militantisme politique, et ce, non dans un sens restrictif qui en limiterait la portée, mais dans une optique qui va bien au-delà des communautés linguistiques vivant en contexte minoritaire. L'idéologie que prônent ces poètes est celle de la recherche du sacré, de la transcendance et de l'éveil du « tout-monde », pour reprendre l'expression d'Édouard Glissant (1997). Ils se rejoignent dans la mesure où leur art se veut non seulement une expression esthétique de leur imaginaire, mais également une expérience transformative. Comme Pinson le souligne,

> [h]abiter en poète n'est pas un comportement de l'homme parmi d'autres. [...] Habiter « authentiquement », c'est à la fois « sauver la terre » [...] ; « accueillir » le ciel, [...] ; c'est demeurer attentif aux signes du divin [...] c'est enfin s'assumer comme mortel [...] (1995 : 67).

Savoie, Léveillé et Leblanc incarnent ce type de l'*homo poeticus*, pour reprendre le terme que propose Pinson, puisque chacun s'investit pleinement dans une « poéthique » où la pensée, autoréflexive et philosophique, s'interroge sur le sens de l'être-au-monde. Grâce à une production et à un engagement soutenus, ces trois auteurs ont donné un grand élan à la production littéraire franco-canadienne, qui se déploie avec une intensité et une qualité toujours renouvelées, et ce, depuis la longue décennie 1970 jusqu'à nos jours.

BIBLIOGRAPHIE

Boily, Gérald (1985). *Paul Savoie, poète franco-manitobain : l'appropriation par le regard*, thèse de maîtrise, Paris, Université Paris-Sorbonne.

Boulais, Stéphane-Albert (1979). « *La maison sans murs* de Paul Savoie : le risque de l'intelligence », *Le Droit*, Ottawa, 22 décembre, p. 18.

Boyer, Henri (2010). « De la "bâtardise" (ethnosocio)linguistique : les parlures hybrides, entre interlectes et interlangues », dans Maia Morel (dir.), *Parcours interculturels : être et devenir : mélanges offerts à Pierre Morel*, Côte-Saint-Luc, Éditions Peisaj, p. 137-143.

Ceysson, Pierre (2006). « La poésie contemporaine : l'institution scolaire et les "règles de l'art" », *LIDIL : revue de linguistique et de didactique des langues*, n° 33, p. 37-54.

Druon, Maurice, et Hélène Carrère d'Encausse (2011). « Moderne », signification éditée en 1986 pour le terme « moderne » par l'Académie Française, sur le site *La-definition.fr*, [http://www.la-definition.fr/definition/Moderne] (15 avril 2016).

Glissant, Édouard (1997). *Traité du tout-monde*, Paris, Éditions Gallimard.

Hallion, Sandrine, Bertrand Nayet et Charles Leblanc (dir.) (2015). *Voix : portraits de douze auteurs*, Saint-Boniface, Éditions du Blé.

Hébert, Raymond-M. (2012). *La révolution tranquille au Manitoba français*, Saint-Boniface, Éditions du Blé.

Heidenreich, Rosmarin (1990a). « Le canon littéraire et les littératures minoritaires : l'exemple franco-manitobain », *Cahiers franco-canadiens de l'Ouest*, vol. 2, n° 1 (printemps), p. 21-29.

Heidenreich, Rosmarin (1990b). « Recent Trends in Franco-Manitoban Fiction and Poetry », *Prairie Fire*, vol. 11, n° 1 (printemps), p. 54-63.

Lacelle, Andrée (2006). « Mettre au large son cœur », *Liaison*, n° 133, p. 59-60.

Lamontagne, Lydia (2005). « La mort comme espace d'écriture dans *Œuvre de la première mort* de J. R. Léveillé », *Studies in Canadian Literature = Études en littérature canadienne*, vol. 30, n° 1 (janvier), p. 270-290, [En ligne], [https://journals.lib.unb.ca/index.php/SCL/article/view/15282/16372] (3 octobre 2015).

Leblanc, Charles (1984). *Préviouzes du printemps : science-friction pour notre présent 1973-1983*, Saint-Boniface, Éditions du Blé.

Leblanc, Charles (2003). *L'appétit du compteur : poèmes accumulés*, avec illustrations de Bertrand Nayet, Saint-Boniface, Éditions du Blé.

Leblanc, Charles (2007). *Heures d'ouverture : poèmes de la vie courante*, avec peintures de Brigitte Dion, Saint-Boniface, Éditions du Blé.

LEBLANC, Charles (2015). « La méthode du maçon », dans Sandrine Hallion, Bertrand Nayet et Charles Leblanc (dir.), *Voix : portraits de douze auteurs*, Saint-Boniface, Éditions du Blé, p. 87-118.

LÉVEILLÉ, J. R. (1968). *Tombeau*, Winnipeg, Canadian Publishers.

LÉVEILLÉ, J. R. (1975). *La disparate*, Montréal, Éditions du Jour.

LÉVEILLÉ, J. R. (1977). *Œuvre de la première mort*, Saint-Boniface, Éditions du Blé.

LÉVEILLÉ, J. R. (1981). *Le livre des marges*, Saint-Boniface, Éditions des Plaines.

LÉVEILLÉ, J. R. (dir.) (1990). *Anthologie de la poésie franco-manitobaine*, Saint-Boniface, Éditions du Blé.

LÉVEILLÉ, J. R. (1993). *Causer l'amour*, Paris, Éditions Saint-Germain-des-Prés.

LÉVEILLÉ, J. R. (1996). *Les fêtes de l'infini*, Saint-Boniface, Éditions du Blé.

LÉVEILLÉ, J. R. (2000). « Rapport des écrivains franco-manitobains à la langue française », *Cahiers franco-canadiens de l'Ouest*, vol. 12, n° 1, p. 5-28.

LÉVEILLÉ, J. R. (2001). *Le soleil du lac qui se couche*, Saint-Boniface, Éditions du Blé.

LÉVEILLÉ, J. R. (2001). *The Setting Lake Sun*, traduit du français par Sue Stewart, Winnipeg, Signature Editions.

LÉVEILLÉ, J. R. (2005a). *Parade ou Les autres*, Saint-Boniface, Éditions du Blé.

LÉVEILLÉ, J. R. (2005b). *Logiques improvisées*, Saint-Boniface, Éditions du Blé.

LÉVEILLÉ, J. R. (2008). *Litanie*, avec dessins de Lorraine Pritchard, Saint-Boniface, Ink Inc.

LÉVEILLÉ, J. R. (2011). *Poème Pierre Prière*, Saint-Boniface, Éditions du Blé.

LÉVEILLÉ, J. R. (2013). *Sūtra*, Saint-Boniface, Éditions du Blé.

LÉVEILLÉ, J. R. (2015a). « Le vide et le temps », dans Sandrine Hallion, Bertrand Nayet et Charles Leblanc (dir.), *Voix : portraits de douze auteurs*, Saint-Boniface, Éditions du Blé, p. 37-65.

LÉVEILLÉ, J. R. (2015b). Courriel de J. R. Léveillé à Lise Gaboury-Diallo, 1er novembre.

MACDONELL, Alan (2000). « Recension : *Corps météo* », *Cahiers franco-canadiens de l'Ouest*, vol. 12, n° 1, p. 121-122.

PARÉ, François (1992). *Les littératures de l'exiguïté*, Hearst, Les Éditions du Nordir.

PARÉ, François (1994). *Théories de la fragilité*, Hearst, Les Éditions du Nordir.

PINSON, Jean-Claude (1995). *Habiter en poète : essai sur la poésie contemporaine*, Seyssel, Champ Vallon.

PINSON, Jean-Claude (2012). « Du "poétariat" comme démenti au populisme », *Cités*, n° 49, p. 97-117.

PINSON, Jean-Claude (2013). *Poéthique : une autothéorie*, Seyssel, Champ Vallon.

ROSS, Val (1996). « Vive le CANLit français », *The Globe and Mail*, 19 octobre, p. C1.

SAVOIE, Paul (1974). *Salamandre*, Saint-Boniface, Éditions du Blé.

SAVOIE, Paul (1976). *Nahanni*, Saint-Boniface, Éditions du Blé.

SAVOIE, Paul (1979). *La maison sans murs*, Hull, Éditions Asticou.

SAVOIE, Paul (1984). *À la façon d'un charpentier*, Saint-Boniface, Éditions du Blé.

SAVOIE, Paul (1993). *Amour flou*, Ottawa, Éditions David.

SAVOIE, Paul (1995). *Mains de père*, Saint-Boniface, Éditions du Blé.

SAVOIE, Paul (1998). *Poèmes choisis : racines d'eau,* présentation de François Paré, choix de Ingrid Joubert et Paul Savoie, Saint-Hippolyte, Éditions du Noroît.

SAVOIE, Paul (2006a). *Rivière et mer*, préface de J. R. Léveillé, Ottawa, Les Éditions L'Interligne.

SAVOIE, Paul (2006b). *Crac*, Ottawa, Éditions David.

SAVOIE, Paul (2012a). *Dérapages*, Ottawa, Les Éditions L'Interligne.

SAVOIE, Paul (2012b). *Bleu bémol*, Ottawa, Éditions David.

SAVOIE, Paul (2015). « Le point zéro de la création », dans Sandrine Hallion, Bertrand Nayet et Charles Leblanc (dir.), *Voix : portraits de douze auteurs*, Saint-Boniface, Éditions du Blé, p. 11-35.

TESSIER, Jules (1994). « De l'anglais comme élément esthétique à part entière chez trois poètes du Canada français : Charles Leblanc, Patrice Desbiens et Guy Arsenault », dans André Fauchon (dir.), *La production culturelle en milieu minoritaire*, Winnipeg, Presses universitaires de Saint-Boniface, p. 255-273.

Court-circuitages dionysiaques de la filiation, stérilisation imaginaire et bébés jetés avec l'eau du bain : malaise dans la contre-culture québécoise

Thierry Bissonnette
Université Laurentienne

L A LIBERTÉ POÉTIQUE a, semble-t-il, des raisons que la liberté indivi-duelle et politique ne connaît pas. D'où la difficulté à expliquer les noces malaisées entre l'esthétique et les revendications factuelles, de même que la précarité des grandes pétitions de principe supposées propres à libérer une fois pour toutes l'expression vis-à-vis des affres de la mauvaise foi et de l'aliénation. À ce propos, la poésie québécoise des années 1970 offre un terrain d'observation privilégié, mais qui gagne à être considéré à l'intérieur d'une chaîne de moments où s'est affirmée la rupture entre une mauvaise et une bonne conscience, entre un langage asservi et un langage libérateur.

Toujours dépassée par sa propre exigence, l'ambition moderne porte en son cœur même une conséquente promesse d'échec[1], laquelle reflète non seulement l'importance qu'y occupe l'individualité, mais aussi, plus indirectement, le travail de cette individualité par ce qui l'excède. À ce titre, l'inscription temporelle de la subversion vieillit nécessairement mal et m'amène à poser la question suivante, qui guidera ma perspective : comment l'affirmation de la liberté peut-elle engendrer, par entropie, une forme de prison identitaire ?

De ces impasses, contradictions et antithèses, le phénomène de la contre-culture est une cristallisation cruciale, au même titre que la mou-vance du *Refus global* et des phénomènes plus tardifs, telles la revue *Gaz Moutarde* et sa continuation dans *Exit* ou encore la première phase des éditions Le Quartanier. Au confluent des mouvements de gauche américain et français, la contre-culture québécoise est marquée par une

---

[1]   Paradoxe clairement délimité par Octavio Paz dans sa théorisation d'une « tradition de la rupture » (1976).

destitution radicale des figures paternelles et une crise afférente de l'autorité, voire du langage – ce dont la pièce *Wouf wouf* d'Yves Sauvageau[2] serait une profération exemplaire –, ainsi que par l'essaimage du poétique à travers d'autres pratiques telles que la chanson et le *happening*. Dans cet article, je me concentrerai sur une lecture du motif de la filiation dans des productions liées à la contre-culture, en tâchant d'y observer le drame d'un affranchissement dont certaines conséquences sont mutilantes, puisqu'il obture à sa source la continuité du sujet.

En vérité, si l'on remonte davantage en amont, on constate que, dès ses premiers soubresauts, la littérature canadienne-française tendait à exposer ses plaies d'apatride et d'orpheline. Dans son poème « Humilité », Guy Delahaye affirme que « [t]out est tout, rien est rien, rien est moi. / Le néant est mon père et ma mère. / J'en suis né, j'en suis fait, il est loi » (1988 : 116). De même, chez Jean-Aubert Loranger, les vagabonds et les fils prodigues demeurent sans attaches et déshérités, tendus vers une réconciliation impossible avec l'origine. Bien avant cette « maison / [...] faite en son absence[3] » (Miron, 1970 : 5) qui accueillera Gaston Miron après un long parcours dans l'étrangeté, les poètes semblent faire de leur œuvre une maison d'absence, où il serait possible, en solitaire, de transmuter l'absence de maison.

Avec l'inclusion du surréalisme dans sa gamme, la poésie des années 1950 aura tendance à retourner la carence en vecteur de révolte. Chez Claude Gauvreau, Roland Giguère, Paul-Marie Lapointe, notamment, on fait du père, du prêtre ou d'autres figures de pouvoir, des oppresseurs à renverser, voire des imposteurs. Une fois les constructions idéologiques que sont la Révolution tranquille et « l'Âge de la parole » bien installées, la voie est libre pour un rejet de l'autorité qui, tout en étant beaucoup moins dangereux, gagne un caractère festif, dionysiaque. De plus, la révolte deviendra moins localisée, davantage planétaire, comme l'illustre la trajectoire d'un Paul Chamberland.

Pour y aller à grands traits, on peut dire que le passage des années 1960 à 1970 comporte un congédiement exalté, euphorique, de la figure paternelle. Certains diront qu'il s'agissait là d'une victoire facile, d'un

---

[2]   Pièce de théâtre d'Yves Sauvageau mise en lecture en 1969 et créée en 1971.

[3]   « [M]e voici en moi comme un homme dans une maison / qui s'est faite en son absence » (Miron, 1970 : 5).

triomphe trop peu périlleux. Défoncement de portes ouvertes, ce ne serait somme toute qu'un épisode de plus dans une impuissance à s'approprier le symbolique[4]. Bien qu'elle néglige à mon avis l'efficacité cathartique du processus, de même que la fulgurance de son humour[5], cette hypothèse permet d'approfondir notre perception du phénomène. En critiquant à distance la contre-culture, en faisant ressortir ses apories, on peut en effet saisir davantage la manière dont elle affronta la dialectique moderniste de la rupture radicale[6].

Le cas Péloquin : briser les chaînes de la descendance

Chez Claude Péloquin, cette rupture se présente notamment à travers l'image de l'obturation. C'est en 1972, sur l'album *Laissez-nous vous embrasser où vous avez mal*, signé Péloquin-Sauvageau[7], qu'on peut entendre « Sterilization », une célébration musicale de la vasectomie à partir de laquelle j'aimerais ouvrir mon examen.

Il s'agit d'un récitatif effectué en anglais sur fond de synthétiseurs et d'autres instruments employés de façon incantatoire, dont le propos consiste en une apologie du contrôle de sa fertilité biologique par l'individu créateur. Certes euphorique, cette déclaration de guerre à la continuité familiale n'en renferme pas moins des accents plus glauques :

Just because
I don't want any children to sleep in my dreams
Just because

---

[4]   Voir, à ce sujet, Biron (2000) pour qui la culture québécoise, placée sous le signe d'un « commencement perpétuel » (Saint-Denys Garneau), n'a de cesse de dévaloriser l'autorité et le pouvoir symbolique, sans pouvoir lui substituer une autre solution viable.

[5]   L'hybridation de la dérision et du sacré est frappante dans les productions musicales et performatives de l'Infonie, par exemple, où la poésie de Raôul Duguay fond le comique, le cosmique et le transgressif à l'aide d'un enthousiasme renouant avec la spontanéité juvénile.

[6]   Dans un pamphlet aussi virulent que réactionnaire, Michel Muir a évoqué « l'académisme contre-culturel », en décriant un effet d'homogénéité qui aurait sévi dans la première décennie de production des Herbes rouges et qu'il oppose à la recherche de singularité qui caractériserait la « véritable » poésie (1985). Si l'exagération est patente, elle permet de mettre le doigt sur un risque attenant à toute ligne de conduite avant-gardiste, une fois passés les moments initiaux de solidarité dans le refus.

[7]   *Jean* Sauvageau, à ne pas confondre avec le précédent.

I have just enough blood for myself
[...]
I got sterilized... Yeah! (Péloquin-Sauvageau, 1972)

L'enfant est vu ici non seulement comme un intrus potentiel, un empê-
cheur de rêver en rond, mais aussi comme un voleur de sang, dont il
convient de bloquer la venue à l'existence. Outre une promotion de
la jouissance de soi-même, il s'agit aussi d'une position écologique,
Péloquin souscrivant à l'hypothèse que la multiplication des humains
mène inévitablement à la destruction de la vie sur terre. En cela s'impose
le sacrifice de sa capacité reproductrice : « *No one / Will ever tap me on the
shoulder / No one / Will ever call me* papa » (Péloquin-Sauvageau, 1972).

Mais la revendication première, c'est le refus de la mort, fût-ce au
prix d'un certain nihilisme : « *No, I'm not the kind / To love someone / Who's
gonna die too* » (Péloquin-Sauvageau, 1972). C'est d'ailleurs l'année
précédant la parution du disque qu'éclatait le scandale du Grand Théâtre
de Québec concernant la murale du sculpteur Jordi Bonet sur laquelle
était inscrite la phrase suivante du poète : « Vous êtes pas écœurés de
mourir, bande de caves ? C'est assez ! » Souvent reçu comme une critique
du conformisme social, ce texte est aussi à prendre au pied de la lettre,
comme une incitation à refuser la mort individuelle, à revendiquer rien
de moins que la vie éternelle, bien que dans un cadre relativement laïc.

Quant au ton de l'enregistrement, il n'est pas sans amener sa part
d'ambiguïté. S'agit-il d'une farce grotesque, d'une provocation, d'une
montée lyrique aux accents néo-païens ? Comme pour la plupart des
morceaux du disque, l'élan festif est difficile à distinguer de la teneur
sociale, voire métaphysique. À l'époque, il pouvait être tentant, comme
le montre l'exemple de Bob Dylan, de faire du chanteur populaire l'incarnation d'une révolte collective, voire d'une direction spirituelle prenant
le relais d'une religion en désaffection. Mais Péloquin ne chante guère,
et sa déclamation rauque rappelle davantage celle d'un David Peel ou
certaines interventions de Kim Fowley, tous deux enfants terribles de la
performance musicale américaine, valorisant la *shock value* et se posant
comme princes des voyous, leaders des exclus, agents de l'irrécupérable.

Le versant moins glorieux de cette rébellion à tout crin est certainement une magnification un peu puérile du Moi, de la satisfaction individuelle, avec le danger que cela comporte de glisser vers une identité
monologique. Au-delà de l'effet de surprise, comment ne pas entendre
la consonance péjorative de ce « *I got sterilized* » (Péloquin-Sauvageau,

1972), dès lors qu'on le considère en dehors d'une glorification du présent qui, s'étant inscrite dans l'histoire, subit de plus en plus les conséquences de son refus du temps ?

Comme Péloquin le répétera à de multiples reprises, le refus de la mort est la pierre angulaire de sa poétique, allant progressivement jusqu'à se réapproprier la perspective chrétienne et sa valorisation de l'éternité, assortie de la promesse d'une seconde vie pour un corps devenu imputrescible[8]. À cette prise de position métaphysique s'ajoute cependant un corollaire très discutable selon lequel le sujet pourrait s'autoriser lui-même à devenir l'unique centre de son développement et de sa valorisation, dans le déni de l'intersubjectivité, alors que « [c]e qui fait le sujet, ce n'est pas ce qu'il tient, ce qu'il perd, son défi, sa chute, ce qu'il rejette. Sujet du rejet. Il est sujet nu, de la nudité et de la dépossession. Ce qui fait le sujet, c'est le creux qu'il inscrit, l'excès qu'il indique » (Arnaud et Excoffon-Lafarge, 1978 : 86).

À partir d'une vasectomie procédant d'arguments soutenables, nous glissons vers une stérilisation des rapports avec autrui qui semble représentative d'une partie de la génération littéraire de Péloquin, pour laquelle les années 1970 constitueront un absolu indépassable, quoique méprisé par une portion de l'institution littéraire. « Après moi le déluge », semble trop souvent dire le poète baby-boomer, dans une attitude caractéristique qui complexifie la transmission et l'héritage de la contre-culture. Comme l'écrit Péloquin lui-même,

> ma paix
> mon bonheur
> c'est quand mon esprit se récompense
> quand il éclate de rire tout seul
> content de ce qu'il est
> content de ce qu'il a […] (1976 : page non paginée précédant la page 1)[9].

Alors que certains préféreraient ne voir dans la personnalité de Péloquin qu'une exception, on pourrait aussi y déceler un symptôme représentatif du rapport pénible de certains écrivains des années 1970 avec la postérité et d'un malaise avec les développements ultérieurs de la poésie franco-

---

8   Notons que trois disques subséquents de Claude Péloquin reprennent le motif d'une Parousie païenne, d'une fin des temps à célébrer dès aujourd'hui : *Les chants de l'éternité* (1977), *L'ouverture du paradis* (1979), *Tout le monde au ciel* (1999).

9   Les vers sont tirés de l'épigraphe rédigée en 1975 pour le deuxième tome de la rétrospective *Le premier tiers* (Péloquin, 1976).

canadienne. Pour dresser un portrait rapide du poète contre-culturel de ce type, disons qu'il passe souvent d'une contestation radicale à un sentiment d'injustice, estimant ne pas être suffisamment reconnu par ses pairs et par l'institution devant laquelle sa transgression s'est définie. Profitant d'un public réel, d'un effet indéniable auprès de sa génération, notamment en déployant son action hors du livre grâce à un contexte propice à la performance, il développera plus tard un malaise parce que cette réception ne se transpose pas dans une consécration plus officielle. Pourtant, il aura lui-même beaucoup de difficulté à reconnaître une quelconque valeur aux écrivains venant après lui, de même qu'à maintenir un dialogue fertile avec les membres de sa génération ne partageant pas exactement son approche, hormis lorsqu'ils confortent son idéal de lui-même par des déclarations élogieuses[10].

Amorcée depuis 1963, la production proprement littéraire de Péloquin se démarque par un surréalisme aux accents mystico-prophétiques. Son deuxième recueil de poèmes, intitulé *Les essais rouges*, préfigure la place grandissante que prendront la prose et l'expression des idées dans cette œuvre, qui comprend deux manifestes ainsi que plusieurs pensées et aphorismes. Cette tendance s'alourdira durant les années 1970, donnant lieu à des tentatives de mots d'esprit trahissant beaucoup de facilité et de narcissisme, comme dans cet extrait des *Amuses crânes* [*sic*] où le clin d'œil à la notoriété finit par prendre le pas sur la recherche langagière :

> Je suis ici pour crier la beauté multidimensionnelle
> de l'homme
> Regardez espace   espace que vous êtes
> On l'a la paix
> Je suis le cri de l'infini à remplir
>
> (re : murale de Québec) (Péloquin, 1976 : 69).

« Même le sperme garroché avec amour goûte / l'embaumement », peut-on lire un peu plus loin (Péloquin, 1976 : 109), dans un refus maintes fois réitéré de la finitude. Au cours de la décennie suivante, notamment dans

---

[10]   Au sujet de cette politique de la reconnaissance littéraire et de l'espace d'action considérable qui existe entre l'auteur et l'œuvre, voir les travaux de Sylvie Ducas, qui fait référence notamment à des « zones de transaction du discours » (2014 : paragraphe 22), dont « la tension entre création et profession, la relation problématique aux pairs (amis et concurrents), à l'éditeur (figure de super-lecteur ou de béotien vénal), à la critique (jugée inepte par peur de ne pas être lu ou mal), aux lecteurs (l'hiatus séparant les publics réels du lecteur idéal et fantasmé) » (2014 : note 4).

La paix et la folie[11], ces appels au surhumain entraîneront un rapprochement explicite, quoique limité, avec la foi chrétienne, mais pour l'heure le pessimisme côtoie le coup d'éclat, les semonces instantanées, si bien que l'écriture elle-même semble indigne d'être approfondie en regard des enjeux qui occupent le poète.

À vrai dire, malgré les éclipses et les retours qui se succèdent depuis trente-cinq ans, Péloquin semble être tombé dans le cercle vicieux de sa propre image, se référant constamment au passé pour valoriser les nouvelles productions, dont il est somme toute assez peu question, et rejetant en bloc le regard des pairs et de la critique. Cela, non sans faire preuve d'une grande débrouillardise pour gagner sa vie, qu'il s'agisse de textes rédigés pour des corporations, de la plongée sous-marine, etc. Un type de souveraineté qui a un prix, soit la solitude et la marginalisation institutionnelle, alors que les œuvres qui s'ajoutent tendent à pâlir lorsqu'on les compare à l'inspiration des promesses initiales[12].

Tout cela s'est joué durant les années 1970 et représente bien un des pires pièges qui se soient présentés à la contre-culture : celui de devenir une culture, un patrimoine, de s'établir comme corpus et, du même coup, de recevoir la reconnaissance – populaire, institutionnelle, voire autoréflexive – comme un boulet au pied, c'est-à-dire comme un obstacle majeur au maintien de la réinvention perpétuelle qu'elle se donnait pour programme. Comme l'écrit Ralph Elawani, « Les figures contre-culturelles vieillissent mal au-delà de leur mythe, on s'en souviendra » (2014 : 67)[13].

---

[11] Recueil dans lequel sont évoqués les mythiques « sans nombrils » et où l'on peut lire ceci : « C'est en faisant des enfants qu'on enterre nos grands-parents – Nous perdons toute l'expérience des gens plus âgés en continuant la roue infernale de venir au monde et de partir » (Péloquin, 1985 : 94).

[12] Le plus souvent associé à la chanson *Lindberg* de Robert Charlebois, dont il a écrit les paroles, Péloquin voit sa notoriété contribuer à sa réputation d'écrivain, puis entrer en dissonance avec celle-ci. Présent dans les premières éditions de l'importante anthologie *La poésie québécoise des origines à nos jours*, de Laurent Mailhot et Pierre Nepveu (éditions de 1981 et 1986), il en est retiré par la suite (édition de 2007), signe parmi d'autres d'un changement de perception quant à son importance comme auteur.

[13] La question n'est pas individuelle, ces figures étant modelées par une diversité d'agents discursifs. « Les médias, les publicités de Burger King et le manque d'intérêt de l'intelligentsia ont-ils eu leur rôle à jouer dans la dégradation de la réelle valeur de la contre-culture ? La question se pose... » (Elawani, 2014 : 74). L'auteur fait ici allusion à une série de publicités mettant en scène Lucien Francoeur.

Le cas Francoeur : baby-boomers sanctifiés[14]

La trajectoire de Lucien Francoeur possède plusieurs points communs avec celle de Péloquin[15]. S'inscrivant dans l'avant-garde post-automatiste, son œuvre littéraire s'accompagne d'un parcours discographique où la poésie incorpore l'imaginaire *rock'n'roll*. *Beatnik* québécois très présent sur la scène culturelle, Francoeur mêlera volontiers les cartes de la notoriété et du travail littéraire, obnubilé par sa propre personnalité et par ses affinités premières[16]. Chez lui aussi, la poésie semblera s'arrêter avec sa génération, les années 1960-1970 étant glorifiées comme une apogée indépassable[17].

Bien qu'il ait, en tant qu'auteur, reçu l'aval de Gaston Miron et des Éditions de l'Hexagone – ce qui contribuait en retour à accréditer l'ouverture esthétique revendiquée par la maison[18] – Francoeur aura de la difficulté à transmettre le flambeau de la même manière et recourra à maintes reprises à l'idée d'une fermeture d'horizon. Cela s'effectuera ou bien en décriant le manque de relève, ou bien en redessinant l'histoire littéraire, non sans un certain ressentiment à l'égard d'une institution vue comme aveuglément conservatrice, au détriment d'une reconnaissance qui serait proportionnelle à l'image que l'on veut projeter de soi[19].

---

[14]   Allusion au recueil *Les rockeurs sanctifiés*, de Lucien Francoeur (1982).

[15]   Concernant la contre-culture, François Dumont note que « [d]es poètes plus fantaisistes comme Claude Péloquin et Lucien Francoeur se construisent des personnages inspirés de la culture rock » (1999 : 84), ce qui pourrait également s'appliquer à Raôul Duguay ou à Denis Vanier.

[16]   « Quand Francoeur insinue, ce qui prouve qu'il est fort habile ou qu'il connaît bien sa leçon, qu'il en va de la survie de la littérature, il est clair que ce qu'il met sous ce mot, ce sont ses livres et ceux de ses amis » (Muir, 1985 : 105).

[17]   Récemment, à la question « Quel conseil donneriez-vous aux nouveaux artistes ? », Lucien Francoeur donnait cette réponse révélatrice : « Il est trop tard pour donner des conseils aux nouveaux car l'industrie de la musique n'existe presque plus » (Francoeur, [s. d.]). S'il est ici question du contexte de commercialisation, la notion du « trop tard » reviendra en revanche fréquemment à propos de la poésie, de l'expérimentation.

[18]   Ce qui n'aurait cependant pas fait l'unanimité auprès de poètes tels que Jean-Guy Pilon. Voir, à ce sujet, Messier (2007 : 10-15).

[19]   Alors que je l'interviewais devant public au Salon international du livre de Québec, au début des années 2000, le poète a eu un mot à la fois cocasse et représentatif. Après avoir fait étalage de ses faits d'armes (consommation de drogues dures avec Jim Morrison dans un hôtel parisien, randonnées californiennes, etc.), il a terminé une de ses réponses par l'affirmation suivante, apparemment dénuée d'ironie : « Moi, tu sais, je suis un peu au boutte de toute. » Peu après, en 2005, on le vit, à l'émission matinale

Comme le synthétise assez bien Louis Cornellier :

> Sa meilleure œuvre, au fond, n'est pas un de ses livres ou un de ses disques ;
> c'est lui-même, c'est-à-dire ce personnage original de poète-rockeur qu'il a su
> inventer et incarner depuis tant d'années. Dans ce rôle de lettré rebelle ou de
> rockeur intello – « J'étais le blouson noir des chansonniers et le Camus des
> bums », résume-t-il –, Francoeur n'a pas toujours su éviter le ridicule, mais il est
> parvenu à créer une œuvre qui n'est pas sans qualités (2013 : s. p.).

C'est cette position médiane entre différents niveaux de culture qui semble embêter autant la critique que l'auteur lui-même, situation compliquée davantage par l'entremêlement de la chanson, de l'exposition médiatique et de l'écriture poétique à proprement parler. À ce titre, le mémoire de Charles Messier est d'une utilité certaine, puisqu'il porte sur l'accession de Francoeur à la légitimité littéraire, en examinant notamment l'« [i]mpact du succès musical sur la position de Francoeur dans le champ littéraire » (titre d'une des parties).

Selon Messier, il existe un clivage important entre la reconnaissance institutionnelle acquise progressivement par Francoeur et la réception critique mitigée qu'il rencontre :

> Les jeunes critiques, qui apprécient ses œuvres, acquièrent de plus en plus
> de pouvoir dans l'institution au cours de la décennie 1970 et la légitimité de
> Francoeur s'accentue. *Les Néons las* reçoivent la meilleure critique et l'institution
> se met à reconnaître plus concrètement sa légitimité, puis le consacre, plusieurs
> instances lui offrant des rôles importants. Il finit par jouir d'une place centrale
> en publiant *Les rockeurs sanctifiés*, c'est-à-dire dans la première moitié des années
> 1980. Or, même si à ce moment l'institution est plus que jamais reconnaissante
> envers Francoeur et son œuvre, le recueil reçoit un accueil plutôt négatif par la
> critique (2007 : 13-14).

Alors que la transition vers la musique tend à lui aliéner une partie du champ littéraire, il est clair qu'elle favorise la progression de sa notoriété culturelle, ce qui, à long terme, créera une dynamique favorable entre le poète et le chanteur[20]. Dans les décennies qui suivront, la dimension du personnage public demeurera une arme à deux tranchants sur le plan de

---

Les lionnes (Radio-Canada), se présenter comme « le premier poète expérimental au Québec ». Autant de déclarations à l'emporte-pièce qui concordent cependant avec un discours général où domine l'affirmation véhémente du Moi.

[20]   « Bien sûr, *popularité* et *reconnaissance* ne vont pas toujours de pair, mais dans le cas de Francoeur le rôle de poète a servi celui du rockeur, et inversement » (Messier, 2007 : 46).

la légitimation, selon les attentes des critiques et du public. À travers cette quête, la commémoration et l'autopromotion occuperont cependant la meilleure part, accentuant le contraste entre le corpus initial (1970-1980) et les productions ultérieures. Dans une attitude typique des baby-boomers déjà notée à propos de Péloquin, Francoeur semble, en effet, considérer le monde des années 1990 et des décennies suivantes comme celui de l'entropie, de l'après. De plus, les écrivains qui en émergent ne semblent pas dignes, selon lui, d'un grand intérêt, hormis lorsqu'ils encensent la génération contre-culturelle. À l'inverse d'une transmission idéale, ce sont ici les enfants qui doivent conforter l'identité parentale, seuls les plus accommodants pouvant espérer être adoubés du bout des lèvres...

Bien que les rapports intergénérationnels dont il est question comportent nombre de ramifications subtiles et d'ambiguïtés, il reste qu'il y a là un nœud à reconnaître, une tension dont il faut prendre conscience si l'on veut se figurer les enchaînements générationnels qui structurent une partie de la poésie québécoise des trente dernières années. Par-delà ma sympathie naturelle à l'égard des audaces et de la fronde de nos flamboyants « bums », une suspicion s'impose toutefois quant à l'enchaînement difficile avec la suite de leur (notre) monde.

Légations constrictives

Ce problème de la filiation conflictuelle pourrait alimenter un ouvrage entier si on voulait l'explorer un tant soit peu chez des poètes masculins de la même période, tels Roger des Roches, Denis Vanier, Louis Geoffroy, Michel Beaulieu ou Alexis Lefrançois, chez qui, malgré des approches souvent à des années-lumière l'une de l'autre, apparaît une forme de ligature entre la constitution du soi littéraire et la continuité dialogique.

Cela rejoint bien la perspective de François Ouellet, qui, dans *Passer au rang de père*, cerne un syndrome souterrain de la culture québécoise contemporaine, dont la rupture avec l'ordre symbolique se doublerait d'une incapacité à investir de façon durable la structuration du réel[21].

---

[21]   Une autre piste intéressante, dans cet essai, consiste à envisager la construction victimaire du poète québécois comme l'expiation d'une autorité usurpée. Alors que chez Denis Vanier, par exemple, la récurrence de motifs ou de scénarios religieux témoigne d'une culpabilité résurgente, elle concourt également à « déifier » virtuellement le fils

À ce titre, les années 1970 fourniraient un cas révélateur d'une révolte sans lendemain, où le meurtre du père laisserait ses agents désarmés devant la continuité qui émane de l'assouvissement de leurs propres désirs[22]. Un contexte que décrit avec acuité Jean-Philippe Warren :

> En adoptant un certain code vestimentaire, en écoutant les chansons de Robert Charlebois ou de Jefferson Airplane, en fumant des joints et en pratiquant l'amour libre, les jeunes participent à la révolte collective. Or, la *dope*, le sexe et le rock ont ceci de particulier qu'ils sont révolutionnaires sans être politiques. Ces habitudes de vie font éclater les bornes de l'acceptable et du respectable sans exiger un engagement explicite. Les jeunes peuvent ainsi passer pour marginaux tout en se comportant de manière très grégaire et paraître iconoclastes tout en suivant la mode (2008 : 126).

Si l'on ne peut réduire les poètes cités à cette naïveté générationnelle, certains (Péloquin, Francoeur) n'en partagent pas moins la dualité entre apparence et effectivité. Ainsi, une perte partielle de soi dans l'image entraîne un relatif tarissement de la créativité (diminution du nombre de publications, difficulté à renouveler son esthétique). Chez les autres, la vitalité littéraire s'accompagne néanmoins d'une fonction paternelle en ruine. La relation à l'autre et le désir de continuité ne subsistent alors qu'à l'état de fantôme, de déception ou d'horizon ludique. Dans chaque cas, la négativité menace de se refermer sur celui qui la manie, contribuant ainsi à la rupture diffuse qui caractérisera le passage entre générations à partir des années 1980[23].

---

rebelle, ce qui pourra s'accompagner d'une mise au rebut de la pensée critique. « Or, que reste-t-il à celui qui est incapable de "retourner" sa culpabilité et de passer au rang de père [...] ? Le risque de la complaisance chronique » (Ouellet, 2002 : 108).

[22] Au terme d'une envolée délirante au sujet des qualités sataniques et physiologiquement néfastes du *rock'n'roll* et de sa transposition américanophile dans les textes de Francoeur, Michel Muir a ce mot : « Son écriture poétique est à l'image de l'homme : contestataire, elle vise la désintégration. Le démembrement stylistique garde la trace de l'idéologie contre-culturelle : il expose une posture sociale qui tend à imposer de nouvelles pratiques d'écriture en mettant en relief l'Orgasme comme symbole de protestation incendiaire. Je me résume : poésie iconoclaste stérilisante parce que totalement dépourvue de transparence dialectique positive. Maintenant le lecteur connaît l'origine de l'immatérialité de l'écriture de Francoeur ! » (1985 : 122)

[23] Encore une fois, on peut également considérer cette difficulté intergénérationnelle dans le cadre plus large d'une résistance au symbolique et à la verticalité. « Nous participons à un monde carnavalesque *par défaut*, un monde qui ne s'élabore pas *contre* la structure, mais *dans l'absence* de structure. D'où le caractère souvent amer de la fête,

Je me contenterai de donner pour exemple la poésie de Michel Beaulieu, dont il est fascinant de considérer la position par rapport à la contre-culture, tant ses affiliations personnelles sont en décalage avec la complexité de sa poétique[24]. Chez lui, grâce à un ensemble de moyens discursifs récurrents, l'on assiste à une sorte d'abolition baroque du temps : utilisation d'un *tu* souvent réflexif, syntaxe kaléidoscopique emboîtant les strates de l'historique et du personnel, formules oxymoriques affirmant le caractère tragique du destin individuel et l'omniprésence du néant, exploration de la sensualité du couple doublée d'une absence quasi complète de thématisation de la progéniture possible, tout converge vers une intensification du présent de la parole et de l'affect atteignant à l'auto-suffisance. Cela s'observe, à travers une mélancolie prégnante, dans son recueil de 1975, *FM* :

> il irait jusqu'au bout de lui-même et le savait
> dans les sangles des neiges il le savait
> que le songe se coud sur lui-même la nuit venue
>
> j'ai lu dans un livre de science-fiction
> que le temps s'abolit l'espace de même
> [...]
> il suffit peut-être de rien du tout
> de mourir en soi d'une mort assidue
>
> j'attendrai qu'il passe le temps
> qu'il coule combien de temps qu'importe
> à la limite des aiguilles je te rencontrerai (Beaulieu, 1975 : s. p.).

Cette obsession pour une annulation immanente de la temporalité rejoint tout à fait celle de Guy Delahaye, cité plus haut, qui affirme la loi du néant, père et mère du sujet. Dans son poème « aujourd'hui », Beaulieu raffine encore son opposition complice avec un quotidien qu'il cherche à soutirer de la perte :

> cette trace niée sous les influx
> quelque nom voletant de loin en loin
> laminant du plus nu de la nuit ce qui le meut

---

qui tourne au désastre en un rien de temps, les participants n'étant plus sûrs de sa fonction » (Biron, 2000 : 13 ; en italique dans le texte).

[24]   Partie prenante de diverses fratries, adoptant un *look* et un mode de vie typiques de la jeunesse des années 1960-1970, l'homme n'en déploie pas moins une œuvre inattendue, capable d'intégrer, de digérer les modes, dépassant précocement la contre-culture grâce à une posture davantage postmoderne.

[...]
et celui qui nous éprouve
aujourd'hui
faut-il enfin le remonter (Beaulieu, 1979 : s. p.).

Outre le charme indéniable de cette valse avec la nullité originaire, son mouvement révèle une facette complémentaire de la coupure avec autrui et de la continuité qu'il offre en partage. Plus pragmatique, en un sens, Beaulieu évite cependant d'associer sa pratique de la coupure avec une autolégitimation forcenée. Chez lui, l'absence du père est moins l'occasion d'une célébration que d'un deuil maintenu. L'incapacité à vivre le temps devient ainsi un moteur pour donner une forme volontaire à cette difficulté.

Comme on peut le constater, les manifestations plus spectaculaires de la clôture identitaire qui guette le poète contre-culturel ne sont que la pointe d'un iceberg où se côtoient diverses approches. La négation de la continuité peut, en effet, s'effectuer sur un mode beaucoup plus intime ou, encore, elle peut devenir l'objet d'un travail conscient, autocritique. Ce sera d'ailleurs l'objet d'un futur article d'établir une typologie plus complète des agents de la mouvance poétique contre-culturelle au Québec.

Conclusion

Il ne s'agit pas, ici, de contester la présence d'aucun des poètes étudiés au sein du canon de notre histoire littéraire, mais plutôt d'y recadrer quelque peu leur présence, en évitant les écueils contraires que constituent, d'une part, le simple écho de leur autolégitimation ou de leur intransitivité et, d'autre part, leur rejet comme simples anomalies. C'est d'ailleurs l'alternative – soit génie, soit martyr et incompris – devant laquelle certains de ces poètes ont coutume de nous placer et qu'il faut dépasser afin de mieux les percevoir dans leur écosystème culturel.

Davantage qu'une stratégie machiavélique de la part des artistes, la problématique qui nous a occupé est liée de près à un complexe générationnel dont les deux premiers cas représentent l'extrême du spectre, mais qu'on observe à des degrés plus discrets dans bien d'autres œuvres de la période. À ce syndrome, j'opposerais pour l'instant le désir d'une « famille » littéraire qui dépasserait la fratrie du moment, afin d'orienter une partie de l'énergie discursive vers une transmission indéterminée.

L'œuvre de Beaulieu, en particulier, pourrait servir à explorer plus avant cette perspective en lui jouxtant d'autres démarches où la rupture, n'étant plus une fin en soi, ne forme que la première articulation d'un processus plus large.

« Faire sens, c'est aussi un désir d'entrer dans la grande famille de l'humain », écrit Michaël La Chance (2014 : 232), dans une formule qui traduit bien la façon dont se jouxtent l'accession au symbolique et l'ouverture de sa propre subjectivité. Car parler, écrire, c'est non seulement s'approprier un matériau intersubjectif, s'inclure dans un réseau indistinct qui implique l'ensemble des locuteurs passés et présents, mais c'est aussi abandonner une partie du verdict sur soi aux sujets à venir. Comme le dit François Ouellet, « [t]oute intervention intellectuelle situe systématiquement l'intervenant dans une *dynamique sociale signifiante* qui relève d'un univers symbolique dont il n'est pas complètement le maître et qui le dépasse largement » (2002 : 25 ; en italique dans le texte). Au fond, sans vouloir faire outrancièrement la morale aux poètes des années 1970, on leur demanderait par simple délicatesse de ne pas se considérer comme l'alpha et l'oméga du langage, mais, au contraire, d'aller puiser un nouvel élan dans la passion de la transmission non seulement de leurs œuvres et de leur personnage, mais aussi de l'énergie qui présida à l'ignition de leur parole. Et ce faisant, d'assumer une paternité symbolique au moins aussi enthousiasmante que la dérive du fils révolté dont ils firent l'expérience.

BIBLIOGRAPHIE

Arnaud, Alain, et Gisèle Excoffon-Lafarge (1978). *Bataille*, Paris, Éditions du Seuil.

Beaulieu, Michel (1975). *FM : lettres des saisons III*, Saint-Lambert, Éditions du Noroît.

Beaulieu, Michel (1979). *Oracle des ombres*, Saint-Lambert, Éditions du Noroît.

Biron, Michel (2000). *L'absence du maître : Saint-Denys Garneau, Ferron, Ducharme*, Montréal, Les Presses de l'Université de Montréal.

Cornellier, Louis (2013). « Lucien Francoeur, le rockeur fatigué », *Le Devoir*, 11 mai, [En ligne], [http://www.ledevoir.com/culture/livres/377792/lucien-francoeur-le-rockeur-fatigue] (10 février 2015).

Delahaye, Guy (1988). *Œuvres parues et inédites*, LaSalle, Hurtubise HMH.

DUCAS, Sylvie (2014). « Quand l'entretien littéraire se fait enquête sociologique : discours de la reconnaissance littéraire et posture ambivalente de l'écrivain consacré », *Argumentation et analyse du discours*, n° 12, [En ligne], [http://aad.revues.org/1698] (novembre 2016).

DUMONT, François (1999). *La poésie québécoise*, Montréal, Éditions du Boréal express.

ELAWANI, Ralph (2014). *Les marges détachables*, Montréal, Poètes de brousse.

FRANCOEUR, Lucien (1982). *Les rockeurs sanctifiés*, Montréal, Les Éditions de l'Hexagone.

FRANCOEUR, Lucien ([s. d.]). « "Grounder" au Québec », entrevue avec Lucien Francoeur, sur le site *Lanaudière, Mode magazine*, [http://www.lanaudiere-mode-magazine.com/LucienFrancoeur7.html] (10 février 2015).

LA CHANCE, Michaël (2014). *Épisodies*, Chicoutimi, La Peuplade.

MAILHOT, Laurent, et Pierre NEPVEU ([1981, 1986] 2007). *La poésie québécoise des origines à nos jours*, nouvelle édition revue et augmentée, Montréal, Éditions Typo.

MESSIER, Charles (2007). *L'ascension de Lucien Francoeur dans le champ littéraire québécois*, mémoire de maîtrise, Montréal, Université du Québec à Montréal.

MIRON, Gaston (1970). *L'homme rapaillé*, Montréal, Les Presses de l'Université de Montréal.

MUIR, Michel (1985). *Poètes ou imposteurs ?*, Verdun, Louise Courteau éditrice.

OUELLET, François (2002). *Passer au rang de père : identité sociohistorique et littéraire au Québec*, Québec, Éditions Nota bene.

PAZ, Octavio (1976). *Point de convergence : du romantisme à l'avant-garde*, Paris, Éditions Gallimard.

PÉLOQUIN, Claude (1976). *Œuvres complètes (1942-1975) : le premier tiers*, t. 2, Montréal, Beauchemin.

PÉLOQUIN, Claude (1985). *La paix et la folie*, Montréal, Leméac éditeur.

PÉLOQUIN-SAUVAGEAU (1972). *Laissez-nous vous embrasser où vous avez mal*, enregistrement sonore, Montréal, Polydor, 1 disque analogique ; réédition, Montréal, Mucho Gusto, 1 disque numérique, 2003, MGCD004. Paroles de Claude Péloquin ; musique de Jean Sauvageau.

WARREN, Jean-Philippe (2008). *Une douce anarchie : les années 68 au Québec*, Montréal, Éditions du Boréal.

Vers une poéthique acadienne : l'exemple d'Herménégilde Chiasson

Michael Brophy
University College Dublin

> j'inventerai le monde
> et vous viendrez pour lui donner
> toute sa densité d'humaine poésie
> RAYMOND LEBLANC, *Cri de terre*

> Nous étions damnés au départ et nous devions
> aller vers le salut alors que c'est le contraire qui
> devenait apparent. Nous étions sauvés au départ,
> nous étions au monde [...] et nous devions
> entreprendre ce long voyage vers la beauté.

> HERMÉNÉGILDE CHIASSON, *Pour une culture de l'injure*

> Toute grande œuvre est reliée. Reliée au monde
> et au vivant, c'est pourquoi elle rayonne de tant de solitude.

> PATRICK CHAMOISEAU, « Poétique d'une démesure »

S I LA POÉSIE ne cesse depuis Rimbaud de pointer l'horizon fuyant de la « vraie vie » (Rimbaud, 1972 : 103), nombreuses sont les pratiques qui s'efforcent d'épouser cette fuite et d'en arracher les éléments d'un séjour. La poésie acadienne, telle qu'elle prend forme dans les années 1970, témoigne exemplairement de cette aspiration à faire d'une manière de dire un art de vivre ou, comme l'exprime Raymond LeBlanc, à « habit[er] un cri de terre » (1986 : 45). Or le cri « habité » permettrait justement d'entrer comme par effraction dans l'inhabité et l'inhabitable, de percer jusqu'à l'habitacle de sa propre vie forclose : « J'ai frappé à ta porte et j'ai compris trop tard / Qu'il n'y avait personne à la maison / Et la porte m'a cloué à la mort de son silence glacé » (LeBlanc, 1986 : 13)[1]. Cependant, il ne s'agira pas tout simplement de réintégrer

---

[1]   Les deux « inventaires » qui composent la dernière section de *Mourir à Scoudouc* d'Herménégilde Chiasson, « La maison du silence », figurent de même une demeure où des objets s'animent dans le vide et imposent leur implacable mécanique, indé-

la maison déserte ni d'en répertorier les recoins obscurs en détaillant jusqu'aux moindres affairements de *back yard*[2], car le lieu de séjour est fissuré par la parole même qui l'articule, sa clôture brisée au profit d'un inapaisable mouvement *en avant*. Lorsqu'il rendra hommage à Rimbaud à l'occasion du centenaire de sa mort, c'est cette longue émergence de la poésie acadienne, sa puissance germinatrice aux infinies ramifications, que retracera en même temps Herménégilde Chiasson : « Rimbaud, comme toujours, s'est levé, à contre-jour, dans l'embrasure de la porte. / Sa silhouette n'est plus qu'un couloir vers d'autres espaces où tout devient inquiétant et possible » (Leblanc, Chiasson et Beausoleil, 1991 : 29).

Par le terme « poéthique », nous entendons, à la suite de Jean-Claude Pinson, la capacité de la poésie à former l'*ethos*, le séjour, d'un sujet, non par la voie de la connaissance mais bien plutôt par celle de l'action, de la pratique : « Il ne s'agit plus tant que la vie soit, par la littérature, mieux connue ; il s'agit qu'elle soit "mieux" *vécue* » (Pinson, 2013 : 6 ; en italique dans le texte). Autrement dit, comment la poésie peut-elle influer sur la réalité vécue, voire infléchir le cours de celle-ci, appelée désormais à rejoindre la courbe ascendante d'un mieux-vivre et d'un mieux-être incessibles et à se muer de la sorte en *vraie vie* ? C'est sous cet angle que nous examinerons la première décennie d'une production poétique qui affirme son acadianité au carrefour du mythe et de la modernité, ballottée – et nous retenons encore les termes de Jean-Claude Pinson – entre *survivance* et *survenance* (2013 : 10), entre, d'une part, le poids du révolu et de ses reliques et, d'autre part, l'incertitude de l'à-venir. Plus particulièrement, nous privilégierons l'œuvre d'Herménégilde Chiasson, œuvre de longue haleine qui accompagnera l'éclosion de nouvelles voix poétiques dans les décennies suivantes, alors que, dès la première parution en 1974, elle pose paradoxalement la question de la fin, question doublée de celle de l'*ethos*, du séjour de l'être de finitude : *Mourir à Scoudouc*.

Mais avant de nous pencher sur « le royaume de Scoudouc » (Chiasson, 2003 : 62) et sur ses curieuses dépendances linguistiques, considérons le film réalisé par Chiasson qui non seulement coïncide avec le terme de la période de production proposée à l'étude dans le présent volume,

---

pendamment de la volonté humaine (2003 : 67-70). Pour *Mourir à Scoudouc* (1974) et *Rapport sur l'état de mes illusions* (1976), nous nous référons à leur réédition dans *Émergences* (2003).

2   Voir « Tableau de back yard » de Guy Arsenault, dans *Acadie rock*.

mais encore thématise explicitement la fin dans son intitulé *Toutes les photos finissent par se ressembler* (1985). Par le détour de la fiction (une fille rend visite à son père pour lui parler de sa décision de devenir écrivaine), Chiasson trouve à encadrer et à commenter la prise de parole tant poétique que politique qui avait posé dans la décennie précédente les linéaments d'un pays dégagé de sa gangue d'inertie et rendu à l'état de projet. Documentaire enchâssé dans un scénario fictif, point de vue sur l'Histoire à partir de l'histoire remémorée et racontée entre père et fille le temps d'un repas, le film, dans sa facticité avouée[3], sert à structurer et à cristalliser ce qui risque autrement de rester fuyant, éparpillé et lacunaire, rongé depuis toujours par des franges d'absence et d'oubli. Par l'artéfact, par le fait de l'art et de l'articulation, le poète-cinéaste rêve de « se refaire un passé uni, imperméable, une sorte de photographie heureuse où le temps viendrait se prendre au piège » (Chiasson, 1985). Viennent effectivement prendre place dans cette « photographie » et l'« album » qu'elle compose Léonard Forest, Gilles et Jacques Savoie, Raymond LeBlanc, Guy Arsenault, Gérald Leblanc, Chiasson lui-même, et ce, sur toile de fond d'une communauté qui revendique une identité sociale, culturelle et politique à travers le réseau croissant de ses institutions : l'Université de Moncton, les Éditions d'Acadie, le Parti acadien. Par la distanciation qu'induit la fiction, l'artiste polymorphe qu'est Chiasson se fait le témoin de sa propre vie et de celle de son peuple qui s'y entrelace. « Il est difficile de vivre en se regardant vivre mais c'est un peu le rêve de tout artiste, ce qui serait son point de chute ultime, une sorte d'exaltation constante », confie Chiasson à son ami Pierre Raphaël Pelletier (Chiasson et Pelletier, 1999 : 31). L'art serait le miroir ou l'« album » par lequel assembler bribes, morceaux, fragments disparates en quelque chose qui ressemble à une vie[4], non seulement pour contempler celle-ci, mais pour la creuser, la retourner, la relancer sans trêve, à l'image de la fille qui se lève de table et disparaît dans la nuit après avoir répliqué à son père qu'elle a « [s]a

---

[3]   « Peut-être qu'il me serait difficile de saisir là où commencent les souvenirs et là où se situe ce que j'en ai *fait* », nous prévient dès le début le père-poète-personnage (Chiasson, 1985 ; nous soulignons).

[4]   C'est l'art de l'assemblage qui seul instaure la ressemblance, leçon que Michel Deguy ne cesse de réitérer pour sa part : « Ce à quoi [notre existence] ressemble, ou ordre de la figuration, ce sont les œuvres d'art qui l'imaginent et le montrent. Le lieu ne devient un lieu du monde qu'en étant un lieu-dit, par une diction (un ouvrage) qui "*rassemble* la beauté de la terre" (Hölderlin) » (1987 : 20 ; en italique dans le texte).

propre vie » (Chiasson, 1985), suspendant ainsi la dissection du vécu familial et communautaire pour s'ouvrir à tout ce qui lui reste encore à vivre, loin de ces entités identitaires – famille, nation – elles aussi, après tout, quelque peu fictives ou hypothétiques, puisque depuis presque toujours éclatées[5].

Le film présente beaucoup moins le bilan d'une époque qu'une traversée dont aucun véritable terme ne vient clore le mouvement, d'autant plus que celle-ci s'inscrit dans un présent qui bouge – la nuit tombe, la circulation routière s'impose en arrière-plan, le lieu de la visite n'est guère plus qu'une succession d'espaces de passage (hall de l'aéroport, voiture, salle de restaurant) qui diffère indéfiniment une arrivée à destination – et que le passé remonte non seulement par l'intermédiaire de photos et d'extraits de films soigneusement exhumés, mais dans la parole spontanée et fraîchement éclose des deux personnages qui ont à reconvertir leur passé en acte de présence après cinq ans de séparation. Au début du film, le père déclare avoir abandonné l'écriture, alléguant l'essoufflement, autour de lui, de la prise de conscience qui en était jusque-là le moteur essentiel. Pourtant, à la fin, c'est la position inverse qu'il soutient en rattachant expressément la quête du pays, « un pays grand comme un départ dans lequel nous cherchions un endroit pour arriver », aux seuls espaces du scriptible et du récitable : « Nous ne devons plus cesser de nous écrire car ce sera peut-être notre seul pays » (Chiasson, 1985). Ce renversement n'est d'ailleurs pas sans rappeler la notion d'« écriture sauvage » appliquée dès 1972 à la poésie acadienne par Alain Masson (1994 : 32), poésie, selon lui, en manque de fondations, s'écrivant dans le désert et frisant à tout moment la table rase dont sa logique de rupture se prévaut : « Écrire des vers est le moyen le plus simple de revenir aussi souvent que possible à zéro, à la frontière initiale qui borde la marge de toute page. Écriture innocente, celle qui est toujours commençante » (1994 : 35)[6]. Qui

---

[5]   Dans le film de Chiasson, la cellule familiale qui se défait et se disperse très tôt entre en parallèle avec une Acadie qui, plus fabuleuse que réelle, se dérobe depuis le « Grand Dérangement » qui sapa ses assises jusqu'à sa folklorisation à outrance qui la rentabilise. Famille et pays ne fonctionnent plus que par intermittence, ne prenant consistance que dans la trame du récit qui s'y tisse.

[6]   Une trentaine d'années plus tard, François Paré commente aussi cet « éternel recommencement » qui continue d'être le lot des sociétés minoritaires en général : « Quiconque a œuvré au sein des sociétés minoritaires connaît parfaitement cette impression désespérante de toujours recommencer à zéro, de n'avoir pour histoire qu'une succession de faux départs » (2003 : 61).

plus est, le terme « album » (« Ce film est un album », affirme le poète-cinéaste (Chiasson, 1985)) entre en résonance avec cette perspective d'un perpétuel (re)commencement et, partant, avec le refus de fixer une place à la production dans un schéma de périodisation raisonné, car outre ses échos rimbaldiens – les parodies et satires de l'*Album Zutique*, « les merveilleuses images » des *Illuminations* – le mot signifie en latin « surface blanche, tableau blanc » (Rey, 2012 : 73) et suggère par là même cette absence, ce vide sur fond duquel les formes de l'écriture se détachent et auquel elles risquent incessamment de retourner, à l'exemple même des dix années de silence qui séparent chez Chiasson *Rapport sur l'état de mes illusions* (1976) et *Prophéties* (1986).

Certes, le concept d'« écriture sauvage », puisé chez Jean-Jacques Rousseau[7], avec tout ce que cette écriture comporterait de fruste et de ponctuel en donnant libre carrière à la passion, ne saurait convenir aujourd'hui à la poésie acadienne, qui n'a plus à faire ses preuves en matière de densité et de diversité[8]. En revanche, il a encore le mérite de faire valoir l'extrême fragilité d'une parole émergente dont la ferveur se révèle simultanément affectée d'un fort coefficient d'évanescence, parole qui aura par surcroît à se distancier de l'impasse politique que représente la défaite des candidats du Parti acadien lors des élections provinciales de 1978, ce parti destiné, comme on entend l'ancien premier ministre Louis Robichaud le prédire sèchement dans le film de Chiasson, « à mourir d'une mort parfaitement naturelle » (1985). Or le jugement que porte Alain Masson dans son texte de 1972, quoique strictement littéraire, appartient à la même veine réductrice : « Rien ne nous permet […] de parler d'une littérature à l'état naissant ; il n'est question que de quelques hommes qui naissent à l'écriture poétique » (1994 : 40). Écriture, donc, pour lui, née en dehors de la littérature et dépourvue de littérarité, nourrie d'aucune tradition et cernée de vide, saisie même en fonction de ce qu'elle n'est pas, de ce qu'elle ne peut jamais être et ramenée à cette absence, à ces manques congénitaux, comme la condition même de son apparition qui, pour véhémente qu'elle soit sur le plan moral, paraît

---

[7]   « L'état sauvage de Rousseau : isolement, autonomie, timidité, passion, immédiation (pas de retour de la pensée sur elle-même, de réflexion), innocence, errance ; tous ces traits caractérisent assez bien notre écriture » (Masson, 1994 : 32).

[8]   Voir, par exemple, à cet égard, dans l'*Anthologie de la poésie acadienne* éditée par Serge Patrice Thibodeau, à la fois la préface de celui-ci (2009 : 7-15) et le liminaire de Jean-Philippe Raîche (p. 17-18).

condamnée à rester plutôt maigre et flottante faute d'ancrage esthétique précis, de parentèle littéraire solide.

Deux ans plus tard, pourtant, l'inexistence d'un patrimoine littéraire en Acadie sera envisagée avec moins de sévérité par le même critique, qui y voit maintenant le gage d'une écriture dotée d'emblée d'une portée universelle indiscutable (Masson, 1994 : 53). De plus, il reconnaît à cette poésie une force illocutoire issue non pas d'une savante manipulation de figures de style mais, comme l'affirme Guy Arsenault à l'époque, d'une pressante « soif de Parole » (Masson, 1994 : 28) qui a partie liée avec l'immédiateté performative de l'oralité : « [C]e n'est pas seulement le message, mais peut-être surtout *l'acte de le proférer* qui se charge de sens » (Masson, 1994 : 55 ; nous soulignons). Se refusant à la fadeur des formes fixes qui la précèdent, repoussant l'idéologie passéiste et passiviste dont celles-ci restent profondément imprégnées, la parole en question se veut autant arrachement aux codes asphyxiants d'une culture traditionnaliste et déterministe que nouvelle prise sur la vie, profération dont le pur jaillissement, l'élan vif, le besoin irrépressible sont fortement valorisés comme tels, quel qu'en soit le contenu et parfois même aux dépens de celui-ci. C'est pourquoi ce ferment qui travaille, au-delà de la page, la singularité des voix et l'ardeur des soirées où celles-ci éclatent, concerne non seulement des corpus, d'ailleurs relativement épars dans cette décennie et, par conséquent, objet d'une démarche anthologique constamment renouvelée, mais encore ce qu'on pourrait nommer un climat aux strates multiples et à l'extension indéfinie. « Il sera toujours difficile de mesurer l'impact de ces textes, leur résonance, leur nécessité. Chaque mouvement provoquait une secousse, une vague », déclare Chiasson dans sa préface à *Acadie rock* (Chiasson, 1994 : 10). Pour lui, loin de classer et de clore l'époque, il faudrait continuer de l'ouvrir en questionnant l'actualité de sa portée, la puissance d'ébranlement que son projet d'existence[9] suscite encore dans le présent : « Ce qui survit de ce formidable élan reste encore à être évalué » (Chiasson, 1994 : 9).

ℵ ℭ

Dans son texte percutant intitulé « Poétique d'une démesure », Patrick Chamoiseau insiste sur la « toile d'inter-rétro-actions sans limites et sans

---

[9]   « Aucune autre [poésie] n'a joui d'une telle liberté dans l'élaboration d'un projet littéraire qui se confondait avec un projet d'existence », affirme Raoul Boudreau (1990 : 20).

calendriers » où chaque œuvre installe son action (2011 : 109). Rejetant le modèle d'« une ligne évolutionniste européenne » (2011 : 110),
il privilégie tout au contraire « le subit éblouissement » du créateur et
ce qui en découle : « Un dégagement d'ondes qui, à partir de la grâce
d'une œuvre, s'épanche dans tous les sens, en dehors des guirlandes »
(2011 : 111). C'est sans doute dans cette optique, qui est tout d'abord celle
du créateur et de son rapport à la littérature-vie, à la littérature vivante
qui « vit de sa mort » et « meurt de sa vie » (Chamoiseau, 2011 : 109),
qu'il convient de reconsidérer la réédition, en 2003, des deux premiers
recueils d'Herménégilde Chiasson, *Mourir à Scoudouc* et *Rapport sur
l'état de mes illusions*, réunis sous le titre *Émergences*. Le pluriel de celui-ci,
forme qui caractérise la plupart des titres poétiques de Chiasson, souligne un parcours qui se fractionne et se ramifie d'entrée de jeu, de façon
à instaurer la différence au sein du même. Une telle division s'oppose de
front à l'image parfois trop hâtive et trop fixe de l'écrivain que dresse la
critique : n'est-ce pas, dans une certaine mesure, le fait de ne déjà plus
se ressembler qu'Alain Masson reproche à Chiasson en 1985 lorsqu'il
livre le portrait d'un poète « moins précis, moins sévère et moins drôle
que naguère, [...] désespérant, comme toujours, mais cette fois comme
par avance, d'établir une véracité » (1994 : 145)? En vérité, ce portrait
n'aura jamais fini d'évoluer, en même temps que l'œuvre toujours en voie
de se constituer. C'est par « [l]a route, toujours, un long sillon labouré
jusqu'à l'extrême » que le poète représente cette indéfectible poussée
dans *Miniatures* (Chiasson, 1995 : 11). De même que chaque nouvel
ouvrage modifie nécessairement la réception de ceux qui le précèdent,
ces *Émergences* se donnent à lire aujourd'hui comme celles d'un écrivain
non seulement établi mais, notamment depuis sa nomination au poste
de lieutenant-gouverneur du Nouveau-Brunswick en 2003, pleinement
consacré[10]. Et elles s'ajustent du coup à de toujours nouveaux portraits,
constats, bilans, les uns n'étant pas plus définitifs que les autres, bornes
d'un cheminement qui participe d'une littérature encore relativement
jeune et, plus globalement et plus paradoxalement, de ce « sans-chemin »
composé d'innombrables avancées et reculs, intuitions et aveuglements,
que Chamoiseau (2011 : 109) désigne comme le véritable terrain de
toute création littéraire.

---

[10]   Comme le note Pénélope Cormier, ces développements vont simultanément provoquer heurts, fractures et polémiques, « brisant l'esprit de groupe des années 1970 »
(2012 : 187).

Toujours est-il que tout bilan, aussi provisoire et révisable qu'il soit, postule une cohérence, voire une constance dans l'œuvre qu'il se donne pour objet, décelant à cette fin des principes qui en sous-tendent la forme et le fond. Dans cette perspective, et sur un plan éminemment éthique, l'écriture serait à la fois éclatement et boucle, élan vers l'autre et approfondissement du même, percée centrifuge et incessant retour en spirale. C'est par cette tension, ce tiraillement que la poésie acadienne, mettant de plus en plus à distance la question d'une identité histo-riquement et culturellement déterminée, cherche à entrer dans un deve-nir et à en dessiner la trajectoire pour que l'être n'en finisse pas de s'élever à tout ce qu'il est. Ce sont précisément la primauté et la permanence de ce souci ontologique et éthique que Raoul Boudreau met en lumière chez Chiasson en définissant, presque quarante ans après la première publi-cation, la manière dont sa poésie reste « engagée » :

> Elle n'est pas engagée par rapport à la cause acadienne ; elle est engagée dans la conscience de l'absolue nécessité de témoigner de la finitude de l'être humain et de son aspiration parallèle à plus d'être, à l'élargissement de cette conscience même si celle-ci est à la fois une torture et un apaisement (2012 : 267-268).

Pour sa part, François Paré relève, dans le cas général des cultures mino-ritaires, un entêtement à « construire des lieux de projection du désir, des distances habitées » (2003 : 53), et ce, en tout premier lieu, par l'intermédiaire de la langue qui, dès la parole initiale, pour tout être dans toute culture, entraîne la désunion et la dérive. Pour Paré, cette « dis-tance habitée » implique toujours la désertion partielle de l'origine et l'aspiration vers l'autre, processus nécessairement disjonctif qui, tel que le conçoit le critique, va jusqu'à exiger une sorte de « mort » :

> Il n'y a dans le discours que de la différence, que de l'éloignement. Et c'est toute la culture qui « tremble ». S'il faut aujourd'hui chercher la mort de l'harmonie, c'est parce que cette mort emblématique ouvre la voie à de nouvelles formes de dignité et de partage dans la parole (2003 : 43).

Torture, mort : le devenir de l'être en culture minoritaire comporte décidément un long travail du négatif que la poésie va traquer et tracer au plus près. « Je vis dans l'anxiété de devenir », confie Guy Arsenault dans *Acadie rock* (1994 : 77), et c'est en tant qu'« [h]omme déchiré vers l'avenir » que Raymond LeBlanc se projette dans le tout dernier cri de son premier recueil-tremplin (1986 : 55). Quant au titre inaugural de Chiasson, *Mourir à Scoudouc*, le projet qu'il annonce s'articule d'emblée à l'extrême limite de ce qui peut être vécu, s'adressant à l'être de finitude qu'il confronte justement, de manière vertigineusement prospective, à l'irreprésentable de sa « fin », mot repris dans une sorte de mélopée hypnotisante en tête du poème éponyme : « Je suis venu voir la fin comme un ciel déchiré en forme de fin du monde parce que je ne savais plus attendre la fin en forme de cœur rouge de satin bordé de dentelle blanche parce qu'il me semblait que je verrais la fin si je me rendais à Scoudouc » (2003 : 59). La prise de parole vise à rompre l'attente et à atteindre le terme dès le départ, sur un mode franchement apocalyptique plutôt qu'édulcoré ou « quétaine ». Aussi, par ce scénario extrême, s'empresse-t-elle de se soustraire à la sombre ronde des délibérations des cultures minoritaires prises inéluctablement, selon François Paré, « dans la mise en scène constante de leur émergence et l'analyse toujours épuisante de leur avenir incertain » (2003 : 56). De la mort interminablement attendue, le poème passe à une rencontre forcée, assumée, mimée, pour liquider en quelque sorte les pauvres réflexes de la survivance et trancher enfin entre celle-ci et la vie tout court – la vie qui ne peut être que perpétuel surgissement et surcroît de vie, conscience de vie continuellement accrue, et ce, d'autant plus intensément chez celui qui s'efforce de commencer par la fin : « Je sentais mes pieds sur l'asphalte chaud le bruit du sang qui courait comme un fou d'un bout à l'autre bout de mon corps qui s'engouffrait dans mes veines comme des cataractes » (Chiasson, 2003 : 59).

Il est significatif que le poète établisse par le même verbe à la fois le projet qu'il se donne (« il me semblait que je verrais la fin si je *me rendais* à Scoudouc » (Chiasson, 2003 : 59 ; nous soulignons) et ce qui en ressort (« Je ne pouvais *me rendre* à la mort » (Chiasson, 2003 : 61 ; nous soulignons). Ainsi, il impose à la distance qu'il ouvre une limite, jouant de la polysémie du verbe pour désigner, d'une part, un déplacement mû par le désir de faire face à la hantise de disparaître et, d'autre part, une incapacité à se laisser aller à toute réduction ultime, et cela, à cause de la pulsion de vie nourrie et augmentée en proportion inverse de la fin rapprochée et effleurée :

Je ne pouvais me rendre à la mort.
Il fallait que je me lève il fallait que je vive dehors sentir le vent de mes pores sentir encore une fois ma main pleine de terre contre la porte chromée de l'auto arrêtée quelque part dans mon cerveau (Chiasson, 2003 : 61).

De plus, si le lieu de l'épreuve semble choisi au hasard, petit village peu remarquable qui borde la route et s'estompe effectivement dans le poème derrière le foyer de sensations et de visions que fournit au premier plan l'« auto » du visiteur, le toponyme, lui, est scrupuleusement travaillé et motivé par le texte. En fait, autant le référent est éclipsé, autant le signifiant est valorisé comme faisceau de potentialités sémantiques et caisse de résonance. Provenant du micmac, le mot affiche aussitôt son américanité, mais également, exacerbée par une symétrie acoustique hérissée d'occlusives, son opacité, son étrangeté dont on est en droit de se demander, compte tenu du tour fantastique que prend l'écriture, si elle ne relèverait pas enfin de quelque onomatopée obscure – proche du « délick » (Chiasson, 2003 : 59) de la portière qui s'ouvre, par exemple – ou encore de quelque condensé hétéroclite où il serait possible de décrypter autant le « ski-doo » d'hiver que le « cou coupé » d'Apollinaire, comme paraît nous y encourager le tourbillon de sonorités et d'associations livré sur la page.

Par le jeu de l'assonance et le glissement monocorde qu'il facilite, le toponyme entre en étroite relation avec le verbe « mourir » dès le titre. Cette uniformité sonore trouve d'ailleurs son pendant dans un paysage sans relief, la répétition même de l'adjectif « aplatie » (Chiasson, 2003 : 59) ne servant qu'à accentuer la monotonie du lieu et à privilégier, du même coup, l'axe horizontal que rejoindra peu après le corps du poète « couché dans [s]on trou » (2003 : 61). Repris dix-neuf fois dans le texte dont neuf en tête de phrase, le nom en constitue un élément structurant primordial. Décollé de toute filiation française ou anglaise, issu de racines obscures, il se distingue dans son altérité de tout ce qui se fait passer pour nature et présente, en revanche, une plasticité qui en appelle à l'art et à l'artifice pour combler la défaillance du sens. Ainsi, pour reprendre les termes de François Paré, « un sentiment de dénaturation et de théâtralité » (2003 : 59) commande au texte, car le toponyme déclenche une expérience emblématique de celle du sujet minoritaire en général, situé en marge de la force naturalisante de la culture majoritaire qui tend à faire corps avec ses membres. En effet, le poème, d'ordre strictement anti-pastoral, ne permet aucune évasion dans la nature, car Scoudouc se révèle « sale », « froide » et « perdue » (Chiasson, 2003 : 60, 61). Sa nature s'efface devant la prolifération du faux, de l'inorganique, du synthétique : « plastique », « lumière électrique », « l'odeur rance du vinyle chaud », « polyéthylène », « boîtes [...] à moitié rouillées » (2003 : 60, 61, 62, 63). S'il y a communion, elle n'a pas lieu directement avec la terre, « cette planète tassée et dure comme une brique » (2003 : 59) et, à cet endroit, jonchée d'ordures et de marques de commerce, mais plutôt par l'intermédiaire de l'atelier de l'auto dont « la porte [...] s'ouvrit toute grande comme un corps de femme comme un paradis comme l'univers » (2003 : 62) et d'où des visions jaillissent aux rythmes effrénés de la musique rock.

Raoul Boudreau a noté judicieusement que « le perpétuel recommencement est déjà inscrit dans "Scoudouc" qui reprend en sens inverse sa première syllabe » (2003 : 9). Signalons de notre côté, et dans un tout autre contexte que celui de l'écriture sauvage, la possible dimension rousseauiste de cette inversion dans sa portée symbolique : « Je puis bien dire que je ne commençai de vivre que quand je me regardai comme un homme mort » (Rousseau, 1959 : 220). Selon Jacques Derrida, cette déclaration des *Confessions* qui traite du passage de l'oralité à l'écriture signifie chez Rousseau « le plus grand sacrifice visant à la plus grande réappropriation symbolique de la présence », un effacement de la présence du locuteur pour que s'en détache « l'idéalité de la vérité et de la valeur » (Derrida, 1967 : 205)[11]. Le titre du premier livre de Chiasson désigne, lui aussi, une naissance à l'écriture, encore fort empreinte des marques de l'oralité, qui coïncide avec le projet de « mourir », et le toponyme « Scoudouc », avec ses syllabes inversées, constitue le lieu-miroir de cette coïncidence ou, comme dirait Michel Deguy, de cette féconde contrariété. De plus, dans le poème éponyme, le voyage aux abords de la mort qui révèle le peu d'être[12] a finalement pour fonction d'opérer un regain de celui-ci, tournant marqué par la substitution de l'axe vertical à l'axe horizontal : le sujet se lève de son trou, il « l[ève] les yeux en l'air », il s'ouvre au « Cosmos », s'inquiète du « ciel à avaler » plutôt que de « la mer à boire » (2003 : 62, 63), alors que, d'entité « aplatie », Scoudouc se transforme en « cathédrale » (2003 : 62). Le véritable procès que représente « mourir » entre ainsi en consonance avec cette « optique *vaccinatoire* » évoquée par le poète dans *Rapport sur l'état de mes illusions* (2003 : 73 ; en italique dans le texte) : cette nécessité de définir, d'absorber et d'exhiber certaines composantes du mal qui parasite et abat la culture minoritaire pour que celle-ci puisse apprendre à s'en défendre. Du reste, de cette opération « vaccinatoire » à un art de vaticination (*Prophéties* paraît en 1986), il n'y a qu'un pas.

---

[11]   Nous analysons ailleurs l'emploi de cette déclaration comme épigraphe dans *Une apparence de soupirail* de Jacques Dupin (Brophy, 1997 : 16-17).

[12]   Scoudouc se présente comme un dépotoir qui renvoie au peuple minoritaire son image de « ramasseurs de déchets » (Chiasson, 2003 : 60).

« Scoudouc », sa saleté, ses débris de consommation, son irrémédiable platitude feraient donc partie de ce processus d'inoculation, étrange pâte langagière à mâcher et à remâcher en vue de quelque improbable suc futur. Dans son *Rapport*, le poète parle encore des mots qui « ne / semblent nous appartenir qu'au moment de / s'évanouir, de s'enfuir dans le déraisonnable » (Chiasson, 2003 : 76). « Scoudouc » est au nombre de ces mots, maintes fois repris, psalmodiés, magnifiés jusqu'à se confondre momentanément avec un règne cosmique et onirique. C'est de toute évidence le fait d'assumer cette fuite, d'aller jusqu'au bord de la syncope du sens dans une montée délirante toujours adossée au désespoir, qui change ou, tout au moins, risque de changer la donne[13]. D'ailleurs, non seulement le mot revêt une plasticité, il agit encore comme un appel d'air, un appel de sens, et cela dès la première question : « Scoudouc où es-tu » (Chiasson, 2003 : 59). Or le nom renferme et redouble manifestement le cri lancinant de ce [u] interrogatif ; son sens ne s'ébauche que dans et par cette question que sa propre forme répète et que ses nombreuses occurrences dans le poème ne cessent de démultiplier. Qui plus est, si Scoudouc est le lieu du trou que se creuse le sujet, le toponyme permet au poète de percer à son tour des trouées dans la trame usée et étiolée du discours, car il se montre effectivement « grand comme un trou » (Chiasson, 2003 : 59) en raison de l'articulation de ses voyelles arrondies, de la béance typographique de ses « o », de l'homophonie insistante qui le rattache à « trou », « s'ouvrit » et « où ? ». Bref, le signe est érodé et évidé, il ne renferme aucune signification arrêtée, mais, par sa vacuité même, suggère des virtualités de sens encore à saisir dans l'interminable questionnement du poème.

Si nous avons consacré autant d'attention au programme initial de Chiasson, c'est qu'il exemplifie, dans sa dimension poéthique, la puissance d'ouverture et de retentissement propre à l'émergence de la poésie acadienne. Passer du simple et désolant « débat de la survivance » à « la conscience d'un destin plus grand, celui d'une existence qui se justifie par la grandeur » (Chiasson et Pelletier, 1999 : 8) demeure le projet. S'amorçant par la mort emblématique, la table rase, la case vide, cette écriture ouvre une voie à ce que Jean-Claude Pinson nomme des

---

[13]   À cette fuite, ce délire, il importe de souligner que le corps, la condition incarnée, apporte un important contrepoids, et « Mourir à Scoudouc » figure même le trop-plein de sensations à l'œuvre dans l'espace qui se creuse et se vide.

« *survenances* du beau désir d'habiter autrement la terre », ne serait-ce que sous forme d'une « *utopia povera* » (2013 : 10 ; en italique dans le texte). « Mourir à Scoudouc », c'est naître au questionnement, c'est s'éveiller aux possibles futurs toujours en germe dans son pauvre destin, échanger une vie « en mal de mourir » (Chiasson, 2003 : 38) contre un « mourir » qui fait mieux vivre. Ainsi, aller à Scoudouc, c'est tout juste le début de la tentative de travailler son propre reflet dans le miroir de l'art et d'ouvrir par le poème la distance à habiter qui se nomme Acadie.

BIBLIOGRAPHIE

ARSENAULT, Guy ([1973] 1994). *Acadie rock*, préface d'Herménégilde Chiasson, postface de Gérald Leblanc, Moncton, Éditions Perce-Neige ; Trois-Rivières, Écrits des Forges.

BOUDREAU, Raoul (1990). « Une poésie qui est un acte », dans Fred Cogswell et Jo-Ann Elder (dir.), *Rêves inachevés : anthologie de poésie acadienne contemporaine*, Moncton, Les Éditions d'Acadie, p. 8-20.

BOUDREAU, Raoul (2003). « Préface », dans Herménégilde Chiasson, *Émergences*, Ottawa, Les Éditions L'Interligne, p. 7-12.

BOUDREAU, Raoul (2012). « Qui parle dans la poésie d'Herménégilde Chiasson ? », dans Jacques Paquin (dir.), *Nouveaux territoires de la poésie francophone au Canada, 1970-2000*, Ottawa, Les Presses de l'Université d'Ottawa, p. 267-292.

BROPHY, Michael (1997). *Voies vers l'autre : Dupin, Bonnefoy, Noël, Guillevic*, Amsterdam, Rodopi.

CHAMOISEAU, Patrick (2011). « Poétique d'une démesure », *La Nouvelle Revue française*, n° 596 (février), p. 108-136.

CHIASSON, Herménégilde (réalisateur) (1985). *Toutes les photos finissent par se ressembler*, [film documentaire], Office national du film, 54 min 2 s, [En ligne], [https://www.onf.ca/film/ toutes_les_photos_finissent_par_se_ressembler].

CHIASSON, Herménégilde (1986). *Prophéties*, Moncton, Éditions Michel Henry.

CHIASSON, Herménégilde (1994). « Relire Guy Arsenault », dans Guy Arsenault, *Acadie rock*, Moncton, Éditions Perce-Neige ; Trois-Rivières, Écrits des Forges, p. 7-11.

CHIASSON, Herménégilde (1995). *Miniatures*, Moncton, Éditions Perce-Neige.

CHIASSON, Herménégilde (2003). *Émergences*, Ottawa, Les Éditions L'Interligne.

CHIASSON, Herménégilde, et Pierre Raphaël PELLETIER (1999). *Pour une culture de l'injure*, Ottawa, Les Éditions du Nordir.

CORMIER, Pénélope (2012). « Les jeunes poètes acadiens à l'école Aberdeen : portrait institutionnel et littéraire », dans Jacques Paquin (dir.), *Nouveaux territoires de la poésie francophone au Canada, 1970-2000*, Ottawa, Les Presses de l'Université d'Ottawa, p. 179-204.

DEGUY, Michel (1987). *La poésie n'est pas seule : court traité de poétique*, Paris, Éditions du Seuil.

DERRIDA, Jacques (1967). *De la grammatologie*, Paris, Les Éditions de Minuit.

DUPIN, Jacques (1982). *Une apparence de soupirail*, Paris, Éditions Gallimard.

LEBLANC, Gérald, Herménégilde CHIASSON et Claude BEAUSOLEIL (dir.) (1991). *L'événement Rimbaud*, Moncton, Éditions Perce-Neige ; Trois-Rivières, Écrits des Forges.

LEBLANC, Raymond Guy ([1972] 1986). *Cri de terre*, Moncton, Éditions d'Acadie.

MASSON, Alain (1994). *Lectures acadiennes : articles et comptes rendus sur la littérature acadienne depuis 1972*, Moncton, Éditions Perce-Neige.

PARÉ, François (2003). *La distance habitée*, Ottawa, Les Éditions du Nordir.

PINSON, Jean-Claude (2013). *Poéthique : une autothéorie*, Seyssel, Champ Vallon.

REY, Alain (dir.) (2012). *Dictionnaire historique de la langue française*, t. I, Paris, Le Robert.

RIMBAUD, Arthur (1972). *Œuvres complètes*, Paris, Bibliothèque de la Pléiade.

ROUSSEAU, Jean-Jacques (1959). *Œuvres complètes*, t. 1 : *Les confessions ; Rousseau juge de Jean-Jacques, Dialogues ; Les rêveries du promeneur solitaire ; Fragments autobiographiques et documents biographiques*, Paris, Bibliothèque de la Pléiade.

THIBODEAU, Serge Patrice (dir.) (2009). *Anthologie de la poésie acadienne*, liminaire de Jean-Philippe Raîche, Moncton, Éditions Perce-Neige.

La production poétique en milieu minoritaire sous le signe de la concomitance : le cas de J. R. Léveillé

Julia Hains
Université Laval

L E DISCOURS CRITIQUE portant sur l'avènement à la modernité des littératures francophones du Canada hors Québec semble insister sur le fait que l'affirmation d'un « Québec *québécois* » (Paré, 1994 : 47) au courant des années 1960 a mené les communautés francophones du Canada hors Québec au développement de critères d'identité collective propres. Effectivement, au tournant des années 1970, apparaît une poésie investie de formes inédites et fortement rattachée aux enjeux identitaires des groupes ou des communautés francophones du Canada et à leur condition de minoritaires (Paré, 2010 : 119). Pourtant, comme l'a remarqué Rosmarin Heidenreich, on observe, chez plusieurs écrivains francophones de l'Ouest du Canada, « une poétique qui se définit selon des paradigmes formels plutôt que thématiques, et qui a tendance à écarter les questions sociales et politiques » (2005 : 14). Certains poètes franco-manitobains dont J. R. Léveillé, qui retiendra particulièrement notre attention ici, semblent établir une certaine distinction entre le discours idéologique ou politique produit par la personne publique de l'écrivain et le discours littéraire porté par une voix proprement discursive. Dans une telle perspective, peut-on penser que l'avènement de l'écriture constituerait, pour eux, un acte de libération ou d'émancipation, dans la mesure où la venue de l'écrit autoriserait, en quelque sorte, le dépouillement de la corporalité politique de l'écrivain? Ce qui est, de surcroît, mis au jour ici, c'est cette tension en littératures francophones du Canada entre la revendication de l'autonomie du texte, qui relève d'une pratique individuelle, d'une part, et la participation active de la personne de l'écrivain à la légitimation de sa communauté, de l'autre. Mais, dans la mesure où il existe nécessairement un lien entre la production littéraire et la communauté (le texte est tout d'abord produit dans la communauté), on peut se demander comment un texte peut revendiquer son autonomie alors qu'il est publié dans une communauté privée elle-même de son autonomie. L'œuvre poétique de J. R. Léveillé révèle en fait plusieurs stratégies discursives qui nous permettent de soutenir qu'elle porte en elle des traces du communautaire et qu'elle s'inscrit, par le fait même, sous le signe de ce que nous appelons ici la concomitance : elle est à la fois « consciente » de sa situation et elle se situe *extra-muros*, c'est-à-dire qu'elle « cherche [...] à transcender les limites de la communication locale en inscrivant le geste scriptural dans de vastes lieux d'appropriation symbolique, à l'échelle de la culture occidentale » (Paré, 2010 : 139). Ainsi, pourrions-nous avancer qu'il n'y a pas un *rejet* de la communauté chez cet auteur, mais plutôt un *dépassement* de celle-ci.

Prolégomènes d'un « je »

Dans les textes qui nous intéressent plus particulièrement ici, on remarque le recours prédominant au pronom « je ». Le « je », selon Émile Benveniste, ne doit être défini que par rapport à la locution : « *je* se réfère à l'acte de discours individuel où il est prononcé, et il désigne le locuteur » (2012 : 261). Ainsi, dans la perspective de Benveniste, le pronom « je » se déploie-t-il exclusivement dans le langage. Mais on pourrait penser que si le pronom doit être d'emblée identifié à l'instance de discours qui prend la parole dans le texte, c'est que ce même pronom ne possède pas de corporalité ; il s'agirait d'une voix en quelque sorte désincarnée. Pourtant, il est admis, en analyse du discours, que celui-ci produit un espace de légitimation, dans la mesure où l'énonciateur est nécessairement amené à construire une image de soi. Parallèlement, le discours autorise l'émergence de la subjectivité, comme le signale Dominique Maingueneau : « l'instance subjective qui se manifeste à travers le discours ne s'y laisse pas concevoir seulement comme statut, mais comme une voix, associée à la représentation d'un "corps énonçant" historiquement spécifié » (2012 : 207)[1]. Cette voix et ce corps énonçant laissent d'abord des marques intradiscursives de la subjectivité du locuteur, c'est-à-dire des traces de sa présence dans le discours, qui participent à l'élaboration de son *ethos*. À titre d'exemple, mentionnons

---

[1]   « La "subjectivité" dont nous traitons ici est la capacité du locuteur à se poser comme "sujet" » (Benveniste, 2012 : 259).

le ton du discours, le choix des mots ou encore celui des arguments. Des travaux menés en analyse du discours, en science du langage et en sociologie ont toutefois montré que le locuteur ne constitue pas une instance discursive omnipotente : « [...] force est bien aujourd'hui de reconnaître que le sujet parlant n'est pas maître des significations, mais est nécessairement conditionné par les codes de la langue, par le discours ambiant et par les contraintes idéologiques, institutionnelles et culturelles » (Amossy, 2010 : 107). Étant à la fois façonné par les codes langagiers et le discours, le locuteur ne peut advenir et se profiler comme sujet que dans son rapport à l'autre. Dominique Maingueneau abonde en ce sens : « à travers sa parole un locuteur active chez l'interprète la construction d'une certaine représentation de lui-même, mettant ainsi en péril sa maîtrise sur sa propre parole ; il lui faut donc essayer de contrôler le traitement interprétatif des signes qu'il envoie » (2013, parag. 6). L'*ethos* est donc, dans un premier temps, une notion discursive, parce qu'elle vise en premier lieu à agir sur le destinataire et, dans un second, une notion sociodiscursive, puisque la parole est conditionnée par un groupe social qui se reconnaît des caractéristiques communes. Dans cette perspective, le lecteur qui aborde l'œuvre poétique de J. R. Léveillé pour la première fois verra inévitablement son horizon d'attente perturbé, pour emprunter au concept de Jauss, puisque le poète n'opère pas de réclusion dans un folklore ou un régionalisme qui, souvent, investit la production littéraire en milieu minoritaire. En effet, les lieux d'appropriation de la poésie de Léveillé ne s'inscrivent pas dans le cadre restrictif de la communication locale ou nationale, mais ils sont en quelque sorte *libérés* dans la mesure où ils n'ont d'existence légitime que saisis dans l'espace du texte, entendu que celui-ci, dissocié de son contexte de production, constitue un objet autonome ; le texte « en lui-même » et « par lui-même » appartient à la Littérature, qui est universelle.

Dans le poème qui clôt le recueil *Fastes* se trouve une citation empruntée à Philippe Sollers : « Le sujet n'a pas besoin qu'il y ait un monde » (2003a : 159). L'intérêt de la citation de Sollers, qui rejoint en outre la question de l'écriture de la concomitance, réside dans le double questionnement qu'elle installe : d'une part, elle questionne le sujet en lui-même – le sujet en question, pourrait-on dire – duquel résonne le double sens du mot, à la fois *ce dont* il sera question dans le texte et *celui* qui pose la question de savoir ce que c'est que de poser la question. D'autre part, elle interroge la *relation* très complexe du sujet avec le monde, monde qui doit être compris à la fois comme texte, en tant qu'univers autarcique (c'est-à-dire le Texte en lui-même et par lui-même), et comme société, celle dans laquelle évolue l'écrivain. Envisagé dans une perspective sollersienne, le sujet apparaîtrait ici comme un « précédent », c'est-à-dire une sorte d'*ego* « transcendantal » qui serait jeté « corporellement » dans telle ou telle situation. On parlerait alors non pas d'un *surgissement* du sujet dans le texte, mais d'un *resurgissement* de celui-ci. Nous pourrions également envisager le sujet dans sa dimension mallarméenne, en annonçant « la disparition élocutoire du poète, qui cède l'initiative aux mots », pour reprendre le concept d'« œuvre pure », tel qu'il est amené par Mallarmé dans « Crise de vers » (1945 : 366). Il s'agirait alors de signer l'effacement ou le retrait absolu de l'auteur de son texte, considérant que le langage peut exister en lui-même. Mais que nous révéleraient ces propos sollersiens sur le rapport du sujet avec le monde dès lors qu'ils sont ramenés et saisis dans le contexte de leur appropriation par l'auteur franco-manitobain J. R. Léveillé ?

Il importe de mentionner, tout d'abord, que ces mêmes propos de Sollers ont été récupérés par Léveillé comme intitulé d'un article paru dans *Actes du Forum sur la situation des arts au Canada français* (Léveillé, 1999 : 50), qui a été repris en partie dans *Logiques improvisées* (2005 : 29). Ce qui est d'emblée posé par cet article de Léveillé, c'est l'épineuse question de l'engagement de l'écrivain *dans* et *envers* sa communauté d'origine :

> Je tiens à peu près le même discours sur l'écrivain et la communauté depuis le début des années 1990. En fait, je suis partagé sur cette question. D'une part, la communauté minoritaire dont je suis issu m'intéresse vivement : je participe à de nombreux colloques et à des revendications sociopolitiques pour faire valoir sa production culturelle et j'ai fait publier une anthologie de 600 pages qui examine deux siècles de poésie au Manitoba français et qui témoigne de l'influence de l'écrivain dans la communauté franco-manitobaine. Par contre, je n'ai que faire de la « communauté » dans mes écrits (2005 : 29 ; l'auteur souligne).

A priori, ces propos de Léveillé semblent récuser l'affirmation de Jacques Dubois, qui reprend d'une manière ou d'une autre les thèses de Pierre Bourdieu, Dominique Maingueneau et Pierre Halen, à savoir que « [l]'œuvre moderne reproduit "en abîme" le statut de l'écrivain » (Dubois, 2005 : 52). Il nous apparaît qu'une lecture de l'œuvre de Léveillé qui serait effectuée par l'emploi d'un mode référentiel viendrait non seulement occulter l'intérêt esthétique de celle-ci, mais participerait activement à la négation de son essence. Pourtant, l'une des caractéristiques les plus probantes de l'écriture de Léveillé est certainement sa pluralité : elle privilégie une forme de *communalité* ou de collectivité qui n'est pas nécessairement *communautaire*. Ses écrits proposent des formes différentes d'affirmation individuelle et d'émancipation collective.

« Je est un autre » ou le « je » e(s)t l'autre : autoréférentialité

L'écriture de J. R. Léveillé est peuplée de voix, celles d'auteurs, de compositeurs, d'artistes visuels, etc. Celles-ci, bien souvent révélées par le recours au « je », ne constituent toutefois pas inéluctablement des reliques de l'écrivain, mais elles partagent certainement une même obsession à propos de l'oxymore « dire l'indicible », c'est-à-dire l'acte d'écrire[2]. Pour Léveillé, il n'y a pas d'indicible qui ne soit pas dit, puisque par le seul fait d'être *en train* de dire le mot, le poète verse l'indicible dans le dicible (Léveillé, 2014 : 12). Cette quête incessante de l'écrire, du dire – qui ne répondrait pas ici à l'appel du sens, mais à celui de la signifiance – constitue une véritable quête de l'origine et apparaît comme le fondement même de l'écriture de Léveillé : « de cette science, il n'y a qu'un traité : l'écriture elle-même », dirait celui-ci (2014 : 11) pour paraphraser Roland Barthes (1982 : 13). Dans *Le fantasme d'Escanaba*, François Paré s'interroge : « [l]e paradoxe des cultures de l'exiguïté n'est-il pas qu'elles donnent naissance à des images extravagantes, marquées jusqu'à l'obsession par leur attachement à l'origine [...] ? » (2007 : 141) Pour Benoit Doyon-Gosselin, qui commente cette affirmation de Paré en conclusion de son ouvrage *Pour une herméneutique de l'espace*, l'attachement à l'origine ne doit pas être envisagé, chez J. R. Léveillé, dans ses dimensions « mythiques », mais « scripturales » (2012 : 359). Mais si la seule origine qui préoccupe l'œuvre poétique de l'auteur franco-manitobain est sa propre genèse, on est en droit de se demander quelles sont les voix qui parlent dans la poésie de Léveillé et, surtout, que nous révèlent-elles ?

Il importe, tout d'abord, de comprendre que l'œuvre poétique de Léveillé tire principalement son influence de la nouvelle critique française ou de la France structuraliste. Dans le contexte épistémique des années 1960, le texte apparaît comme une « science nouvelle », selon l'expression de Roland Barthes dans « La théorie du texte » (1973 : 3),

---

[2] « [L]'erreur est de distinguer écrire et dire : je l'ai écrit parce que je pouvais le dire. Comme si écrire n'est pas dire » (Léveillé, 2014 : 12).

c'est-à-dire qu'il vient à être pensé comme un objet théorique à part entière. L'œuvre de Léveillé est également imprégnée de l'avant-garde littéraire et intellectuelle réunie autour de Philippe Sollers et du groupe *Tel Quel*, qui se caractérise par l'expérimentation et les échanges constants entre les effets réflexifs, c'est-à-dire la théorie et le discours critique, et la pratique de l'écriture. On ne s'étonnera donc pas de retrouver chez Léveillé une œuvre aux préoccupations essentiellement formelles et qui traite symboliquement du processus de création littéraire. Saisi dans cette logique, le « je » qui se manifeste dans la poésie de Léveillé n'aurait d'identité que discursive, c'est-à-dire que celle-ci se construirait dans la langue ; elle ne serait pas préalablement constituée. Léveillé rejoindrait ici les considérations d'Émile Benveniste sur le sujet :

> Le langage n'est possible que parce que chaque locuteur se pose comme sujet, en renvoyant à lui-même comme *je* dans son discours. De fait, *je* pose une autre personne, celle qui, tout extérieur qu'elle est à « moi », devient mon écho auquel je dis *tu* et qui me dit *tu*. La polarité des personnes, telle est dans le langage la condition fondamentale, dont le procès de communication, dont nous sommes parti, n'est qu'une conséquence toute pragmatique. Polarité d'ailleurs très singulière en soi, et qui présente un type d'opposition dont on ne rencontre nulle part, hors du langage, l'équivalent. Cette polarité ne signifie pas égalité ni symétrie : « ego » a toujours une position de transcendance à l'égard de *tu* ; néanmoins, aucun des deux termes ne se conçoit sans l'autre ; ils sont complémentaires » (2012 : 260).

Envisagé ainsi, le sujet chez Léveillé disposerait d'une liberté absolue ; il serait au service de l'écriture et non l'inverse. Dans une telle perspective, il serait difficile d'avancer la possibilité que le « je » puisse référer à *l'écrivain*, mais il peut certainement renvoyer à *l'écrivant*, entendu que l'un se rapporte à une fonction et l'autre à une activité. De plus, nous pouvons percevoir, chez Léveillé, une abolition des antinomies dans la mesure où le « je » est indissociable d'un « tu ». L'énonciateur semble s'effacer, voire disparaître pour laisser la place à une parole collective, celle d'autres auteurs, mais également celle du lecteur. La présence du « moi » est ainsi trompeuse, car celui-ci ne fait pas concrètement référence au locuteur, mais à un « ego » muet qui peut prendre la parole. La subversion du fonctionnement habituel du « je » dans la poésie de Léveillé, que l'auteur résume bien souvent par le paradoxe « JE est un autre » emprunté à Arthur Rimbaud, se manifeste dès le poème liminaire du recueil *Œuvre de la première mort*. « Pose : vie et mort d'Edgar Allan Poe » reprend le *leitmotiv* et la structure du poème « The Raven » d'Edgar

Allan Poe, à savoir le corbeau, ou plus largement l'oiseau, et la chute. Nous constatons, tout d'abord, que le mot « pose » est une anagramme imparfaite de poésie. De plus, le nom « Poe » est contenu dans « pose ». Cette interpénétration suggère qu'Edgar Allan Poe est associé à l'écriture dans le poème. Le titre installerait de surcroît une sorte de tautologie – le texte égale le texte – qui révélerait la thématique développée dans *Œuvre de la première mort*, à savoir l'autoréflexion ou l'autoréférentialité de l'œuvre : le texte renvoie à lui-même, l'écriture réfléchit sur elle-même. Nous remarquons par ailleurs que l'énonciation, dans le poème de Léveillé, n'a pas de sens en soi, car elle fait d'emblée partie d'une polyphonie. La multitude de jeux de langage, de jeux de mots à caractère homonymique (anagrammes, paragrammes, mots-valises, calembours, etc.) nous porte, en effet, à croire que le « je », posé comme sujet, est indissociable d'un « tu », qui est l'objet du poème, dans la mesure où ils renvoient tous deux à Edgar Allan Poe, c'est-à-dire à l'écriture. La paronomase entre « Poe » et « peau » et la proximité phonétique entre « Poe » et « oiseau » forcent nécessairement des rapprochements sémantiques, comme en témoignent ces vers : « E.A.P. je suppose que sous les plumes / il y a la peau » (Léveillé, 1977 : 13). L'*oiseau*, sous ses différentes manifestations dans le poème (plume, oiseaux noirs, vautours, corbeau), agit comme une métaphore du poète écrivant (il est intéressant de noter le rapprochement avec le poème de Baudelaire « L'albatros » et particulièrement lorsqu'on considère que Baudelaire a traduit en français le poème « The Raven »), et la *peau* représente la matérialisation même des mots, de la langue. C'est la rencontre de l'être (la vitesse) et du corps (la masse) qui recrée le monde (selon le principe d'indétermination d'Heisenberg). L'écriture met donc en scène sa propre genèse.

À la lumière de l'analyse de ce poème et des considérations qui en résultent, il pourrait sembler légitime de prétendre que l'œuvre poétique de J. R. Léveillé est exempte de toute préoccupation socioculturelle ou sociopolitique, dans la mesure où le poème paraît ne référer qu'à lui-même. Et de fait, il s'avère tout à fait possible d'approcher l'œuvre de Léveillé dans une perspective exclusivement esthétique. Pourtant, cette obsession viscérale concernant l'acte d'écrire, qui motive l'écriture elle-même de J. R. Léveillé, nous pousse à reconsidérer l'affirmation de François Paré selon laquelle « [l]e paradoxe des cultures de l'exiguïté n'est-il pas qu'elles donnent naissance à des images extravagantes, marquées jusqu'à l'obsession par leur attachement à l'origine » (Paré, 2007 : 141).

Léveillé a jadis mentionné que « la plus grande thématique de [s]on œuvre a toujours été son auto-référentialité » (2005 : 72). Dans la mesure où le poème s'écrit presque avec l'Autre (par les références à Poe), qu'il peut être à la fois autoréférentiel et « autre-référentiel », pour ainsi dire, celui-ci ne déploie-t-il pas une certaine communalité littéraire inhérente à l'exercice de la concomitance ? Certes, l'Autre apparaît comme un confrère littéraire, mais en utilisant l'acte poétique pour faire naître une communalité littéraire, voire une parole poétique collective (et non pas une parole poétique communautaire), Léveillé exprime obliquement et de façon concomitante bien des préoccupations socioculturelles et sociopolitiques.

Écrire en marge ou écrire la marge : l'obsession de l'origine

Bien que le « je » dans l'écriture poétique de Léveillé ne constitue pas, à proprement parler, une relique de l'auteur, qu'il n'ait d'identité que discursive, il demeure toutefois une figure porteuse de marginalité dans la mesure où il est toujours la manifestation du poète écrivant, voire plus précisément de la poésie en train de s'écrire. En effet, les critiques s'entendent pour dire que la poésie présente aujourd'hui un curieux paradoxe. Elle est certes valorisée dans la mesure où elle est la gardienne des récits anciens et des traditions. Mais, comme le souligne François Paré, dans la logique des sociétés et des cultures actuelles qui prônent que l'argumentaire, son statut ne peut qu'être problématique (2012 : 239). La question qui est portée d'emblée à notre attention est la suivante : si la poésie constitue « le langage même des marginalités » (Paré, 2001 : 24), pourquoi les auteurs qui écrivent en milieux minoritaires, comme J. R. Léveillé, choisissent-ils, en quelque sorte, « d'entretenir », voire de promouvoir cette marginalité ? Il importe de comprendre que la poésie, saisie dans son statut générique, est associée aux « origines », c'est-à-dire qu'elle préside aux commencements de toute littérature. Envisagée ainsi, l'abondance de la production poétique en milieu minoritaire pourrait constituer un indicateur du statut encore embryonnaire de ces littératures. Mais dans la perspective d'une temporalité de la poésie, l'origine ou le temps des commencements participe d'un sacerdoce plus que d'un châtiment, qui tous deux font appel aux notions de symbolisme, de signifiance et d'éternité. En ce sens, l'âge de la poésie serait celui de la parole. La sentence « Au commencement était le Verbe » nous rappelle que la parole appartient au *pré* : au pré-texte, d'une part, à ce qui *précède* l'écriture ; le *pré* c'est, d'autre part, l'origine, l'antériorité, le Cantique des

Cantiques – « le préfixe des préfixes », dira Francis Ponge (2001 : 163) – de la littérature. Ainsi, par-delà la pratique des genres prosaïques, l'écriture poétique, pour les écrivains issus de milieux minoritaires, apparaît comme une manière de s'enraciner dans la mémoire mythique du monde. Considérant que l'écriture poétique de Léveillé installe une tautologie, à savoir que le texte n'a de sujet ni d'objet que lui-même, il nous apparaît évident que cette obsession de l'origine, manifestée par le principe d'autoréférentialité, est gorgée d'une certaine portée symbolique. L'acte d'écrire devient certainement ici le lieu du sujet qui fait l'expérience de la minorisation.

Pour François Paré, la marginalité absolue du fonctionnement de la poésie, qui engendre sa mise en retrait, constitue un privilège dans la mesure où « la marginalité qui s'instaure dans le poème est une manière de voir et d'être vu » (2012 : 240). Toujours selon Paré, l'écriture poétique de J. R. Léveillé installerait une poétique du visible qui, par l'entremise du travail du regard, interrogerait le rapport du sujet poétique avec le monde. Nous ajouterons que ce rapport complexe constitue l'expression de la concomitance qui a cours dans l'œuvre poétique de cet auteur, selon cette perspective que l'expérience de la marge, qui est un écho discret de la communauté, est assumée ici de façon positive, de manière à assurer un accès au visible, c'est-à-dire à l'universel. Chez Léveillé, en effet, nous retrouvons l'idée que le sujet ne peut être rendu visible que par son retrait du monde. Dans *L'incomparable*, un essai « théorique et pratique » qui présente le projet poétique de Léveillé, l'auteur reprend le mythe d'Œdipe pour exprimer cette nécessaire expérience de l'absence au monde, entraînée ici par la cécité :

> Le SPHINX est en ŒDIPE. L'erreur d'Œdipe est d'avoir vu l'énigme comme étant extérieure à lui.
> Tout enfant, il fut abandonné pieds et poings liés, sur la montagne.
> À l'âge adulte, il vagabondait sur les routes, pris entre deux pères.
> Il ne prit point sa vie, mais se creva les yeux, adoptant fatalement le triple pas de l'aveugle.
> Comme chacun de nous, il aurait dû répondre à l'incomparable énigme du Sphinx : *c'est moi!* (1984 : 66 ; en italique dans le texte)

Dans la Grèce antique, le poète, c'est-à-dire l'aède, était représenté comme un aveugle, car la cécité demeurait nécessaire pour obtenir l'inspiration des Muses. Ici, la véritable naissance d'Œdipe ne peut avoir lieu qu'à travers cette expérience de la marge, de l'invisible. Cette idée est également reprise dans ce poème tiré des *Fêtes de l'infini* :

> Promenade aux Tuileries.
> Eau. Arbres. Bassin.
> Jardin d'Éden. Maillol est
> le monolithe où la Vierge
> de tous les temps rend
> grâces. Tentations. Tentations.
> Tu dis une merveille
> d'évidence : il faut passer
> par le corps des femmes
> pour naître (1996 : 54).

Ce poème fait tout d'abord référence aux sculptures de l'artiste Aristide Maillol qui sont exposées au jardin des Tuileries, à Paris. Maillol, dont l'œuvre se présente comme une étude du nu féminin axée sur l'arrangement des masses et la recherche de l'immobile, entre en rupture radicale avec l'art descriptif du xixe siècle et amorce le passage vers l'abstraction. Cette recherche de la forme pure, du « monolithe » dégagé d'émotion, est totalement étrangère au sens, car elle se veut une simple célébration de la beauté et de l'art. Les sculptures de Maillol présentent la femme non pas en adéquation avec le paysage, mais en relation avec ses versants cosmogoniques, avec la terre, et avec l'eau, qui est son élément naturel et symbolique. « "La femme est dans le paysage et le paysage est dans la femme" », dirait De Kooning (De Kooning cité dans Sollers, 1988 : 49). L'œuvre de Maillol n'est pas une représentation de la femme ; elle n'est pas une image fixe. L'artiste s'approprie la mémoire stéréotypée de la femme, telle qu'elle a été définie auparavant par le regard de l'homme, pour la transformer. Pour reprendre les propos de Dominique Rey, cités par Léveillé, « " [l]'artiste cherche à exprimer un flux et à éviter la fixation de l'identité [...]" » (Rey, citée dans Léveillé, 2014 : 67). Dans cette perspective, l'œuvre apparaît comme une scène d'éveil où le sujet est transformé en lumière. Comme l'affirme Léveillé, citant Roland Barthes : « l'artiste se met [lui-même] en scène : "La première étude de l'homme qui veut être poète est sa propre connaissance, entière ; il cherche son âme, il l'inspecte, il la tente, l'apprend" » (2014 : 66-67). Ce « [j]ardin d'Éden » doit d'emblée être saisi selon l'interprétation gnostique de la chute originelle du couple primordial qui permit d'accéder à la connaissance : « Leurs yeux s'ouvrirent et ils étaient nus et ils le savaient. Grande transparence. Ils sortirent de la luxuriante opacité du jardin chaotique à la lumière du jour [...] Dieu est glorieux dans ses plus profondes ténèbres » (Léveillé, 2003b : 117). Alors que nous pourrions croire que le sujet de l'écriture, le « moi » de l'artiste, produit par l'allitération en « m » (Maillol, monolithe), se situe en périphérie du regard, il (re)surgit à la suite de son union avec l'objet du désir, le « tu » des « [t]entations », c'est-à-dire la femme. Il s'agit d'une évidence : « il faut passer par le corps des femmes pour naître » (Léveillé, 1996 : 54). L'objet regardé agit comme un miroir : l'objet regardé devient le sujet regardant. C'est dans cette perspective que François Paré affirme

> [qu]'à tout coup, le sujet expulsé réinterprète sa condamnation et réinvente le visible. Dans toute son œuvre, J. R. Léveillé souligne le caractère éminemment positif de la marginalité [...] seule capable de produire la différence. L'invisibilité pleinement assumée du marginal est donc chez cet écrivain un passage obligé vers la transcendance et l'élucidation (2012 : 244).

Ainsi, la poétique du visible par laquelle se caractérise, entre autres, l'œuvre poétique de J. R. Léveillé, est porteuse de cette tension entre une exiguïté socioculturelle propre à l'expérimentation de la marge et le désir d'être rendu au visible, c'est-à-dire d'être exposé au monde, que nous appelons concomitance.

« Je » est toujours un autre : le palimpseste

Dans la poésie de Léveillé, le « je » est toujours un autre. Dans le poème « II » de la partie intitulée « Liminaire liminal » du recueil *Œuvre de la première mort*, dédicacée à Roland Barthes, Léveillé reprend la formule de Lautréamont dans *Poésies II* : « teXte / en effet, la poésie doit être faite par tous » (1977 : 89). En s'appropriant la citation de Lautréamont, Léveillé met au jour le principe selon lequel l'écriture est un croisement, un espace du multiple, un acte qui requiert nécessairement la contribution d'autrui. En effet, pour ce dernier, l'écriture participe d'une exploration mnémonique : le « X » du texte constitue un lieu dans lequel s'incarne la mémoire collective d'une communauté. Cette idée est, entre autres, explicitée dans la suite de recueils formée par *Causer l'amour, Les fêtes de l'infini* et *Fastes*, dans lesquels Léveillé établit une véritable poétique du palimpseste, qu'il définit comme étant une « espèce d'intertextualité » (2005 : 113). Il précise à cet égard que « [l]e palimpseste laisse entendre qu'un premier texte a été partiellement effacé pour permettre l'écriture d'une nouvelle œuvre » (2005 : 91). Le recours à cette stratégie est tout d'abord rendu manifeste dans *Fastes*. Nous y retrouvons, en effet, un nombre important de poèmes parus dans les deux recueils antérieurs, conjugués à certains inédits. La majorité de ceux-là ont été retouchés, mais les modifications peuvent sembler *a priori* de nature mineure : favorisation de l'onomastique au profit de la minuscule, réarrangements syntaxiques (entre autres, par l'usage de marques de ponctuation), modifications lexicales ou encore recours à certains caractères qui marquent l'insistance, comme l'italique. Pourtant, *Fastes* ne doit pas être considéré comme le résultat d'une simple accumulation de poèmes déjà parus, mais comme une création à part entière, interpelée par le dialogue établi entre les différents poèmes et les différents recueils. Il apparaît, dans une logique similaire, que les recueils s'inscrivent dans un ensemble discursif qui constitue, en quelque sorte, le noyau de l'œuvre et qui entre en contact avec les mots du poète.

A priori, la pratique du palimpseste chez Léveillé répond à des motivations essentiellement théoriques et esthétiques. Parce qu'il a « [l]e mérite spécifique de relancer constamment les œuvres anciennes dans un nouveau circuit de sens », comme le dit Gérard Genette (1992 : 558), le palimpseste intervient ici pour resémantiser et transformer l'écrit. À cet égard, de nombreuses références culturelles parsèment les trois recueils. Un recensement fait état de 29 références pour un total de 36 occurrences dans *Causer l'amour*, de 53 références pour 69 occurrences dans *Les fêtes de l'infini* et de 53 références pour 67 occurrences dans *Fastes*. La participation des différents artistes et la juxtaposition de leurs voix dans l'œuvre produisent un discours dans lequel les propositions antérieures s'entendent au même titre que les propositions nouvelles. La disposition de l'ensemble pulvérise donc le sens. Pourtant, le palimpseste participe chez Léveillé d'un certain principe d'émulation qui serait assez signifiant : la réécriture permet, d'une part, de dépasser le modèle et, de l'autre, elle engendre la fracture du stéréotype nécessaire au renouvellement de l'image et, par extension, à la production de la signifiance. Pour saisir la portée symbolique du recours à cette stratégie dans le contexte de l'écriture en milieu minoritaire, il importe de comprendre, pour paraphraser André Belleau, que l'institution littéraire « agit comme le code des codes » (1981 : 16) : elle décide de la littérarité d'un texte ou d'un discours. Dans cette perspective, la partialité des choix génériques, stylistiques et thématiques d'un auteur demeure relative aux substrats institutionnels (entendu que ceux-ci varient dépendamment des lieux et des époques). Or, dans son article intitulé « L'institution littéraire franco-ontarienne : don du ciel ou fléau ? », Lucie Hotte avance que les choix en milieu minoritaire répondraient à des critères différents de ceux que l'institution fixe en milieu majoritaire. L'écriture de J. R. Léveillé semble indéniablement procéder de cette observation, dans la mesure où la réflexion sans cesse renouvelée sur les possibles du genre poétique que provoque la réécriture, et qui engendre d'emblée une déstabilisation du discours poétique, entraîne *a priori* la non-conformité à la définition majoritaire du genre pour montrer l'épuisement des conventions formelles et remettre en question les normes institutionnelles. La marginalité dans laquelle s'installe consciemment le poète, en périphérie de la superstructure organisatrice, régulatrice et normative, constitue son engagement envers sa communauté d'origine. En effet, il est entendu que l'institution demeure sujette à la controverse, et plus particulièrement au sein des groupes et des communautés minoritaires. Sa fonction majeure, qui est « d'assumer la légitimité littéraire et de la reproduire à travers le crédit culturel dont [les instances spécifiques] font profiter les produits et les agents de production » (Dubois, 2005 : 129), contribue activement à la complexification de la légitimation de la production littéraire en milieu minoritaire, puisque celle-ci est marquée par le manque, voire l'absence d'infrastructures culturelles et d'instances de légitimation et de consécration. En posant comme principe pour l'écriture qu'il n'y a de science qu'elle-même, Léveillé abolit, en quelque sorte, cet archétype qui fait de l'institution la condition même d'existence de la littérature.

Pourtant, et c'est bien là que se situe le paradoxe des cultures minoritaires et la concomitance qui en est la manifestation, le désir d'exprimer sa singularité, qui est caractérisée par l'exiguïté socioculturelle, est conjugué à une aspiration fondamentale à la reconnaissance et, de surcroît, à l'universalité. Autant dire que la singularité des littératures minoritaires constitue, dans une même mesure, son sacerdoce et son châtiment. Ce paradoxe habite indéniablement l'écriture de Léveillé. Avec le palimpseste, l'auteur s'inscrit d'emblée dans un rapport horizontal à la bibliothèque et rejoint, par conséquent, la communauté universelle de la Littérature : « Dans une communauté, l'écrivain se tient seul, dans une espèce de Village Global de l'écriture. Voilà ce qu'on appelle " intertextualité" » (Léveillé, 2005 : 32). Dans le triptyque formé par *Causer l'amour*, *Les fêtes de l'infini* et *Fastes*, de même que dans l'ensemble de l'œuvre poétique de Léveillé, les artistes qui jumellent leurs voix à celle du poète, à de rares exceptions près, ne sont pas issus de la communauté franco-manitobaine, ni d'aucun groupe ou communauté minoritaire ; ils appartiennent tous à une culture plus élitiste. Ainsi, il serait difficile de ne pas voir dans ce choix d'intégrer la communauté de la République mondiale des Lettres une certaine tentative de légitimation, aussi symbolique soit-elle : « [...] tout écrivain s'inscrit dans une tribu d'élection, celle des écrivains passés ou contemporains [...] qu'il place dans son panthéon personnel et dont le mode de vie et les œuvres lui permettent de légitimer sa propre énonciation » (Maingueneau, 2012 : 75).

Conclusion

Depuis la parution de l'article « Conscience et oubli : les deux misères de la parole franco-ontarienne » de François Paré (1982)[3], la production littéraire en milieu minoritaire semble avoir été pensée de façon résolument dichotomique :

> Tandis que l'œuvre de la « conscience » s'efforce de transmettre des signes typiquement collectifs, l'œuvre de l'*oubli* disperse et généralise ces signes. Elle ne veut rien avoir à faire avec une origine culturelle qui lui paraît locale. Et, en ce sens, cette œuvre se coupe de tout un pan de signification qui a trait au lecteur dans son engendrement communautaire. Ce renoncement à la conscience collective, c'est l'« oubli » (1982 : 89-90 ; en italique dans le texte).

À ces deux misères que sont la conscience et l'oubli, Robert Yergeau préférera les termes de « surcontextualisation », c'est-à-dire des œuvres qui présentent « à des degrés divers, un état exacerbé, voire paroxystique de la réalité, qui agit comme un surmoi programmatique conditionnant la quête identitaire » (1996 : 30), et de « décontextualisation », soit « la quête d'un lieu et d'un espace-temps, qui transcenderait toute contingence communautaire, territoriale » (1996 : 31). Cette dualité essentielle est par la suite reprise par Lucie Hotte à travers les notions de particularisme, c'est-à-dire « la mise en œuvre d'une série de stratégies rhétoriques et discursives présentant et dénonçant un état de fait qui découle d'un contexte culturel précis » (2002 : 37), et d'universalisme, soit une volonté de sortir des seules considérations ethniques et identitaires en préconisant

---

[3]   Cet article a été largement repris dans *Les littératures de l'exiguïté* ([1992] 2001), Ottawa, Les Éditions du Nordir, p. 163-178.

une esthétique qui « masque les différences entre les groupes pour ne retenir que l'expérience humaine commune » (2002 : 41). Dans une logique qui rejoint, dans une certaine mesure, celle de Lucie Hotte, il nous apparaît que l'œuvre de certains auteurs francophones hors Québec semble résister à cette taxinomie bipartite et exprime plutôt une concomitance, comme nous l'avons observé, entre autres, avec la production littéraire de J. R. Léveillé. L'examen des différentes stratégies déployées dans ses textes poétiques, plus précisément l'autoréférentialité, l'autoréflexion ou encore le palimpseste, a montré que bien que ceux-ci demandent à être lus pour leur valeur intrinsèque, ils ne peuvent échapper entièrement à leurs déterminations socioculturelles. « [M]ême si l'œuvre a prétention à l'universel, dirait Dominique Maingueneau, son émergence est un phénomène fondamentalement local, et elle ne se constitue qu'à travers les normes et les rapports de force des lieux où elle advient » (2012 : 74). Dans une telle perspective, penser la littérature francophone du Canada hors Québec passerait nécessairement par l'acceptation des paradoxes mêmes qui la forgent et desquels elle vit. Pour paraphraser Claude Beausoleil, la lecture de la production poétique commanderait *un grand effort de synthèse et d'imagination*, c'est-à-dire un exercice de réconciliation, d'harmonie et de syncrétisme des deux pôles entre lesquels celle-ci se trouve incessamment tiraillée, à savoir son exiguïté socioculturelle et sa prétention à l'universalité.

BIBLIOGRAPHIE

Amossy, Ruth (2010). *La présentation de soi : ethos et identité verbale*, Paris, Presses universitaires de France.

Barthes, Roland (1973). « Texte (théorie du) », *Encyclopædia Universalis*, p. 1-11, [En ligne], [www.universalis.fr/encyclopédie/theorie-du-texte/] (28 juillet 2015).

Barthes, Roland (1982). *Le plaisir du texte*, Paris, Éditions du Seuil.

Beausoleil, Claude (1987). *Extase et déchirure*, Trois-Rivières, Écrits des Forges.

Belleau, André (1981). « Le conflit des codes dans l'institution littéraire québécoise », *Liberté*, vol. XXIII, n° 2 (mars-avril), p. 15-20.

BENVENISTE, Émile ([1966] 2012). *Problèmes de linguistique générale*, t. 1, Paris, Éditions Gallimard.

DOYON-GOSSELIN, Benoit (2012). *Pour une herméneutique de l'espace : l'œuvre romanesque de J. R. Léveillé et France Daigle*, Québec, Éditions Nota bene.

DUBOIS, Jacques ([1978] 2005). *L'institution de la littérature*, Bruxelles, Éditions Labor.

GENETTE, Gérard (1992). *Palimpsestes : la littérature au second degré*, Paris, Éditions du Seuil.

HEIDENREICH, Rosmarin (2005). *Paysages de désir : J. R. Léveillé : réflexions critiques*, Ottawa, Les Éditions L'Interligne.

HOTTE, Lucie (2002). « La littérature franco-ontarienne à la recherche d'une nouvelle voie : enjeux du particularisme et de l'universalisme », dans Lucie Hotte (dir.), *La littérature franco-ontarienne : voies nouvelles, nouvelles voix*, Ottawa, Les Éditions du Nordir, p. 35-47.

LÉVEILLÉ, J. R. (1977). *Œuvre de la première mort*, Saint-Boniface, Éditions du Blé.

LÉVEILLÉ, J. R. (1984). *L'incomparable*, Saint-Boniface, Éditions du Blé.

LÉVEILLÉ, J. R. (1993). *Causer l'amour*, Paris, Éditions Saint-Germain-des-Prés.

LÉVEILLÉ, J. R. (1996). *Les fêtes de l'infini*, Saint-Boniface, Éditions du Blé.

LÉVEILLÉ, J. R. (1999). « Le sujet n'a pas besoin qu'il y ait un monde », dans Robert Dickson, Annette Ribordy et Micheline Tremblay (dir.), *Toutes les photos finissent-elles par se ressembler ? Actes du Forum sur la situation des arts au Canada français*, Sudbury, Éditions Prise de parole, p. 50-58.

LÉVEILLÉ, J. R. (2003a). *Fastes*, Ottawa, Les Éditions L'Interligne.

LÉVEILLÉ, J. R. (2003b). *Nosara*, Saint-Boniface, Éditions du Blé.

LÉVEILLÉ, J. R. (2005). *Logiques improvisées*, Saint-Boniface, Éditions du Blé.

LÉVEILLÉ, J. R. (2014). *Sondes*, Saint-Boniface, Éditions du Blé.

MAINGUENEAU, Dominique (2012). *Le discours littéraire*, Paris, Presses universitaires de France.

MAINGUENEAU, Dominique (2013). « L'*èthos* : un articulateur », *COnTEXTES*, n° 13, [En ligne], [contextes.revues.org/5772] (15 août 2015).

MALLARMÉ, Stéphane (1945). *Œuvres complètes*, édition présentée, établie et annotée par Henri Mondor et Gérard Jean-Aubry, Paris, Éditions Gallimard, coll. « Bibliothèque de la Pléiade ».

PARÉ, François (1982). « Conscience et oubli : les deux misères de la parole franco-ontarienne », *Revue du Nouvel-Ontario*, n° 4, p. 89-102.

PARÉ, François ([1992] 2001). *Les littératures de l'exiguïté*, Ottawa, Les Éditions du Nordir.

PARÉ, François (1994). « L'institution littéraire franco-ontarienne et son rapport à la construction identitaire des Franco-Ontariens », dans Jocelyn Létourneau (dir.), *La question identitaire au Canada francophone : récits, parcours, enjeux, hors-lieux*, Québec, Les Presses de l'Université Laval, p. 45-62.

PARÉ, François (2007). *Le fantasme d'Escanaba*, Québec, Éditions Nota bene.

PARÉ, François (2010). « La poésie franco-ontarienne », dans Lucie Hotte et Johanne Melançon (dir.), *Introduction à la littérature franco-ontarienne*, Sudbury, Éditions Prise de parole, p. 113-152.

PARÉ, François (2012). « Certaines poétiques du visible », dans Lelia L. M. Young (dir.), *Langages poétiques et poésie francophone en Amérique du Nord*, Québec, Les Presses de l'Université Laval, p. 239-250.

PONGE, Francis (2001). *Entretiens de Francis Ponge avec Philippe Sollers*, Paris, Éditions Gallimard et Éditions du Seuil.

SOLLERS, Philippe (1988). *De Kooning, vite*, Paris, Éditions de la Différence.

YERGEAU, Robert (1996). « Comment habiter le territoire fictionnel franco-ontarien ? », *Liaison*, nº 85, p. 30-32.

Les communautés francophones
en situation minoritaire : un portrait de famille

Mathieu Charron
Université du Québec en Outaouais[1]

U Canada, la vitalité de la langue française soulève les passions.
Nombreux sont ceux qui s'y intéressent, que ce soit pour remettre en question les coûts de sa promotion, se satisfaire de son
développement ou, au contraire, reconnaître un déclin qui nécessite des
réactions vigoureuses. Ces débats sont vifs autant au Québec que dans le
« reste du Canada » et demandent à être étayés par des données probantes
et des analyses éclairées. En effet, la nature identitaire et le potentiel émo-
tif de ces débats brouillent la lecture des faits, la ramenant souvent aux
visions partisanes des protagonistes.

Notre objectif est de proposer une classification permettant de mieux
cerner la situation du fait français à l'extérieur du Québec et de favoriser
le développement de politiques adaptées à la promotion de la vitalité du
français en situation minoritaire (Johnson et Doucet, 2006 ; Commissariat
aux langues officielles, 2013). En fait, on ne peut parler d'une seule
communauté, mais bien de plusieurs communautés, présentant chacune
un milieu unique, des besoins spécifiques et demandant des interventions
ciblées (Gilbert, 2002 ; Langlois et Gilbert, 2010a ; Belkhodja, Traisnel et
Wade, 2012 ; Commissariat aux langues officielles, 2013).

De nombreuses recherches, dont plusieurs sont citées dans cet article,
ont d'ailleurs porté sur ces questions. Bien qu'elles diffèrent par leur portée, leurs méthodes et leurs objectifs, toutes font valoir que l'évaluation
de la vitalité des communautés francophones en situation minoritaire (ci-
après CFSM) est rendue difficile en raison du flou qui entoure plusieurs

---

[1] J'aimerais remercier le centre de données de recherche de Carleton – Ottawa –
Outaouais (CDR-COOL) de m'avoir donné accès aux microdonnées de recensement.
J'aimerais aussi remercier Guylain Bernier pour sa contribution à ce travail.

concepts importants (vitalité, communauté, francophone) et de la grande complexité des expériences locales. Nous ajouterons à ces difficultés la profusion de rapports et de statistiques qui font ressortir d'innombrables tendances, parfois en apparence contradictoires, mais dont aucun modèle ne semble se dégager.

C'est dans ce contexte que nous tenterons d'éclairer la situation des CFSM en en dressant un portrait à la fois exhaustif, clair et succinct. Ce portrait, comme tous les portraits de famille, constitue une réalité figée (ici au recensement de 2006[2]) qui ne peut prétendre représenter la complexité des personnalités mises en scène. Car il s'agit bien d'une mise en scène, puisque la typologie proposée repose sur les choix éclairés, mais néanmoins discrétionnaires (et donc discutables) du chercheur.

Cet article est composé de six sections. La première est consacrée au concept de communauté et à sa territorialité. La deuxième résume quelques-uns des travaux visant à dresser un portrait des CFSM. Les trois sections suivantes sont consacrées à la méthodologie et aux résultats : l'opérationnalisation des concepts de « francophone » et de « communauté francophone » (section 3), la présentation des critères statistiques utilisés (section 4) et de la typologie (section 5). La dernière partie offre une synthèse des résultats et des propositions quant à l'utilisation de la typologie pour éclairer la situation des CFSM.

1. Définir la communauté

1.1 « Troubles » communautaires

Malgré son origine étymologique (du latin *cum* et *munus*, pouvant être traduits par « obligations mutuelles »), le concept de communauté ne fait pas l'objet d'un consensus clair (Lévy, 2003 ; Schrecker, 2006). Il ressort néanmoins que l'identité est le fondement de la communauté :

---

[2]   Les données du recensement de 2006 ont été préférées à celles de l'Enquête nationale auprès des ménages (ci-après ENM) de 2011 pour trois raisons. D'abord, les données de l'ENM n'étaient pas disponibles au début du projet. Ensuite, les comparaisons historiques entre l'ENM et les recensements sont compliquées en raison des changements importants dans la collecte des données. Enfin, et surtout, l'ENM comporte des contraintes plus sévères quant à la divulgation des données pour de petits groupes (dont plusieurs petites CFSM).

les références à la communauté teintent les interactions entre ses membres et permettent le développement d'un sentiment d'appartenance. La communauté, faite de liens sociaux, reposerait donc sur une identité commune, plus ou moins affirmée.

Les individus s'identifient plus ou moins fortement à diverses communautés, qu'elles soient linguistiques ou idéologiques, territoriales ou virtuelles, nationales ou locales. Certains membres s'y investissent pleinement, alors que d'autres s'y identifient vaguement sans y participer. Ainsi, selon l'affiliation de leurs membres, certaines communautés sont « tissées serrées », tandis que d'autres sont diffuses ou éphémères. Les frontières communautaires, symboliques et matérielles, sont elles aussi plus ou moins claires. Si elles se construisent parfois à partir de consensus sur ce que représentent le « nous » et le « eux », elles reposent le plus souvent sur des filiations floues et volatiles. Par exemple, les langues se subdivisent en dialectes qui, à l'intérieur d'un même territoire, correspondent à des groupes sociaux distincts sur la base, entre autres, de la classe sociale (Edwards, 2013). Toutefois, comme on peut considérer que chaque individu parle un langage qui lui est unique, développé au gré des nombreux contacts avec divers milieux (un idiolecte), il est impossible de fixer des frontières définitives aux communautés linguistiques.

C'est une limite qui affecte directement les CFSM pour lesquelles la frontière avec l'anglais peut être trouble (Lefebvre, 2010b ; Lamoureux et Cotnam, 2012). Malgré tout, la langue, à la fois moyen de communication et vecteur d'identité (Charaudeau, 2009 ; Edwards, 2013), constitue un liant naturel pour les communautés. Ainsi, parce qu'ils regroupent les locuteurs d'une même langue, les milieux francophones du Canada « font communauté ».

1.2 Communauté et territoire

Étant donné que la communauté est faite de liens sociaux, la position géographique de ses membres doit permettre des interactions. C'est pourquoi, à travers l'histoire, les communautés se sont concentrées dans des territoires permettant la coprésence. En se côtoyant, les habitants d'un même territoire en viennent à développer des normes et des codes communs, une culture locale, dont la langue est souvent un élément important. Une fois établie, « territorialisée », cette culture locale permet le renouvellement de la communauté d'une génération à l'autre. Ainsi, le territoire soutient la communauté qui y est ancrée ; il accueille ses marques et ses références et, conséquemment, les interactions sociales normées ou institutionnalisées et influe sur ses habitants (Langlois et Gilbert, 2006 et 2010a ; Lefebvre, 2010a). Ainsi, la communauté territoriale est composée d'individus interagissant, mais dont la somme vaut nettement plus que ses parties. La communauté émerge des interactions individuelles, et cette émergence est territorialisée.

Le terme « communauté » est ainsi souvent utilisé pour désigner un groupe de personnes qui partagent un espace spécifique. Les premiers travaux sociologiques sur les communautés humaines investiguent d'ailleurs des terrains circonscrits, généralement des villages ou des quartiers ouvriers. Mais les pionniers de la sociologie (Tönnies, Simmel, Durkheim ou Weber) sont nombreux à décrire, à partir du XIXᵉ siècle, le passage de la « communauté » (taille restreinte, appartenance forte, tradition) à la « société » (taille importante, anonymat, rationalité). En desserrant les liens communautaires, l'industrialisation et l'urbanisation font en sorte que les individus gagnent en autonomie, mais perdent en attachement.

Il fut un temps où les limites des CFSM étaient clairement définies. Leur essence se résumait au territoire du village (et à ses limites évidentes) et aux échanges réguliers sur le perron de l'église. Les choses ont grandement évolué et les CFSM, comme plusieurs autres formes de communautés, se projettent aujourd'hui sur des territoires vagues et vastes, dont les contours sont brouillés par de longues et fréquentes mobilités : navettes domicile / travail, mobilités interrégionales pour étudier, travailler, faire des affaires ou voyager (Johnson et Doucet, 2006 ; Lefebvre, 2010a). De plus, les liens communautaires sont plus diffus à une époque où l'individu s'aventure plus aisément hors des balises communautaires et se bricole une identité à partir de l'appartenance, parfois faible, à de nombreux groupes.

La mobilité accrue fait en sorte qu'il est de moins en moins justifié de restreindre la communauté à un territoire donné. Les francophones quittent régulièrement les limites de leur voisinage pour travailler, consommer ou socialiser (Langlois et Gilbert, 2006 et 2010a). Ce dépassement du local permet non seulement le renforcement d'identités régionales (par exemple, l'Acadie et l'Ontario français), mais aussi le développement d'identités linguistiques plus larges, comme celle du bilinguisme (Lefebvre, 2010a).

Le desserrement territorial des communautés s'exprime aussi dans les diasporas. Les francophones se déplacent en grand nombre sur le territoire du pays, ce qui fait en sorte que plus du tiers des habitants des CFSM ayant le français comme langue maternelle sont nés dans une autre province. Cette proportion varie d'une CFSM à l'autre, mais illustre bien le desserrement territorial de deux façons. D'une part, les francophones qui naissent dans une CFSM sont nombreux à la quitter vers d'autres CFSM. C'est le cas d'une partie de la diaspora acadienne : en 2006, plus du cinquième des Canadiens qui ont déclaré une origine acadienne habitaient à l'ouest du Québec. D'autre part, des francophones d'autres communautés viennent s'établir dans les CFSM, diversifiant les identités culturelles et linguistiques. C'est le cas de nombreux Québécois qui se sont établis dans des provinces majoritairement anglophones : le quart des habitants des CFSM ayant le français comme langue maternelle sont nés au Québec. C'est aussi le cas des immigrants internationaux de langue française, qu'ils viennent de France, d'Afrique ou d'ailleurs. Ainsi, les migrations viennent complexifier les contours territoriaux (en élargissant l'espace vécu) et identitaires (en diversifiant les références culturelles) des CFSM.

Outre la progression des mobilités, les CFSM, comme les autres communautés, sont fortement affectées par le développement des technologies de communication qui permettent aujourd'hui à leurs membres de rester en contact malgré la distance. S'établissent ainsi des communautés véritablement virtuelles constituées de membres qui, s'ils ne sont pas coprésents sur le même territoire, partagent néanmoins une identité et des intérêts communs.

Les desserrements territoriaux et identitaires décrits précédemment font en sorte que les CFSM offrent une grande variété de contextes, plus ou moins éclatés, plus ou moins cohésifs, plus ou moins prospères. Chaque CFSM présente ainsi une combinaison unique de caractères, et cette configuration participe à l'expérience vécue par ses habitants, portée par ses émigrants, sentie par ses visiteurs.

Ces imprécisions compliquent grandement la délimitation des contours et l'appréciation du caractère des CFSM. Leurs frontières sont troubles et volatiles, elles ne peuvent faire l'objet d'une norme inattaquable et immuable. Ce constat n'est probablement pas sans lien avec les nombreuses approches et interprétations qui décrivent ces communautés.

Il importe donc de proposer une démarche prudente, de trouver un équilibre acceptable entre une méthode fine apte à rendre compte de la complexité des CFSM et un modèle simple et intelligible.

1.3 Communautés de langue officielle en situation minoritaire (CLOSM)

Plusieurs textes de loi, dont principalement la *Loi sur les langues officielles*, engagent le gouvernement canadien à promouvoir l'épanouissement et le développement du français à l'extérieur du Québec. Or, pour être en mesure de répondre à ses obligations, le gouvernement du Canada doit déterminer quelles sont les CFSM (ici les CLOSM) auxquelles il est redevable. La définition des CFSM comprend non seulement un enjeu théorique et méthodologique, mais aussi un enjeu politique (Johnson et Doucet, 2006).

L'aspect politique de la question est bien illustré par les démarches de la sénatrice Maria Chaput visant à moderniser la partie IV de la *Loi sur les langues officielles* qui porte sur les prestations gouvernementales dans la langue minoritaire. Présentement, le gouvernement fédéral est tenu de fournir ces services dans certaines communautés, définies selon de multiples seuils démographiques inscrits dans la loi. Cependant, toutes les CFSM ne satisfont pas à ces critères et, conséquemment, ne bénéficient pas des services.

La complexité du concept de communauté, la grande diversité des réalités locales et les considérations politiques ont probablement fait en sorte qu'aucune définition claire des CLOSM n'a été proposée. Il semble que le sens de l'acronyme varie selon son utilisateur, référant parfois aux francophones d'une province, parfois à tous les résidents d'une municipalité qualifiée de francophone. Dans ce dernier cas, le caractère francophone d'une communauté ne correspond à aucun critère commun. Les efforts du gouvernement fédéral visant à mieux comprendre les CFSM et à en promouvoir la vitalité, qui reposent sur des conceptualisations imprécises et variables, n'intègrent pas suffisamment la pluralité et la complexité de leurs objets d'étude.

Plusieurs organismes communautaires s'efforcent depuis déjà longtemps de maintenir et de développer les CFSM (Forgues, 2008). Leur nombre et leur variété témoignent d'ailleurs de la grande diversité des situations et de la complexité de la problématique. Lié par ses obligations légales, et malgré les errances conceptuelles exposées précédemment, le gouvernement canadien s'est progressivement engagé, aux côtés des institutions communautaires, dans la gouvernance des CFSM (Johnson et Doucet, 2006; Forgues, 2008).

Ce faisant, il semble que la plupart des ministères concernés se laissent guider par un mandat pancanadien et privilégient non pas une approche « par communauté », mais une approche « par projet » (Belkhodja, Traisnel et Wade, 2012). Cette dernière approche fait en sorte que les actions gouvernementales sont grandement influencées par les propositions émanant directement des communautés. Le financement est alors accordé selon des dynamiques variables, qui dépendent davantage de la capacité du milieu à s'organiser (de la « complétude institutionnelle ») que d'une priorisation éclairée des besoins à l'échelle du pays (Belkhodja, Traisnel et Wade, 2012). Par exemple, les CFSM dont les organisations communautaires parviennent à être bien représentées, à bien formuler leurs priorités et à accorder leurs demandes avec les mandats des ministères, bénéficient d'un soutien accru à leur épanouissement. À l'inverse, les communautés moins organisées, peut-être aussi les moins dynamiques et les moins cohésives, pourraient être discriminées.

Bien qu'elle ait l'avantage de tenir compte des particularités des CFSM, par le dialogue entre les organismes communautaires et les agences qui représentent le gouvernement localement, cette conduite ne facilite pas l'établissement de balises claires, la mise en place de bonnes pratiques et la coordination éclairée des actions gouvernementales. Dans ce contexte, la typologie des CFSM proposée dans cet article offre un portrait global des nombreuses spécificités et vulnérabilités communautaires et tente de cerner les principaux défis auxquels elles sont confrontées. Dans l'esprit de la *Feuille de route* (Canada. Ministère du Patrimoine canadien et des Langues officielles, 2013), cet effort pourrait permettre une meilleure utilisation des ressources et une meilleure coordination des actions à l'échelle du pays, en plus d'offrir un cadre pour l'évaluation des résultats.

2. Portrait des CFSM d'après les travaux existants

2.1 Portraits de communautés

Un manque de coordination dans les efforts visant à documenter les communautés ressort clairement de l'inventaire des démarches entreprises.

Il apparaît, en effet, que les nombreux acteurs concernés (ministères, gouvernements municipaux et provinciaux, organismes communautaires, chercheurs universitaires) développent chacun leurs propres projets. Si ces projets sont adaptés à des besoins spécifiques, ils refont souvent des démarches similaires. Ainsi, on est rapidement noyé dans la pléthore de travaux, parfois complémentaires, souvent redondants.

Les études les plus nombreuses décrivent la situation d'une communauté particulière. Par exemple, en 2009, le Réseau de développement économique et d'employabilité de Terre-Neuve-et-Labrador a établi les profils de trois communautés : l'ouest du Labrador, la péninsule de Port-au-Port et la région métropolitaine de St. John's. Ces profils, qui comptent entre 60 et 70 pages chacun, présentent un inventaire des activités communautaires et un portrait statistique très détaillés. Plusieurs CFSM ont fait l'objet de portraits aussi fouillés, mais la particularité des démarches fait en sorte qu'ils ne peuvent pas être utilisés comme base commune pour développer une typologie.

D'autres initiatives permettent de comparer les CFSM à l'intérieur d'une même province. À cet égard, le *Portrait démographique de l'Alberta* (Bisson, Lafrenière et Draper, 2010) est très exhaustif; 26 communautés sont décrites en 473 pages et 378 tableaux. Malgré tout, ces études, en plus de ne cibler qu'une province, ne visent pas à synthétiser l'ensemble des données en regroupant des communautés aux profils similaires.

D'autres démarches, plus larges, sont proposées par des organismes qui œuvrent à l'échelle canadienne. La Fédération des communautés francophones et acadienne (FCFA) a ainsi dressé le profil des francophones de chacune des provinces et de chacun des territoires (Fédération, 2011). Comptant une vingtaine de pages, ces profils comprennent des descriptions historiques, statistiques et institutionnelles, mais l'essentiel de l'analyse se limite à la province. De plus, comme l'accent est peu mis sur les différences des CFSM à l'intérieur d'une province, ces profils ne permettent pas de distinguer, par exemple, la situation des CFSM urbaines et rurales.

Dans le but de mieux comprendre les éléments de la vitalité des CLOSM, le Commissariat aux langues officielles a mené une série de six études sur des communautés spécifiques situées à Winnipeg, à Sudbury, à Halifax, en Colombie-Britannique, à Calgary ainsi que sur trois communautés rurales de la Saskatchewan (Groupe de développement

Consortia, 2015). Ces études, qui comptent une trentaine de pages chacune, présentent un aperçu de l'histoire et du profil statistique des communautés, mais se consacrent davantage à l'analyse de certains éléments de vitalité : institutions et gouvernance, identité, participation, communication, etc. À l'exception du profil des communautés de la Colombie-Britannique, ces travaux focalisent leur attention sur des communautés locales, dans la mesure où elles n'ont pas à regrouper toutes les communautés d'une province. Si certains faits saillants ont été dégagés de ces recherches, le petit nombre de cas étudiés ne permet pas de développer une typologie des CFSM représentative de l'ensemble des situations vécues.

Enfin, Statistique Canada (2011-2015) a brossé un portrait des minorités de langue officielle pour chaque province et un pour l'ensemble des territoires. Ces portraits offrent des analyses statistiques très soignées (de 52 à 114 pages, selon le cas). Les principaux faits saillants de ces portraits sont présentés dans une vidéo de 29 minutes (Statistique Canada, 2014). La grande majorité des tendances présentées concernent l'ensemble des CFSM et quelques comparaisons interprovinciales. Très peu de références sont faites aux CFSM plus petites, à l'exception de quelques commentaires sur les liens entre la proportion de francophones dans la municipalité et la vitalité linguistique.

En somme, si une multitude de portraits et de tableaux sont disponibles sur les CFSM, il n'est pas possible de dégager un portrait *global* qui tiendrait compte des spécificités *locales*. Dans ces portraits, les CFSM sont généralement regroupées par province ou sont présentées dans un format ne permettant pas de comparaison avec les autres CFSM.

2.2 Typologie des communautés

D'autres efforts ont été plus directement consacrés au développement de typologies des CFSM. Chedly Belkhodja, Christophe Traisnel et Mathieu Wade (2012) proposent une typologie fondée sur cinq communautés archétypiques (Halifax, Moncton, Ottawa, Whitehorse et Winnipeg), choisies *a priori* parce qu'elles sont considérées comme représentatives des diverses situations des CFSM. Cette méthode a permis aux auteurs de comparer la situation de plusieurs CFSM et de déterminer les traits communs ainsi que les spécificités de chacune. À partir de ces comparaisons, ils situent les cinq communautés étudiées sur une échelle, allant d'une vitalité faible (Winnipeg) à une vitalité forte (Moncton). Les auteurs insistent toutefois, à maintes reprises, sur le fait que leur démarche demeure inachevée, que d'autres communautés et indicateurs devraient enrichir l'analyse.

D'autres initiatives ont permis de classer toutes les CFSM selon des critères démolinguistiques. Ces études reposent sur les données de recensement, les seules à fournir de l'information sur un nombre suffisant de membres des CFSM, généralement comprises comme des subdivisions de recensement (SDR, qui correspondent le plus souvent aux municipalités). Sans constituer explicitement des « typologies », plusieurs de ces travaux ont classé les CFSM selon le nombre ou la proportion de francophones dans le but d'évaluer le lien entre ces variables et la vitalité linguistique (par exemple, Marmen, 2005).

Dans un effort plus ciblé et ambitieux de typologie statistique, André Langlois et Anne Gilbert (2006 et 2010a) proposent de s'appuyer à la fois sur le nombre et sur la proportion de francophones. De plus, en accord avec les desserrements territoriaux décrits ci-dessus, ils intègrent à leur typologie deux niveaux d'analyse : celui de la localité (la SDR) et celui de la région (un territoire plus vaste, la division de recensement). Ils distinguent alors 36 types de CFSM, qui correspondent aux croisements entre ces trois éléments (nombre, proportion et niveau). Cette démarche permet de faire ressortir une grande diversité de CFSM, dont les catégories les plus opposées statistiquement se juxtaposent parfois dans l'espace.

La typologie proposée dans cet article combine en quelque sorte les efforts de Belkhodja, Traisnel et Wade, (2012) à ceux de Langlois et Gilbert (2006 et 2010a). L'intégration d'archétypes représentatifs des principales catégories de CFSM sera retenue de la démarche des premiers. L'exhaustivité géographique, l'établissement de critères statistiques et l'intégration des niveaux local et régional seront retenus des seconds. Cette démarche a été développée dans la foulée de nombreuses explorations statistiques de réduction de l'information (analyses factorielles) et d'analyse de regroupement. Pour résumer, la typologie estime la correspondance entre une CFSM et sept archétypes (section 5), définis à partir de quatre axes de différenciation (section 4). Mais avant de présenter plus en détail la démarche méthodologique, les définitions de francophone (3.1) et de communauté francophone (3.2) que nous avons retenues seront présentées.

3. Francophone et communauté francophone

3.1 Qu'est-ce qu'un francophone ?

Les critères d'identification des francophones font l'objet de nombreux débats et varient sensiblement selon les besoins ou la tendance que l'on cherche à montrer. En effet, selon que l'on utilise la langue maternelle, la langue parlée à la maison, au travail ou encore la connaissance de la langue, les volumes et les proportions de francophones peuvent varier sensiblement (Lachapelle et Lepage, 2010). Étant donné que les obligations gouvernementales dépendent du nombre de francophones, le critère retenu constitue un enjeu politique majeur.

Dans une CFSM où la langue française est dominante, les divers critères linguistiques concordent chez la plupart des individus : ils ont le français comme langue maternelle en plus de le parler à la maison et au travail. La situation est plus compliquée dans plusieurs CFSM où le français n'est pas prépondérant. Dans ce contexte, de nombreux francophones font partie d'un ménage ou d'une équipe de travail dont la principale langue de communication est l'anglais. Ainsi, ils peuvent être nombreux à connaître le français et à s'y identifier malgré le fait que plusieurs critères linguistiques ne permettent pas de le reconnaître.

À ce titre, les francophones n'ayant pas le français comme langue maternelle, ne parlant pas français à la maison ou ne l'utilisant pas au travail n'en sont pas moins francophones. Par exemple, on peut très bien imaginer qu'une personne née au Québec ait d'abord appris une langue autochtone (sa langue maternelle) avant d'être scolarisée en français et d'avoir développé un vaste réseau social francophone. Cette même personne peut ensuite avoir émigré vers une CFSM pour le travail et ne parler français ni à la maison (avec son conjoint) ni au travail (avec ses collègues), mais être fortement impliquée dans les associations communautaires francophones. Si les cas de figure comme celui-ci sont peu nombreux, ils n'en sont pas moins réels.

Pour ces raisons, toutes les personnes qui connaissent le français seront ici considérées comme francophones. Ainsi, les personnes connaissant le français, mais ayant une autre langue maternelle ou ne l'utilisant pas à la maison ou au travail sont considérées comme francophones. En fait, suivant le concept de communauté linguistique décrit précédemment, la filiation à une CFSM repose sur des questions d'identité et de communication qui dépassent ce qui est mesuré par le recensement canadien, la source de données utilisée ici.

La connaissance du français, à elle seule, peut paraître un critère trop inclusif. En effet, le fait de déclarer être en mesure de soutenir une conversation en français ne confirme aucunement que la maîtrise de la langue soit suffisante pour « faire communauté » ou que l'individu s'identifie un tant soit peu à la langue française. Toutefois, l'inclusion de ces francophones, que certains qualifieraient de francophiles, permet la mise en place d'une catégorie particulière qui, avec d'autres éléments, permettra de caractériser les CFSM. En fait, une des catégories de CFSM proposées dans ce travail est principalement composée de ces francophiles (plus de détails à la section 5). Le lecteur intéressé à utiliser ces catégories sera libre de considérer ces communautés comme francophones ou non francophones. Néanmoins, l'inclusion des francophiles permet de prendre en compte des individus à la frontière de la francophonie, qu'ils soient situés à l'intérieur ou à l'extérieur de celle-ci.

3.2 Qu'est-ce qu'une communauté francophone[3]?

Étant donné le caractère trouble de la CFSM, évoqué précédemment, sa définition demande que l'on fasse des choix. Par exemple, le *Règlement sur les langues officielles – communications avec le public et prestation des services* établit un certain nombre de critères permettant de définir les CFSM bénéficiaires de services : nombre et proportion de francophones[4] selon la subdivision de recensement (SDR) ou la région métropolitaine de recensement (RMR).

Les SDR correspondent, pour la plupart, à des municipalités et couvrent l'ensemble du territoire canadien. Elles constituent ainsi une

---

[3] Comme nous l'avons mentionné précédemment, une communauté peut être plus ou moins fortement ancrée dans un territoire, voire être totalement virtuelle. Toutefois, il n'existe aucune base de données exhaustive permettant de mesurer les communautés francophones définies ainsi. De plus, s'il fait partie de l'identité communautaire, le territoire est bien plus qu'un simple support ; il est aussi un ancrage et une référence, un milieu de vie et des institutions, l'école et le théâtre où se développent les identités linguistiques. L'objet de cet article devrait alors être les « territoires francophones », mais l'appellation CFSM, plus convenue, sera utilisée.

[4] Ici définis par la première langue officielle parlée (PLOP).

fondation utile pour l'étude exhaustive des CFSM. Toutefois, les SDR sont de taille et de nature très variées et, par conséquent, ne peuvent parfaitement représenter le « territoire » des communautés. Par exemple, il semble évident que les 231 860 francophones que comptait la SDR de Toronto en 2006 ne constituent pas le même « objet » communautaire que les 200 francophones de Lac La Biche, un hameau de l'Alberta rurale.

En fait, les diverses identités communautaires des francophones se construisent sur la base des espaces qu'ils fréquentent : les lieux de vie (voisinage résidentiel), de loisirs, d'études, de commerce, de travail… Si certains de ces espaces peuvent correspondre à la SDR de résidence, d'autres n'en constituent qu'une parcelle (par exemple, un voisinage de Toronto) ou la dépassent largement (comme les lieux d'études et de travail, qui peuvent occasionner de longs déplacements). L'impossibilité de limiter la communauté à une échelle particulière amène Langlois et Gilbert (2006 et 2010a) à utiliser conjointement deux unités géographiques : la SDR et la division de recensement (ci-après DR), qui correspond à une région plus large à l'intérieur de laquelle l'essentiel des interactions sociales sont réalisées.

Deux types d'unité géographique seront considérés ici. En milieu non métropolitain, la SDR sera retenue. En milieu urbain, le secteur de recensement (SR) est préféré à la SDR pour désagréger les vastes municipalités hétérogènes que constituent des villes-centres, comme Toronto ou Moncton. En effet, les grandes villes sont marquées par de grandes inégalités (démographiques, économiques, identitaires) qui peuvent favoriser le développement de CFSM très différenciées. Les réalités communautaires qui dépassent cette échelle (SDR / SR) seront intégrées à l'analyse comme caractéristiques des CFSM : par exemple, le nombre de personnes qui utilisent le français au travail dans un rayon de 100 kilomètres (plus de détails à la section suivante).

Il reste à départager les SDR / SR qui constituent des CFSM de celles qui n'en constituent pas. En théorie, on pourrait penser que toutes les SDR comptant au moins deux francophones sont des CFSM, les deux francophones étant en mesure de « faire communauté ». Mais la coprésence de deux francophones dans une même CFSM ne garantit pas l'existence d'une communauté : on peut imaginer que ces deux francophones ne se connaissent pas ou ne savent pas que l'autre parle français ! Comme les petits nombres posent certains problèmes conceptuels et statistiques, seules les SDR/SR de 50 francophones ou plus seront retenues. (Pour la suite du texte, « CFSM » référera à une SDR ou à un SR comptant 50 francophones ou plus.) En tout, 4780 CFSM ont été incluses dans l'analyse : 3654 SR métropolitains et 1126 SDR non métropolitaines. La proportion de francophones sera intégrée comme une caractéristique de la CFSM.

4. Statistique et typologie

4.1 Critères de différenciation

Comme nous l'avons mentionné, l'identité et le sentiment d'appartenance forment les fondements des communautés. Toutefois, les données de recensement, seule source à offrir une information exhaustive permettant des analyses fines à l'échelle des CFSM, ne contiennent aucune question sur l'identité linguistique[5], clé de voûte des communautés linguistiques. En revanche, elles contiennent plusieurs indications indirectes sur l'identité linguistique des Canadiens : connaissance du français, langue maternelle, pratiques linguistiques (à la maison et au travail), origine ethnique et mobilité résidentielle. Un nombre important de variables dérivées ont fait l'objet d'explorations soutenues. Finalement, douze variables ont été retenues pour leur pertinence théorique, leur capacité explicative et leur complémentarité (tableau 1). Elles seront utilisées pour définir les principaux axes de différenciation des CFSM.

Masse et proportion – Plusieurs travaux ont établi des liens entre, d'une part, le nombre et la proportion de francophones dans une communauté et, d'autre part, les pratiques linguistiques (Marmen, 2005 ; Langlois et Gilbert, 2006 et 2010a ; Statistique Canada, 2014). Ces travaux confirment que la proportion de francophones dans la communauté influence le statut du français et les pratiques linguistiques tandis que le nombre de francophones permet, selon la présence d'une « masse

---

[5]   L'identité linguistique se distingue des compétences et des pratiques linguistiques. Ces dernières, partiellement mesurées dans le recensement, renvoient à des capacités et à des comportements et, donc, à des « états » et à des « faits » généralement bien définis. L'identité linguistique renvoie, quant à elle, à des représentations et à des appartenances. Elle repose davantage sur le discours que sur les faits linguistiques (Charaudeau, 2009).

Tableau 1

**Variables dérivées des données censitaires retenues
pour la classification des CFSM**

Nom de la variable	Numérateur	Dénominateur	Base géographique
Masse locale	Francophones	Aucun	SDR/SR
Masse régionale	Francophones	Aucun	Rayon de 100 km autour de la SDR/du SR
Proportion régionale	Francophones	Population totale	Rayon de 100 km autour de la SDR/du SR
Français au travail	Utilisant le français au travail	Aucun	SDR/SR
Francisés	Connaissant le français	N'ayant pas le français comme langue maternelle	SDR/SR
Français à la maison	Parlent français à la maison		SDR/SR
Langue maternelle française	Ont le français comme langue maternelle		SDR/SR
Origine ethnique française	Origine ethnique française		SDR/SR
Origine ethnique anglaise	Origine ethnique anglaise	Francophones	SDR/SR
Immigrants	Immigrants francophones		SDR/SR
Minorité visible	Membres d'un groupe de minorité visible		SDR/SR
Ancrage communautaire	Francophones habitant à moins de 50 km il y a cinq ans		SDR/SR

critique », de développer des institutions qui favorisent la vitalité du français en situation minoritaire (Langlois et Gilbert, 2006 et 2010a). On pourrait aussi croire que ces « masses démographiques » influent sur l'identité linguistique. Ainsi, le nombre de francophones de la SDR est intégré à l'analyse (masse locale). Pour éviter la redondance statistique, la proportion de francophones n'est pas intégrée à l'échelle locale, mais à l'échelle régionale.

Espace régional – Comme l'ont fait remarquer plusieurs auteurs (Johnson et Doucet, 2006 ; Belkhodja, Traisnel et Wade, 2012), les francophones ne sont jamais confinés dans leur municipalité ou dans leur quartier : leurs territoires sont beaucoup plus vastes et les CFSM ne peuvent être considérées en vase clos. Langlois et Gilbert (2006 et 2010a) ont largement contribué à cette réflexion en opérationnalisant deux échelles importantes (le local et le régional) dans leur typologie.

La méthode utilisée ici diffère légèrement de celle de Langlois et Gilbert (2006 et 2010a). Le territoire imprécis des CFSM n'est qu'imparfaitement représenté par les limites des divisions de recensement (DR), utilisées par les deux géographes pour intégrer l'échelle régionale. En effet, les DR diffèrent grandement en forme et en superficie et, conséquemment, dans leur adéquation au territoire vécu. Par exemple, la DR de la CFSM de Casselman n'inclut pas certains territoires avec lesquels cette dernière entretient des liens forts, comme les zones métropolitaines d'Ottawa et de Montréal, pourtant situées à 45 minutes en voiture.

Pour ces raisons, nous incluons trois variables qui couvrent, pour chaque CFSM, tous les SDR/SR situés à moins de 100 kilomètres (une heure de route) : masse régionale, proportion régionale et français au travail[6]. Ce rayon représente un territoire facilement accessible aux francophones, territoire qu'ils peuvent parcourir pour échanger avec d'autres francophones, que ce soit pour consommer, travailler, étudier ou, simplement, parler en français. Comme les SDR/SR du Québec sont inclus dans ces calculs, la proximité du Québec (un autre facteur régulièrement évoqué dans les travaux sur les CFSM) est intégrée à l'analyse.

---

6   L'accès à des services en français est plus important dans certains secteurs comme la santé, les médias et, surtout, l'éducation. Des recherches ont été menées à partir des données sur l'utilisation régionale du français dans ces secteurs, mais elles n'apportaient aucune information non redondante à celle des travailleurs de l'ensemble des secteurs.

Statut du français – Les pratiques linguistiques, si elles sont fortement influencées par les « masses démographiques », ne s'y limitent pas. En effet, certaines circonstances peuvent faire en sorte que les francophones utilisent peu le français et s'y identifient moins fortement. Charles Castonguay (2005) suggère de mesurer la vitalité du français à la fois selon sa « force d'attraction » auprès des non-francophones et la « persistance linguistique » des francophones. La force d'attraction repose en grande partie sur le statut du français dans la CFSM, particulièrement par rapport à l'anglais. Le statut du français repose non seulement sur la capacité des institutions francophones à favoriser la situation économique et la reconnaissance politique des francophones, mais aussi sur la visibilité du français, notamment dans le paysage linguistique (Gilbert, 2010). Ces divers éléments influent sur les représentations du français autant chez les francophones (qui seront plus ou moins fiers, qui s'engageront plus ou moins fortement dans sa vitalité) que chez les non-francophones (qui verront un intérêt, ou non, dans l'apprentissage et l'utilisation de cette langue seconde). Les données censitaires ne permettent pas d'intégrer tous ces éléments. La proportion des personnes qui n'ont pas le français comme langue maternelle, mais qui sont en mesure de soutenir une conversation dans cette langue (personnes francisées) est incluse dans le cadre de ce travail[7].

Pratiques linguistiques – Le statut linguistique peut aussi influer sur la « persistance linguistique » et les pratiques linguistiques. Par exemple, les entrepreneurs francophones seront plus susceptibles d'utiliser le français dans le cadre de leur travail si les conditions économiques et la demande le favorisent (Mousseau, 2010). L'intégration des pratiques linguistiques est particulièrement importante, dans la mesure où la définition de « francophone » retenue dans cette étude est très inclusive et où plusieurs francophones ne s'identifient que faiblement à la francophonie et participent peu à la vitalité de la CFSM. Si les données censitaires contiennent des informations sur les pratiques linguistiques à la maison

---

[7]   La situation économique des francophones par rapport à celle des anglophones a été prise en compte, notamment en ce qui concerne les écarts de revenus et la représentation dans les postes de gestion, mais elle n'a pas été retenue parce qu'une centaine de CFSM ne comptaient pas assez d'anglophones pour obtenir une valeur fiable. Cependant, parmi les CFSM sur lesquelles on disposait de données, ces variables ne contribuaient pas distinctement aux résultats.

et au travail, elles ne contiennent aucune information sur les pratiques linguistiques dans les loisirs et les activités sociales et communautaires[8]. La proportion de francophones qui parlent le français à la maison est retenue pour représenter les pratiques linguistiques. Pour ce qui est de la langue de travail, elle est mesurée sur une base régionale, tel que nous l'avons décrit précédemment.

Identité francophone – Les pratiques linguistiques, cumulées, deviennent le vécu langagier et participent à la définition de l'identité linguistique. En fait, cette dernière évolue constamment au gré des interactions entre un individu et les personnes avec lesquelles il entre en contact (Lefebvre, 2010c). C'est donc, à l'image de la communauté, une caractéristique trouble, impossible à saisir parfaitement. Malgré ces inconvénients méthodologiques, l'histoire du peuplement du Canada a laissé des vecteurs identitaires forts chez les Canadiens français dans deux foyers principaux : l'Acadie et le Québec (Lefebvre, 2010a). La souche québécoise a essaimé vers l'ouest, développant des identités régionales en Ontario et dans les Prairies, ou fusionnant dans l'identité métisse. Ces peuplements dits de souche sont à la source du caractère bilingue du pays et représentent toujours le souffle principal de la francophonie canadienne. On peut donc penser que la force de l'identité francophone influera sur le caractère de la CFSM. Pour la mesurer au moyen du recensement, deux variables sont retenues : la proportion de francophones ayant le français comme langue maternelle et la proportion de francophones déclarant une origine ethnique française[9]. Si ces deux caractéristiques (langue maternelle et origine ethnique françaises) ne sont pas exclusives à l'identité de souche, elles lui sont, sauf exception, conditionnelles. Ainsi, les CFSM dont l'identité de souche est forte devraient montrer des valeurs élevées pour ces deux variables.

Identité francophile – Certains travaux récents montrent l'émergence d'une identité linguistique hybride, fondée sur le bilinguisme français-anglais (Heller, 2005 ; Lefebvre, 2010b ; Lamoureux et Cotnam, 2012). Comme cette identité est linguistique et non ethnique et comme la

---

[8]   Elles permettent néanmoins d'évaluer l'ampleur de certaines tendances, comme les transferts linguistiques et l'exogamie. Quelques recherches ont été menées avec ces variables, mais ces dernières n'apportaient que des informations redondantes sur le plan statistique.

[9]   Des recherches ont aussi été faites sur l'origine ethnique canadienne, en combinaison avec l'origine ethnique française.

pratique du bilinguisme ne se convertit généralement pas en identité bilingue, les données censitaires ne permettent pas de la mesurer. Parallèlement au développement de l'identité bilingue de certains francophones, certains anglophones apprennent le français par curiosité pour la culture francophone, pour élargir les possibilités d'emploi ou parce qu'il fait partie de l'identité canadienne ou du cheminement scolaire proposé (Christofides et Swidinsky, 2010 ; Richards, 2012). Les francophiles présentent un effectif important à l'extérieur du Québec et même si chez certains l'attachement au français peut être faible, voire nul, d'autres se définissent pleinement comme francophones. La proportion de francophones se déclarant d'origine ethnique anglaise est intégrée à l'analyse pour représenter ce groupe de francophones.

Nouvelle francophonie – Depuis quelques décennies, la forte immigration francophone amène de nouvelles identités linguistiques qui bouleversent les identités francophones dites de souche (Gilbert, 2002 ; Heller, 2005). Si plusieurs défenseurs de la francophonie canadienne fondent de grands espoirs sur l'apport de cette « nouvelle francophonie » (Commissariat aux langues officielles, 2013 ; Canada. Ministère du Patrimoine canadien et des Langues officielles, 2013), l'intégration des immigrants francophones aux communautés de souche ne se fait pas spontanément (Belkhodja, Traisnel et Wade, 2012). En région métropolitaine, les immigrants francophones forment parfois des communautés distinctes des communautés de souche (Langlois et Gilbert, 2010b), tandis que les milieux ruraux peinent à les attirer. Deux variables sont retenues pour représenter cette réalité : la proportion d'immigrants et la proportion de membres d'une minorité visible parmi les francophones.

Ancrage communautaire – Pour reprendre une analogie employée par Robert Putman (2000), l'ancrage communautaire de l'individu s'apparente au système racinaire d'une plante : chaque rempotage l'affaiblit. Les francophones qui ont migré récemment n'ayant pas pu développer leurs racines, ils voient leur identité linguistique se complexifier et, parfois, être remise en question (Lefebvre, 2010a). Pour les migrants, infranationaux comme internationaux, la pleine intégration à une nouvelle CFSM demande du temps. Étant donné que les migrants sont moins attachés à leur communauté d'accueil, les CFSM dont ils forment une part importante sont moins en mesure d'offrir une vie communautaire dynamique. D'ailleurs, la mobilité résidentielle est depuis longtemps considérée comme un facteur associé à la désorganisation sociale (Shaw et McKay, 1942).

La proportion des francophones qui n'habitaient pas dans les environs (50 kilomètres) il y a cinq ans est intégrée à l'analyse pour représenter l'ancrage communautaire. Étant donné que les déménagements à l'intérieur d'une même communauté n'impliquent pas l'interruption des liens communautaires réguliers, seuls les déménagements de plus de 50 kilomètres sont considérés. Ainsi, les nombreux déménagements locaux (que le motif soit le départ du foyer parental, la conjugalité ou la mobilité économique) ne sont pas considérés. De plus, les nouveaux développements résidentiels, dont la grande majorité des résidents ont déménagé sur une courte distance, n'apparaissent pas comme des communautés totalement désancrées.

4.2 Synthèse de l'information

Jusqu'à présent, 4780 CFSM et douze caractéristiques ont été recensées. Le champ d'investigation demeure donc très vaste et il faut le réduire afin de le rendre intelligible. Plusieurs des variables retenues présentent des associations statistiques significatives et, pour éviter toute redondance, elles seront utilisées pour dériver des scores issus d'une analyse factorielle. Cette dernière permet de réduire l'information contenue dans un ensemble de variables et, pour le bénéfice de la présente analyse, de passer d'un grand nombre de variables à un petit nombre de facteurs. De plus, l'analyse factorielle permet de révéler des caractéristiques communautaires à partir de mesures indirectes. Autrement dit, de révéler les propriétés émergentes des communautés à partir des caractéristiques de leurs membres.

La variable *ancrage communautaire* ne présentant pas de corrélation significative avec les autres variables, elle est considérée comme une caractéristique des CFSM à part entière et a été exclue de l'analyse factorielle. L'analyse factorielle a permis de convertir les onze autres variables en trois facteurs de différenciation : la francité, la nouvelle francophonie et l'identité francophile. La matrice de structure (tableau 2) indique la contribution des variables à ces divers facteurs. Les valeurs des contributions peuvent varier entre -1 et +1, une valeur s'approchant de 0 signifiant que la variable ne contribue pas au facteur.

Tableau 2

Contribution des 11 variables aux 3 facteurs de différenciation

	Facteurs		
	Francité	Nouvelle francophonie	Identité francophile
Valeur propre	3.820	3.125	1.398
Variance expliquée	34.7 %	28,4 %	12,7 %
Proportion régionale	,852	-,188	-,270
Francisés	,836	-,130	-,158
Français à la maison	,732	-,347	-,555
Masse locale	,675	,062	-,110
Français au travail	,575	,393	-,075
Immigrants	-,026	,816	-,241
Minorité visible	-,040	,778	-,387
Ethnie française	,173	-,692	-,229
Masse régionale	,349	,670	-,074
Ethnie anglaise	-,129	-,229	,739
Langue maternelle française	,505	-,618	-,658

Source : Microdonnées du recensement canadien de 2006, pour 4780 CFSM.
Méthode d'extraction : factorisation en axes principaux.
Méthode de rotation : Oblimin avec normalisation Kaiser.

Le premier facteur, la francité[10], représente la vitalité du français dans la communauté. Plus sa valeur est élevée, plus les francophones constituent une proportion importante de la population totale et plus les personnes n'ayant pas le français comme langue maternelle sont en mesure de soutenir une conversation dans cette langue. De plus, les francophones sont plus nombreux à parler le français à la maison, présentent des effectifs importants dans la CFSM et ont accès à plusieurs travailleurs qui

---

[10]   Le choix du mot n'est pas anodin. Il évoque à la fois la francophonie et la Cité grecque. Cette dernière désigne autant la vie communautaire que les institutions politiques qui l'encadrent. Ainsi, la francité renvoie, d'une part, à la place du français dans la CFSM mais aussi, d'autre part, à la gouvernance francophone et à ses institutions, dont l'amplitude est indissociable de la vie communautaire.

utilisent le français dans un rayon de 100 kilomètres. Autrement dit, une forte valeur de francité correspond à une communauté où le poids démographique des francophones est important, où le statut du français est reconnu et où le français est fortement utilisé dans les sphères privées et publiques. La francité renvoie donc à l'importance du français dans les affaires communautaires.

Les deux autres facteurs renvoient davantage à l'identité des francophones. Dans les deux cas, ils opposent des valeurs négatives associées à l'identité francophone de souche, définie par l'ethnie et la langue maternelle française, à des valeurs positives renvoyant à des identités émergentes : la nouvelle francophonie, constituée d'immigrants et de minorités visibles, et l'identité francophile, composée de l'ethnie anglaise.

Il convient aussi de noter que la variable *masse régionale* est davantage associée au facteur de la nouvelle francophonie qu'à celui de la francité. Ce résultat est lié au fait que la nouvelle francophonie est concentrée dans les CFSM métropolitaines, dans des milieux densément peuplés et, conséquemment, qui comptent de nombreux francophones dans leurs alentours. Cette caractéristique s'applique moins bien aux CFSM de grande francité, qui sont nombreuses à être éloignées des grands centres et qui comptent donc un moins grand nombre de francophones dans un rayon de 100 kilomètres.

Les scores factoriels de ces trois facteurs sont utilisés pour les étapes subséquentes de la typologie. Leurs valeurs sont centrées-réduites, ce qui signifie qu'elles présentent une moyenne de 0 et un écart-type de 1. Les valeurs de l'ancrage communautaire, variable qui n'a pas été incluse dans l'analyse factorielle, ont aussi été centrées-réduites pour faciliter la suite de la démarche. Les valeurs positives de l'ancrage communautaire renvoient à deux interprétations indépendantes. Elles peuvent signifier qu'une proportion importante de francophones, nouvellement arrivés, n'ont pas encore développé de liens communautaires forts. Elles peuvent aussi signifier que la CFSM attire les francophones pour des raisons socioéconomiques. À l'inverse, les valeurs négatives peuvent signifier à la fois que le tissu communautaire est stable et que la CFSM est incapable d'attirer des migrants francophones.

Les quatre caractéristiques des CFSM ainsi définies présentent entre elles des coefficients de corrélation faibles, mais significatifs (tableau 3).

Tableau 3

Coefficients de corrélation entre les caractéristiques des communautés francophones

	Francité	Nouvelle francophonie	Identité francophile
Nouvelle francophonie	**-0,107**		
Identité francophile	**-0,224**	**0,121**	
Ancrage communautaire	**0,153**	**-0,180**	-0,023

Les coefficients en gras sont significatifs au seuil de 99,9 % (bilatéral).

Ces faibles corrélations laissent entendre que toutes les configurations de valeurs sont possibles, mais leur significativité laisse supposer que certains types pourront être définis.

5. Typologie des CFSM

5.1 Idéaux-types

Les configurations de quatre critères ont été abondamment explorées par diverses techniques d'analyse de regroupement, suivant divers paramètres. Ces explorations ont permis de repérer certains types plus robustes, qui ressortaient régulièrement dans les résultats. À la lumière de ces explorations et des descriptions des CFSM présentes dans la littérature, sept idéaux-types ont été relevés et définis statistiquement par la force et le sens de la contribution de chacun des critères. Ces valeurs permettront d'assigner à chacune des 4780 CFSM un des sept types (tableau 4). Plus la valeur absolue est élevée, plus le critère est important dans la définition du type.

La francité, conceptualisée en vitalité linguistique ou en complétude institutionnelle, est le critère qui a le plus retenu l'attention des chercheurs. Dans le cas présent, elle permet de distinguer un premier groupe, de francité élevée, qui comprend deux types de communautés : traditionnelles et diversifiées. Ces deux types se distinguent par la composition identitaire de la francophonie locale. Les francophones des communautés traditionnelles sont plus nombreux à descendre des souches fondatrices venues de France avant le XIXe siècle, alors que les francophones des communautés diversifiées comptent sur des contingents importants de francophones arrivés plus récemment au pays et de francophiles.

Tableau 4

Pondération des caractéristiques des communautés francophones selon le type

Type de communauté	Francité	Ancrage communautaire	Nouvelle francophonie	Identité francophile
Traditionnelle	5	0	-3	-1
Diversifiée	5	0	3	1
Volatile	-2	-5	-2	0
Globale	-2	-5	2	0
Assimilée	-2	2	-3	-2
Cosmopolite	-2	1	5	-1
Anglophone	-2	1	-1	5

Le deuxième groupe, qui comprend les communautés volatiles et globales, est caractérisé par un faible ancrage communautaire. La différence entre les communautés volatiles et globales est fondée sur le même critère que celui qui permet de distinguer les communautés traditionnelles et diversifiées. En effet, les communautés volatiles sont davantage composées de francophones de souche, tandis que les communautés globales comprennent des contingents plus importants de néo-Canadiens.

Le troisième groupe, qui comprend les trois types restants, est caractérisé par une faible francité et un fort ancrage territorial. Ces trois types se distinguent, eux aussi, par des critères identitaires. Les communautés assimilées[11] comprennent des francophones de souche, les communautés cosmopolites sont composées de la nouvelle francophonie et les communautés anglophones sont constituées de francophiles.

---

[11] Le choix de cet adjectif, très connoté, n'a pas été fait sans hésitation. « Assimilé » ne fait pas référence ici à une disparition locale inévitable, mais bien au fait que les francophones de ces communautés doivent évoluer dans un milieu où le français est peu présent et ne bénéficient pas de l'arrivée importante de nouveaux membres.

5.2 Classification

Chaque CFSM est maintenant assignée à un des sept types en fonction de son profil statistique. Pour ce faire, les valeurs de chaque critère sont pondérées par les valeurs du tableau 4 et additionnées. Ainsi, un indice composite est créé pour chaque type, représentant l'adéquation entre le profil de la CFSM et l'idéal-type. L'addition est facilitée par le fait que les valeurs des quatre critères, centrées-réduites, présentent des distributions quasi normales. De plus, pour s'assurer que tous les indices puissent obtenir des valeurs similaires, précisément neuf points de pondération (en valeur absolue) ont été attribués à chacun des idéaux-types.

Chaque CFSM a été assignée au type dont l'indice composite montre la plus forte valeur. Dans la majorité des cas, l'assignation est sans équivoque : un indice se démarque largement des autres. Dans d'autres cas, cependant, l'attribution est moins satisfaisante. Certaines CFSM présentent des valeurs quasi nulles pour tous les critères et ne montrent ainsi une filiation naturelle à aucun type. Dans d'autres cas, deux indices sont pareillement élevés et une légère différence aurait pu faire basculer la CFSM dans un type ou dans un autre. C'est d'ailleurs ce qui arrive lorsque les paramètres de regroupement sont modifiés. Ainsi, chaque groupe correspond à un idéal-type qui représente mieux certains de ses membres que d'autres.

Cette classification offre donc une image simplifiée, mais tout de même représentative de diverses situations vécues en francophonie minoritaire. Bien qu'elles ne comptent que 15 % des CFSM (717), les communautés diversifiées et traditionnelles regroupent 43 % des francophones en situation minoritaire (1 074 315). Ces types rassemblent toutes les CFSM caractérisées par une très grande francité, comme en témoignent leurs valeurs moyennes (tableau 5). Les autres types de communautés présentent tous des valeurs de francité négatives, inférieures à la moyenne.

Les valeurs centrées-réduites du tableau 5 facilitent les comparaisons entre les critères de différenciation, mais ne renvoient pas à des points de référence intuitifs. Certaines variables clés ayant servi au développement de ces critères sont présentées au tableau 6. On y remarque que les CFSM diversifiées et traditionnelles peuvent compter sur un environnement régional où le français est très présent (33 % et 43 % de francophones), comparativement aux autres communautés (moins de 9 % de francophones). Cette présence francophone se fait sentir par le fait que le quart des anglophones de ces communautés connaissent le français. Les communautés traditionnelles se distinguent par le fait que plus de la moitié des francophones y déclarent une origine ethnique française, alors qu'un seul francophone sur 50 est un immigrant, la plus faible proportion de tous les types de CFSM. Les autres résultats du tableau 6 confirment aussi l'adéquation entre la classification et les idéaux-types.

5.3 Répartition géographique

La répartition des sept types de CFSM sur le territoire canadien est présentée dans cette section. Les commentaires sont appuyés par les cartes 1 à 7.

Communautés traditionnelles – Si les CFSM traditionnelles présentent la francité moyenne la plus élevée de tous les types de communautés, elles comprennent aussi une francophonie très homogène, essentiellement composée de francophones de souche. Elles représentent plus du quart des francophones en situation minoritaire (666 335 francophones) et constituent le cadre de référence général lorsque l'on évoque les CFSM. En effet, en plus de représenter des milieux francophones établis de longue date, elles sont disséminées sur l'ensemble du territoire canadien, tant urbain que rural, et sont présentes dans toutes les provinces ainsi qu'au Yukon. Les principaux contingents sont toutefois situés en Ontario (151 CFSM et 310 840 francophones) et au Nouveau-Brunswick (145 CFSM et 268 720 francophones).

En Ontario, les CFSM traditionnelles sont principalement situées dans les régions forestières du Nord-Est et dans les régions agricoles du Sud-Est. Le Nord-Est inclut presque toutes les communautés qui bordent la route 11, de North Bay à Nipigon, et la route 17, de Mattawa à Blind River (incluant le Grand Sudbury). Le Sud-Est ontarien, frontalier de la région métropolitaine de Montréal, inclut la municipalité de Cornwall et quelques quartiers d'Ottawa (Vanier et Orléans; voir la carte 2). En fait, plusieurs quartiers de l'Est ottavien présentent des profils statistiques situés aux limites des communautés traditionnelles et diversifiées. Au Nouveau-Brunswick, les communautés traditionnelles occupent presque toute la région métropolitaine de Moncton, le littoral acadien de Shediac à Campbellton, le Nord-Ouest (Edmundston, Saint-Quentin, Grand-Sault) ainsi que les alentours de Fredericton (voir la carte 1).

Tableau 5

Types de communautés francophones, statistiques descriptives

Type de communauté	CFSM	Population	Francité	Ancrage	Nouvelle francophonie	Identité francophile
Traditionnelle	392	666 335	2,011	0,535	-1,073	-1,298
Diversifiée	325	407 980	1,435	-0,131	0,789	0,131
Volatile	809	269 165	-0,381	-1,079	-0,569	0,016
Globale	503	204 615	-0,283	-1,215	0,835	-0,126
Assimilée	817	292 720	-0,338	0,667	-0,714	-0,573
Cosmopolite	842	301 785	-0,283	0,204	1,373	-0,234
Anglophone	1 092	380 840	-0,317	0,550	-0,334	0,844
TOTAL	4780	2 523 440	0,000	0,000	0,000	0,000

Source : Microdonnées du recensement canadien de 2006.

Tableau 6

Types de communautés francophones, quelques variables

Type de communauté	Proportion régionale	Francisés	Ethnie française	Ethnie anglaise	Immigrants	Ancrage communautaire
Traditionnelle	42,7 %	25,9 %	52,1 %	27,0 %	1,9 %	76,9 %
Diversifiée	32,7 %	22,0 %	28,1 %	44,0 %	17,9 %	66,3 %
Volatile	8,0 %	5,6 %	34,9 %	44,9 %	6,8 %	51,4 %
Globale	8,1 %	7,1 %	19,1 %	32,2 %	28,8 %	49,2 %
Assimilée	8,5 %	4,7 %	44,4 %	37,3 %	6,7 %	78,9 %
Cosmopolite	8,1 %	5,8 %	13,9 %	23,0 %	33,8 %	71,6 %
Anglophone	8,6 %	7,1 %	24,7 %	57,0 %	8,5 %	77,1 %
TOTAL	12,8 %	8,8 %	29,8 %	39,6 %	14,6 %	68,4 %

Source : Microdonnées du recensement canadien de 2006.

Plusieurs autres communautés traditionnelles sont dispersées sur l'ensemble du territoire canadien : ouest de l'Île-du-Prince-Édouard, péninsule du Cap-Breton, sud-ouest de la Nouvelle-Écosse, Welland, en Ontario, Whitehorse, au Yukon, quelques communautés rurales des Prairies (notamment Sainte-Anne, au Manitoba, Saint-Louis, en Saskatchewan, et Falher, en Alberta) et quelques quartiers d'Halifax, de Saint John, de Winnipeg et d'Edmonton (voir les cartes 1 à 5).

Il est à noter que les communautés des grandes régions francophones de l'Ontario et du Nouveau-Brunswick se conforment mieux à l'idéal-type de la communauté traditionnelle. En effet, elles présentent des valeurs de francité nettement plus élevées que les communautés dispersées dans les autres régions canadiennes.

Communautés diversifiées – Un francophone sur six habite l'une des 325 CFSM diversifiées. Comme les communautés traditionnelles, les communautés diversifiées sont caractérisées par leur forte francité. Toutefois, contrairement aux communautés traditionnelles, elles ont des proportions élevées d'immigrants et de francophiles parmi les francophones. La majorité des CFSM diversifiées sont localisées dans la ville d'Ottawa (175 sur 325) et dans quelques municipalités voisines (7, dont Russell ; voir la carte 2). Les quartiers qui s'apparentent le plus à l'idéal-type sont situés près du centre (Centretown, marché By, Sandy Hill, Vanier) et à l'Est (Orléans). En s'éloignant vers l'ouest, la francité diminue et, avec elle, la force de l'indice composite de communauté diversifiée (voir la carte 7).

La plupart des autres CFSM diversifiées se situent dans la grande région de Toronto, principalement au centre de la ville de Toronto (voir la carte 3). Ces dernières sont caractérisées par des valeurs de francité positives mais qui ne dépassent pas 0,9, alors que la francité minimale pour une communauté diversifiée d'Ottawa est de 1,3 (la moyenne est de 2,3). Enfin, cinq quartiers de Vancouver ont été classés comme diversifiés, mais leur valeur de francité n'est que légèrement supérieure à zéro (voir la carte 6).

Communautés volatiles – Comme les communautés traditionnelles, les communautés volatiles sont principalement composées de francophones de souche. Elles s'en distinguent toutefois par leur faible francité et, surtout, par leur faible ancrage communautaire. Elles comptent aussi des effectifs francophones moins importants (269 165), malgré le fait qu'elles sont deux fois plus nombreuses. Un francophone sur neuf habite une des 809 CFSM volatiles.

Présentes dans toutes les provinces et tous les territoires, les communautés volatiles sont surreprésentées en Alberta, où 89 580 francophones habitent dans 230 CFSM. La plupart de ces dernières sont des quartiers de Calgary et d'Edmonton. Les autres correspondent aux agglomérations de Medicine Hat, de Lethbridge, de Red Deer, de Grande Prairie et de Wood Buffalo (voir la carte 5). Les communautés volatiles sont aussi fortement présentes en Colombie-Britannique (45 500 francophones) dans les agglomérations urbaines comme Victoria, mais aussi dans les milieux non métropolitains de la vallée de l'Okanagan et de Whistler (voir la carte 6).

Les CFSM volatiles sont surreprésentées dans les agglomérations urbaines de 50 000 à 500 000 habitants. Outre les agglomérations déjà mentionnées de l'Alberta et de la Colombie-Britannique, les communautés volatiles sont présentes dans des agglomérations comme Halifax (17 440 francophones), London (12 615) et Saskatoon (7905). Enfin, onze des seize CFSM des territoires ont été classées comme volatiles, y compris Yellowknife et Iqaluit.

Communautés globales – Le concept de communautés globales évoque celui de villes globales qui désigne de grandes agglomérations où se concentrent les activités liées à la finance et à la gestion de l'économie mondialisée. Les CFSM globales sont caractérisées par un faible ancrage communautaire et se distinguent des CFSM volatiles par le fait que plus du quart des francophones y sont des immigrants.

Elles sont très fortement concentrées dans les grandes régions métropolitaines, là où s'établissent la plupart des immigrants. Ainsi plusieurs francophones habitent les communautés globales de Toronto (79 605), de Vancouver (56 850), de Calgary (16 845) et d'Edmonton (15 235). Les autres communautés globales, habitées par 36 080 francophones, se situent dans des régions métropolitaines de plus de 100 000 habitants.

Communautés assimilées – Comme les communautés traditionnelles, les communautés assimilées sont composées principalement de francophones de souche (peu d'immigrants et peu de francophiles) et montrent un fort ancrage communautaire. La francité est le critère qui permet de distinguer les deux types de communautés, le fait français étant nettement plus reconnu dans les CFSM traditionnelles que dans les CFSM assimilées.

En fait, la limite statistique entre les communautés traditionnelles et les communautés assimilées n'est pas nette : il y a un gradient de francité et non une limite claire. Cette transition est perceptible dans l'organisation spatiale des communautés assimilées, qui sont nombreuses à se situer en bordure des communautés traditionnelles décrites précédemment : sud-ouest de la Nouvelle-Écosse, Cap-Breton, ouest de l'Île-du-Prince-Édouard, alentours de Welland (voir la carte 1).

D'autres communautés assimilées correspondent à des secteurs traditionnellement francophones, comme Sault-Sainte-Marie et Windsor (voir la carte 3). Les communautés assimilées sont particulièrement surreprésentées dans les Prairies, dans le sud du Manitoba, le nord de la Saskatchewan et dans la majeure partie de l'Alberta rurale (voir les cartes 4 et 5). Plus de la moitié des Fransaskois et des Franco-Albertains vivant en milieu rural habitent une communauté assimilée. En Colombie-Britannique, les communautés assimilées parsèment l'ensemble du territoire (voir la carte 6).

Communautés cosmopolites – Comme les communautés globales, les communautés cosmopolites sont caractérisées par une importante proportion d'immigrants francophones (un francophone sur trois). Elles s'en distinguent, cependant, par le fait qu'elles montrent un important ancrage communautaire. Les communautés cosmopolites sont fortement concentrées dans les grandes régions métropolitaines de Toronto (198 395 francophones) et de Vancouver (61 420). Dans les deux cas, les communautés globales sont surtout installées plus près du centre de l'agglomération, alors que les communautés cosmopolites en sont plus éloignées (voir les cartes 3 et 6).

Communautés anglophones – Les communautés anglophones comportent une importante population de francophiles, c'est-à-dire d'anglophones qui peuvent soutenir une conversation en français. Près d'un francophone sur sept (380 840) habite l'une des 1092 communautés anglophones. Ces dernières sont très présentes dans les provinces de l'Atlantique où elles regroupent 79 % des francophones de Terre-Neuve-et-Labrador, 54 % de ceux de l'Île-du-Prince-Édouard et 38 % de ceux de la Nouvelle-Écosse (voir la carte 1). Au Nouveau-Brunswick, les communautés anglophones rassemblent le plus grand nombre de francophones qui n'habitent pas une communauté traditionnelle.

Les communautés anglophones sont aussi très présentes dans les régions métropolitaines de Toronto (45 530), de Vancouver (35 295) et comptent plus de 10 000 francophones dans les agglomérations de Calgary, de Hamilton, d'Edmonton, de Victoria et de Winnipeg. Elles sont aussi fortement concentrées dans les milieux ruraux attenants aux régions métropolitaines.

6. Synthèse

La typologie développée dans cet article réduit sensiblement l'information statistique, passant de 4780 CFSM à sept catégories de communautés. Ces catégories résument les principales configurations des communautés francophones. Elles permettent aussi de cerner les différents défis auxquelles elles font face.

Les communautés diversifiées bénéficient d'un environnement favorable au français, en plus de profiter d'un dynamisme démographique marqué par la nouvelle francophonie et la francophilie. En revanche, elles se concentrent en grande partie dans la région d'Ottawa. Si la francité y est plus élevée que la moyenne des CFSM, la situation du français dans la capitale du Canada fait toujours l'objet d'inquiétudes. La situation du français dans les communautés diversifiées de Toronto est encore plus précaire.

Les communautés traditionnelles bénéficient d'un contexte qui favorise l'utilisation du français dans toutes les sphères de socialisation. Cependant, leur composition homogène et leur fort ancrage communautaire montrent qu'elles peinent à attirer de nouveaux membres. De plus, la francité varie fortement entre, d'une part, l'est et le nord du Nouveau-Brunswick et de l'Ontario et, d'autre part, le reste des Maritimes, le sud de l'Ontario et quelques communautés des provinces des Prairies où l'environnement linguistique est moins favorable. D'ailleurs, il n'y a pas une limite claire, mais un continuum de francité entre les communautés traditionnelles et les communautés assimilées. Ces dernières rassemblent quelques francophones de souche, sans parvenir à attirer d'autres types de francophones. La situation du français y est nettement moins favorable que dans les communautés traditionnelles.

Si les communautés volatiles (qui sont aussi composées de francophones de souche) sont en mesure d'attirer de nouveaux membres, l'ancrage communautaire et la francité y sont faibles. Ainsi, les francophones ne peuvent probablement pas compter sur des institutions et des réseaux aussi développés que dans les communautés traditionnelles. La situation est similaire pour les communautés globales et cosmopolites qui, elles, sont davantage composées de francophones issus de l'immigration. Enfin, les communautés anglophones sont essentiellement composées de francophiles. Le français y occupe donc une place clairement marginale, loin derrière l'anglais.

Plusieurs travaux seront nécessaires afin de clarifier les éléments qui composent la vitalité des différents types de CFSM. Nous suggérons quelques pistes d'analyse en guise de conclusion.

Les critères à la base de la typologie des CFSM que nous avons proposée dans cet article ont été sélectionnés en fonction de leur adé-quation aux concepts de lien social et d'identité. Pourtant, il est évident que la réalité des CFSM ne se résume pas à ces questions et que des aspects plus prosaïques influent sur le bien-être des francophones. À ce titre, le statut social, le confort matériel, l'épanouissement personnel, les conditions familiales et plusieurs autres dimensions devraient aussi être intégrées à l'analyse.

En ce qui concerne les CFSM, les tensions entre la vitalité linguis-tique et la vitalité économique alimentent un débat récurrent depuis plusieurs décennies (Gilbert, 2002; Heller, 2005). On se demande en effet si, suivant le vocabulaire proposé dans cet article, les communautés traditionnelles, durement affectées par les restructurations de l'écono-mie, n'offrent pas des possibilités d'épanouissement professionnel moins stimulantes que les communautés volatiles ou globales. Ces dernières, pourtant, n'offrent pas des conditions aussi favorables à la vitalité du français.

Ces déséquilibres socioéconomiques, qui méritent d'être documentés, sont possiblement à la source de mouvements migratoires qui partent des communautés traditionnelles vers les communautés volatiles ou globales. Comme il a déjà été mentionné, le faible ancrage communautaire de ces dernières peut signifier à la fois que la communauté est en forte croissance ou que plusieurs francophones n'y sont que de passage. Des analyses supplémentaires sont nécessaires pour distinguer ces cas de figure. Entre autres, il faudrait vérifier si le faible ancrage reflète un brassage permanent ou s'il témoigne d'une communauté naissante.

On peut aussi se demander si les migrants voient leur identité francophone ébranlée et, dans la foulée, si leur participation à la vie communautaire francophone s'en trouve affaiblie. Outre les données censitaires, les données de l'Enquête sur la vitalité des minorités de langue officielle pourront être mises à contribution. Ces données reposent sur un échantillon trop petit pour effectuer des analyses sur la plupart des CFSM. Toutefois, agrégées à l'un des sept types de communautés mentionnés dans la typologie, elles contiennent des informations pertinentes, notamment sur le parcours de vie, le vécu langagier, l'identité et les pratiques linguistiques.

Enfin, il serait souhaitable d'analyser l'évolution historique des CFSM. Les données censitaires étant disponibles de 1981 à 2011, il sera possible, par exemple, de déterminer si plusieurs communautés considérées comme traditionnelles en 1981 sont devenues des communautés assimilées en 2011. Ce faisant, il sera aussi possible de relever les facteurs qui, depuis trente ans, ont contribué à la vitalité des CFSM : croissance économique, vieillissement, migration, pratiques linguistiques, etc.

Chaque communauté est unique et les CFSM le sont également. Elles peuvent malgré tout être classifiées en un nombre restreint de catégories, chacune concordant plus ou moins fortement avec quelques stéréotypes. L'effort de classification mené dans cet article visait à offrir un portrait plus intelligible des différentes réalités vécues par les francophones en situation minoritaire. Cet éclairage, espérons-le, facilitera l'épanouissement de ces communautés.

Annexe

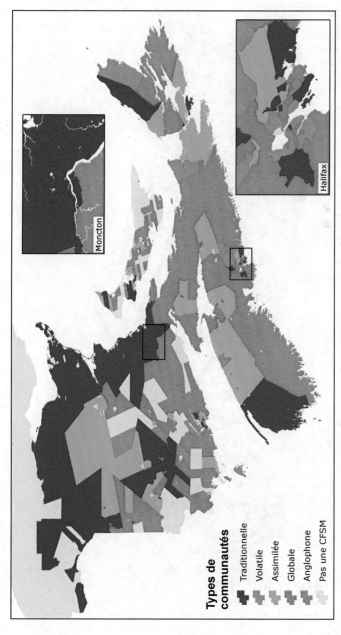

Carte 1 – Types de communautés dans les provinces maritimes et dans les villes de Moncton et d'Halifax

Types de communautés

- Traditionnelle
- Volatile
- Assimilée
- Globale
- Anglophone
- Pas une CFSM

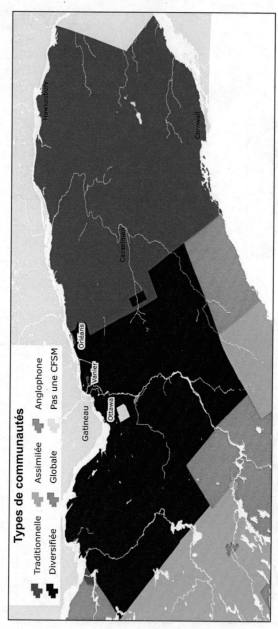

Carte 2 – Types de communautés dans l'Est ontarien

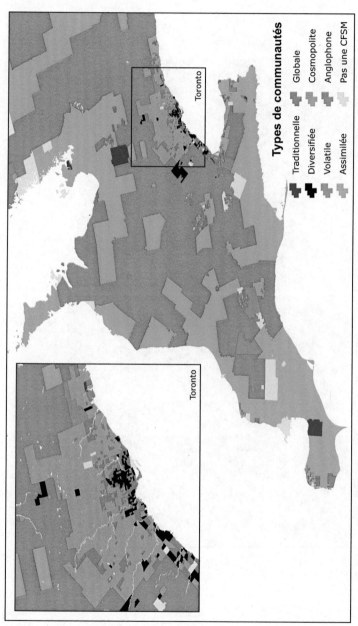

Carte 3 – Types de communautés dans le sud-ouest de l'Ontario et à Toronto

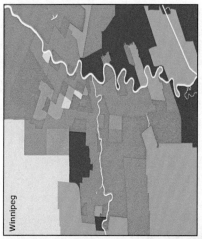

Types de communautés

Traditionnelle   Cosmopolite

Volatile   Anglophone

Assimilée   Pas une CFSM

Globale

Carte 4 – Types de communautés au Manitoba et à Winnipeg

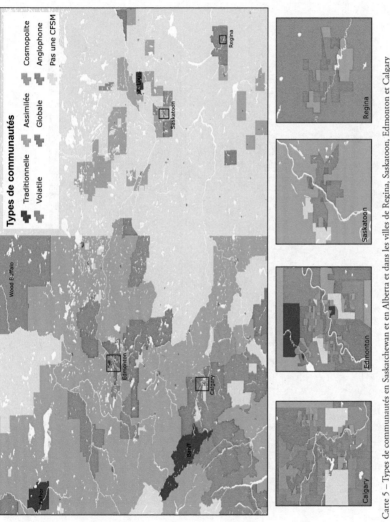

Carte 5 – Types de communautés en Saskatchewan et en Alberta et dans les villes de Regina, Saskatoon, Edmonton et Calgary

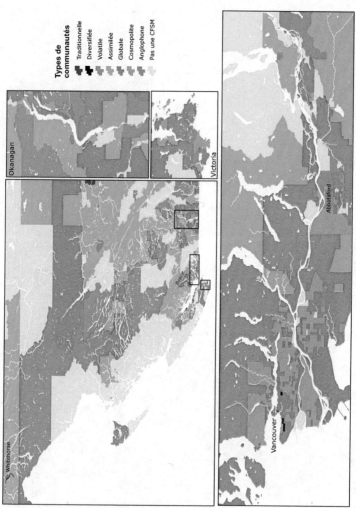

Carte 6 – Types de communautés en Colombie-Britannique, à Vancouver et Victoria, et dans la vallée de l'Okanagan

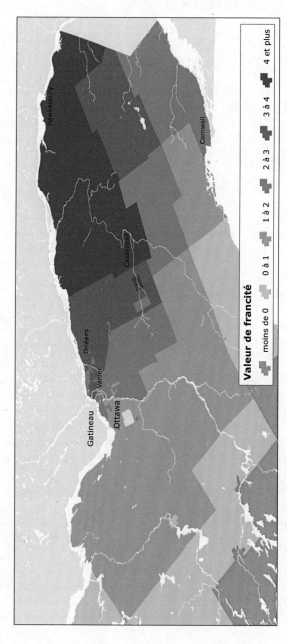

Carte 7 – Valeur de francité dans l'Est ontarien

BIBLIOGRAPHIE

BELKHODJA, Chedly, Christophe TRAISNEL et Mathieu WADE (2012). *Typologie des communautés francophones en situation minoritaire du Canada*, Ottawa, Citoyenneté et Immigration Canada.

BISSON, Ronald, Sylvie LAFRENIÈRE et Charles DRAPER (2010). *Portrait démographique de l'Alberta (rapport détaillé)*, Ronald Bisson et associé.e.s and Associates Inc, consultant en gestion.

CANADA. MINISTÈRE DU PATRIMOINE CANADIEN ET DES LANGUES OFFICIELLES (2013). *Éducation, immigration, communautés : feuille de route pour les langues officielles du Canada 2013-2018*, Gatineau, Le Ministère, sur le site de *Bibliothèque et Archives Canada*, [http://epe.lac-bac.gc.ca/100/201/301/liste_hebdomadaire/2013/ electronique/w13-16-U-F.html/collections/collection_2013/pc-ch/CH14-31-2013-fra.pdf].

CASTONGUAY, Charles (2005). « Vitalité du français et concentration des francophones : un bilan 1971-2001 », *Francophonies d'Amérique*, n° 20 (automne), p. 15-24.

CHARAUDEAU, Patrick (2009). *Identité linguistique, identité culturelle : une relation paradoxale*, sur le site de *Patrick Chauraudau – Livres, articles, publications*, [http://www. patrick-charaudeau.com/Identite-linguistique-identite.html] (9 décembre 2014).

CHRISTOFIDES, Louis N., et Robert SWIDINSKY (2010). « The Economic Returns to the Knowledge and Use of a Second Official Language: English in Quebec and French in the Rest-of-Canada », *Canadian Public Policy = Analyse de politiques*, vol. 36, n° 2 (juin), p. 137-158.

COMMISSARIAT AUX LANGUES OFFICIELLES (2013). *Rapport annuel 2012-2013*, Ottawa, Ministre des Travaux publics et des Services gouvernementaux Canada, sur le site du *Commissariat*, [http://www.officiallanguages.gc.ca/fr/publications/rapports_ annuels/index].

EDWARDS, John (2013). *Sociolinguistics: A Very Short Introduction*, New York, Oxford University Press.

FÉDÉRATION DES COMMUNAUTÉS FRANCOPHONES ET ACADIENNE (2011). *Profils des communautés francophones et acadiennes du Canada*, sur le site de la *Fédération*, [http://profils.fcfa.ca].

FORGUES, Éric (2008). *Le développement économique des communautés francophones en situation minoritaire : étude de cas du Réseau de développement économique et d'employabilité (RDÉE)*, Moncton, Institut canadien de recherche sur les minorités linguistiques, [En ligne], [http://observatoiregouvernance.ca/documents/forgues_ rapport.pdf].

GILBERT, Anne (2002). « La diversité de l'espace franco-ontarien : un défi au développement », dans Jean-Pierre Wallot (dir.), *La gouvernance linguistique : le Canada en perspective*, Ottawa, Les Presses de l'Université d'Ottawa, collection « Amérique française », p. 57-75.

GILBERT, Anne (2010). « Paysage linguistique et vitalité communautaire : une réflexion inspirée de la francophonie ontarienne », dans Anne Gilbert (dir.), *Territoires francophones : études géographiques sur la vitalité des communautés francophones du Canada*, Québec, Éditions du Septentrion, p. 90-107.

GROUPE DE DÉVELOPPEMENT CONSORTIA (2015). *Les indicateurs de vitalité des communautés de langue officielle en situation minoritaire 3 : trois communautés francophones de l'Ouest canadien*, sur le site du *Commissariat aux langues officielles*, [http://www.ocol-clo.gc.ca/fr/publications/etudes/2010/indicateurs-vitalite-communautes-langue-officielle-situation-minoritaire-3-trois-communautes].

HELLER, Monica (2005). « Une approche sociolinguistique à l'urbanité », *Revue de l'Université de Moncton*, vol. 36, n° 1, p. 321-346.

JOHNSON, Marc L., et Paule DOUCET (2006). *Une vue plus claire : évaluer la vitalité des communautés de langue officielle en situation minoritaire*, Ottawa, Ministre des Travaux publics et des Services gouvernementaux Canada.

LACHAPELLE, Réjean, et Jean-François LEPAGE (2010). *Les langues au Canada : recensement de 2006*, en collaboration avec Patrimoine canadien et Statistique Canada, Gatineau, Patrimoine canadien.

LAMOUREUX, Sylvie A., et Megan COTNAM (dir.) (2012). *Prendre sa place : parcours et trajectoires identitaires en Ontario français*, Ottawa, Éditions David.

LANGLOIS, André, et Anne GILBERT (2006). « Typologie et vitalité des communautés francophones minoritaires au Canada », *Le Géographe canadien*, vol. 50, n° 4 (hiver), p. 432-449.

LANGLOIS, André, et Anne GILBERT (2010a). « La présence française : une typologie des communautés francophones minoritaires du Canada », dans Anne Gilbert (dir.), *Territoires francophones : études géographiques sur la vitalité des communautés francophones du Canada*, Québec, Éditions du Septentrion, p. 19-31.

LANGLOIS, André, et Anne GILBERT (2010b). « Mesure et géographie de la francophonie torontoise », dans Anne Gilbert (dir.), *Territoires francophones : études géographiques sur la vitalité des communautés francophones du Canada*, Québec, Éditions du Septentrion, p. 78-89.

LEFEBVRE, Marie (2010a). « Entre racines et mouvement : l'identité dans la francophonie canadienne », dans Anne Gilbert (dir.), *Territoires francophones : études géographiques sur la vitalité des communautés francophones du Canada*, Québec, Éditions du Septentrion, p. 108-126.

LEFEBVRE, Marie (2010b). « Moncton : identité bilingue et capital linguistique », dans Anne Gilbert (dir.), *Territoires francophones : études géographiques sur la vitalité des communautés francophones du Canada*, Québec, Éditions du Septentrion, p. 191-208.

LEFEBVRE, Marie (2010c). « Identité et territoire dans l'Acadie contemporaine », dans Anne Gilbert (dir.), *Territoires francophones : études géographiques sur la vitalité des communautés francophones du Canada*, Québec, Éditions du Septentrion, p. 308-335.

LÉVY, Jacques (2003). « Communauté », dans Jacques Lévy et Michel Lussault (dir.), *Dictionnaire de la géographie et de l'espace des sociétés*, Paris, Éditions Belin, p. 177-178.

MARMEN, Louise (2005). « Les statistiques linguistiques du recensement comme outil de mesure de la vitalité des communautés francophones en situation minoritaire », *Francophonies d'Amérique*, n° 20 (automne), p. 25-36.

MOUSSEAU, Christine (2010). « Les entreprises franco-ontariennes, institutions de langue française ? », dans Anne Gilbert (dir.), *Territoires francophones : études géographiques sur la vitalité des communautés francophones du Canada*, Québec, Éditions du Septentrion, p. 148-170.

PUTNAM, Robert D. (2000). *Bowling Alone: the Collapse and Revival of American Community*, Toronto, Simon & Schuster.

RICHARDS, Mary (2012). « Les jeunes, la mondialisation, le bilinguisme et le milieu scolaire francophone », dans Sylvie A. Lamoureux et Megan Cotnam (dir.), *Prendre sa place : parcours et trajectoires identitaires en Ontario français*, Ottawa, Éditions David, p. 85-105.

SCHRECKER, Cherry (2006). *La communauté : histoire critique d'un concept dans la sociologie anglo-saxonne*, Paris, L'Harmattan.

SHAW, Clifford R., et Henry D. McKAY (1942). *Juvenile Delinquency in Urban Areas: a Study of Rates of Delinquents in Relation to Differential Characteristics of Local Communities in American Cities*, Chicago, University of Chicago Press.

STATISTIQUE CANADA (2011-2015). *Portrait des minorités de langue officielle au Canada*, sur le site de *Statistique Canada*, [http://www5.statcan.gc.ca/olc-cel/olc. action?ObjId=89-642-X&ObjType=2&lang=fr&limit=1].

STATISTIQUE CANADA (2014). *Portrait des minorités de langue officielle au Canada : version intégrale*, [vidéo], 28 min 46 s, sur le site de *Statistique Canada*, [http://www.statcan. gc.ca/about-apercu/video/polmc-spmloc-fra.html].

Recensions

Wim Remysen (dir.), *Les français d'ici : du discours d'autorité à la description des normes et des usages,* **Québec, Les Presses de l'Université Laval, coll. « Les voies du français », 2014, 344 p.**

Publié aux Presses de l'Université Laval dans la collection « Les voies du français », qui héberge des ouvrages portant sur le français et les communautés francophones d'Amérique du Nord envisagées dans une perspective historique et linguistique, ce volume réunit 14 études linguistiques et sociolinguistiques consacrées à plusieurs francophonies nord-américaines.

La première partie du titre rappelle qu'en amont de cette publication il y a eu la tenue du colloque bisannuel *Les français d'ici.* Cet événement fait une place à la présentation de travaux aux approches théoriques et méthodologiques très diversifiées. Ce faisant, il constitue, en Amérique du Nord, l'une des plateformes les plus inclusives de diffusion du savoir en linguistique, discipline par ailleurs réputée pour son caractère éclaté. C'est sans doute en raison de la situation particulière dans laquelle se trouve le français en Amérique du Nord qu'une telle conciliation, permettant par le fait même des éclairages multiples, a su faire son chemin. Qui connaît bien les situations des francophonies nord-américaines ne peut, en effet, que prendre acte du fait que, pour tenter de comprendre les dynamiques qui ont cours « ici », l'étude conjointe des pratiques langagières et des dynamiques sociolinguistiques au sein desquelles ces pratiques prennent forme, évoluent et se transforment est fondamentale.

Chaque publication issue de ces colloques (celui de Kingston : Martineau *et al.,* 2009 ; celui d'Ottawa : LeBlanc, Martineau et Frenette, 2010 ; celui de Montréal : Bigot, Friesner et Tremblay, 2013) contribue donc à éclairer la francophonie nord-américaine, tout comme elle offre une occasion de saisir quelques grandes lignes de force de la production du savoir sur le français d'ici. De publication en publication, la succession de ces volumes atteste une évolution, une ouverture toujours plus grande. De plus en plus de situations que l'on retrouve dans la francophonie sont analysées ; si le premier opus de la série était presque exclusivement consacré au Québec et à l'Ontario, nous voyons dans ce dernier volume un « ici » aux horizons très larges. Tout d'abord, la place de l'Acadie semble définitivement acquise. Avec leur contribution Mourad Ali-Khodja et Émilie Urbain (p. 15-35) nous montrent, à partir de l'analyse de lettres puisées dans le fonds d'archives Valentin-Landry, que la notion de langue sans religion, aujourd'hui référent central de l'identité acadienne, était déjà en germe à la fin du XIXᵉ siècle dans le discours nationaliste. Les États-Unis aussi sont désormais bien représentés quand il est question de francophonie d'ici, comme en témoigne l'article de Cynthia A. Fox (p. 177-203) consacré au lexique de deux communautés franco-américaines : Jay-Livermore-Falls, au Maine, et Woonsocket, au Rhode Island. Autre ouverture, celle que nous offre André Thibault (p. 163-176) sur le français qui a cours dans les Antilles. Le chercheur nous rappelle la pertinence d'un tel domaine de recherche (déjà exploré par certains créolistes) en mettant en évidence des particularismes lexicaux relevés aussi bien aux Antilles qu'en Louisiane, montrant ainsi que, si par habitude la recherche a longtemps rapproché le français louisianais et le français canadien, acadien surtout, d'autres rapprochements pourraient se révéler féconds. Toujours en ce qui a trait à l'inclusion, nous trouvons des incursions sur d'autres continents, essentiellement dans des optiques comparatives. Les rapprochements opérés peuvent avoir pour objet aussi bien les usages, les discours métalinguistiques que les politiques linguistiques. Ainsi, Cristina Brancaglion (p. 85-103) propose une analyse des préfaces des premiers glossaires et dictionnaires publiés au Québec et en Suisse à partir de la deuxième moitié du XIXᵉ siècle. Pierre-Don Giancarli (p. 311-335) envisage l'évolution et le fonctionnement de la structure superlative négative *c'est le plus... qu'il n'y a pas* en Acadie et au Québec, en comparaison avec la France. Marie-Louise Moreau (p. 37-58), quant à elle, s'intéresse aux débats qu'ont suscités les politiques linguistiques portant sur le corpus du français. La question de la féminisation de noms d'agent est alors mise en rapport avec celle de la réforme de l'orthographe, notamment dans le but de montrer comment en divers endroits de la francophonie le succès ou l'échec de telles politiques linguistiques dépend de la fermeté de l'engagement des autorités et de la cohérence du discours prôné par les partisans des réformes. Enfin, comparaison moins attendue, la contribution de Sandrine Tailleur et Ailís Cournane (p. 291-309) nous propose d'amener l'analogie en dehors du domaine francophone. En établissant des parallèles entre les formes interrogatives *est-ce que* en français du Québec et *é que* en portugais du Brésil, les auteures entendent avant tout montrer une certaine universalité dans l'application des processus, en l'occurrence ici le phénomène de la grammaticalisation. Si cela est tout à fait conforme à la théorie générativiste, ces mêmes chercheures, représentantes d'une nouvelle génération de générativistes, soulignent pour finir qu'en matière d'évolution de la langue les facteurs sociaux doivent être pris en compte. C'est précisément parce que nous avons là deux variétés de langue partageant nombre de caractéristiques sociohistoriques que la comparaison a été possible. Signalons ici un autre article consacré à la syntaxe, celui de Heather Burnett et Mireille Tremblay (p. 261-290) dans lequel l'adverbe québécois *pantoute* est l'objet d'une étude où, comme souvent dans les travaux de Tremblay, la dimension historique est particulièrement bien documentée. À côté de ces deux études inscrites dans une perspective générativiste, on trouve encore dans cet ouvrage, deux contributions rattachées à un autre domaine majeur de la linguistique canadienne, le champ de la sociolinguistique variationniste. Conformément aux façons de faire de cette école, les usages linguistiques sont corrélés à certaines catégorisations sociales. Hélène Blondeau (p. 205-239) mise sur le facteur de l'ethnicité, jusqu'à présent largement négligé, pour rendre compte de la variation au sein de la communauté montréalaise assurément marquée par la diversité des origines. Anika Falkert (p. 241-259) examine les données d'un corpus de la Minganie (Basse-Côte-Nord) concernant les « R occlusifs » en tenant compte d'un triple conditionnement, à la fois géographique, contextuel et social. Elle montre surtout, comme a pu le faire William Labov dans sa célèbre enquête à Martha's Vineyard, qu'en matière d'usage linguistique, la force identitaire que l'on prête à un trait phonétique peut jouer un grand rôle dans la prononciation individuelle.

Par ailleurs, la réflexion sur le traitement des traits linguistiques locaux dans les dictionnaires produits ici occupe une place de choix dans ce volume. La portée du « *ici* » est essentiellement circonscrite au Québec dont l'apport dans le domaine des dictionnaires est des plus remarquables. Bien que des linguistes québécois aient collaboré à de vastes entreprises lexicographiques, désormais il s'agit moins pour eux de mettre en place de nouveaux chantiers que de proposer un regard réflexif sur les outils lexicographiques disponibles. Ainsi, aussi bien Danielle Turcotte (p. 129-139) que Hélène Cajolet-Laganière et Serge D'Amico (p. 141-162) nous offrent des analyses sur la façon dont sont traités québécismes et anglicismes dans des ouvrages auxquels ils ont eux-mêmes contribué. Considérant le besoin exprimé par les Québécoises et les Québécois d'établir une norme, Danielle Turcotte souligne les défis qui se posent à son employeur, l'Office québécois de la langue française, la rédaction ou la révision des fiches qui nourrissent *Le grand dictionnaire terminologique* de l'Office, tandis que les deux chercheurs sherbrookois expliquent les choix de l'équipe Franqus en matière de traitement des anglicismes dans leur première mouture d'*Usito*[1]. Ce sont enfin deux analyses du point de vue des usagers de dictionnaires qui sont amenées par Chiara Molinari (p. 105-125) et Alexandra Tremblay-Desrochers (p. 59-83). Alors que la première propose une réflexion sur les représentations du français québécois que peuvent véhiculer des dictionnaires conçus au Québec auprès d'apprenants du français langue seconde en Europe, Tremblay-Desrochers s'intéresse aux modalités et aux finalités du recours aux dictionnaires produits en France par le chroniqueur québécois Gérard Dagenais, connu pour ses positions exogénistes en matière de norme.

Au terme de cette tentative pour rendre au mieux le contenu composite de cette publication, il ne faut pas oublier de souligner la présentation du volume (p. 1-12) proposée par le directeur de la publication, Wim Remysen. Il réussit de façon convaincante à faire ressortir les grandes lignes communes qui caractérisent la production du savoir sur les français d'ici.

Bibliographie

BIGOT, Davy, Michael FRIESNER et Mireille TREMBLAY (dir.) (2013). *Les français d'ici et d'aujourd'hui : description, représentation et théorisation*, Québec, Les Presses de l'Université Laval, collection « Les voies du français ».

LEBLANC, Carmen, France MARTINEAU et Yves FRENETTE (dir.) (2010). *Vues sur les français d'ici*, Québec, Les Presses de l'Université Laval, collection « Les voies du français ».

---

[1]   Le corpus à l'étude dans cet article est plus précisément le *Dictionnaire de la langue française : le français vu du Québec*, réalisé par le groupe de recherche Franqus et diffusé en ligne gratuitement à titre de version pilote entre 2009 et 2013. *Usito* désigne la nouvelle version du dictionnaire mis à jour et commercialisé en 2013 [www.usito.com].

MARTINEAU, France, *et al.* (2009). *Le français d'ici : études linguistiques et sociolinguistiques sur la variation du français au Québec et en Ontario*, Toronto, Éditions du GREF, collection « Theoria ».

Laurence Arrighi
Université de Moncton

Yves Frenette, Étienne Rivard et Marc St-Hilaire (dir.), *La francophonie nord-américaine*, Québec, Les Presses de l'Université Laval, coll. « Atlas historique du Québec », 2013, 304 p.

L'édifice du savoir comprend plusieurs composantes. On pense le plus souvent et le plus spontanément aux piliers et aux poutres qui lui permettent de s'élancer vers les cieux, c'est-à-dire aux monographies et aux articles spécialisés. Ces derniers, à la fine pointe de la science, font croître la somme des connaissances humaines. Tout en reconnaissant l'importance de ceux-ci, il y a lieu de rappeler les rôles certes plus terre-à-terre, mais combien fondamentaux, des portes permettant d'accéder à l'édifice. Nous évoquons bien entendu les ouvrages de référence. Fréquemment sous-valorisé dans le monde universitaire, ce genre possède pourtant des fonctions essentielles, dont celles de susciter la curiosité (voire des vocations) et de permettre au plus grand nombre de participer intelligemment aux discussions scientifiques et aux débats publics qui en découlent.

Avec *La francophonie nord-américaine*, Yves Frenette, Étienne Rivard et Marc St-Hilaire nous offrent une porte vaste, invitante et accessible – mais néanmoins savante – sur l'histoire et la géographie du fait français en Amérique du Nord. L'ouvrage collectif rassemble les contributions de trente-six auteurs venant de multiples champs d'études. La somme de connaissances amassées est tout simplement phénoménale et dépasse de loin ce qu'aurait pu offrir n'importe quel individu ou groupe éditorial restreint. Car il ne faut pas s'y méprendre : si les articles signés ici sont courts, ils sont néanmoins des produits spécialisés, et cela se sent. Pas de généralisations vagues ici ; tout est richement documenté et raconté avec précision.

Cette parution ajoute à la collection « Atlas historique du Québec » un ouvrage rappelant avec éloquence que les Canadiens français du Québec ont depuis toujours fait partie d'un univers culturel qui débordait les frontières provinciales. Et combien vaste et riche est cet univers !

Disons-le tout de suite : le volume fait rêver. Il rend facile et agréable de goûter non seulement au vécu, au quotidien, mais aussi à la destinée d'une variété surprenante de communautés, dont certaines seront forcément moins familières que d'autres au lecteur. Qu'il est enivrant de parcourir le continent – et les siècles – à pas de géant! Voyageurs faisant le pont entre le Saint-Laurent et la Louisiane par l'entremise du Pays des Illinois, trappeurs et charretiers canadiens-français établissant des empires commerciaux au Nouveau-Mexique, Métis fondant un véritable pays à l'ouest des Grands Lacs, Acadiens, Gaspésiens, Madelinots, Saint-Pierrais et Anglo-Normands sillonnant tous les recoins du golfe du Saint-Laurent, ouvriers canadiens-français des « petits Canadas » en Nouvelle-Angleterre... la brochette de personnages est impressionnante par sa diversité.

Toutefois, l'intérêt principal de ce volume se situe dans les bouchées qu'il propose, qui, si elles sont faciles à avaler, sont aussi plus rassasiantes que les entrées de la plupart des ouvrages de référence. Il y a là un équilibre difficile entre la complétude et l'accessibilité, que les éditeurs du volume ont su trouver. Au-delà de simples points de repère, les textes offrent aux lecteurs une compréhension élémentaire, mais réelle, des dynamiques démographiques, socioéconomiques, politiques et militaires présentes dans les régions explorées.

Les renvois aux sources sont discrets. L'ouvrage n'en est pas moins solidement documenté. Chacun des textes est accompagné de la liste des études sur lesquelles il s'appuie principalement. Les sources ont droit à des notes. L'ouvrage est abondamment et richement illustré, et son charme doit beaucoup à la recherche iconographique d'Émilie Lapierre Pintal, de Jeannette Larouche et de Stéphane Harrison, du Centre interuniversitaire d'études québécoises (CIEQ) de l'Université Laval. Qui plus est, l'intégration des images dans la mise en pages est tout simplement sublime. Il est rare de voir un ouvrage réunir les qualités du livre savant et du « beau livre ». Voici une exception.

Chaque chapitre contient un ensemble de textes qui balaie le continent « de la façade atlantique vers l'intérieur » (p. 2) ainsi qu'une introduction utile permettant de situer les histoires qu'il renferme dans une trame géopolitique plus large. Les contributions sont de longueurs variées, allant d'une à dix pages. Chacune est accompagnée d'une carte ainsi que d'un ou de deux encadrés en présentant les points saillants et les idées principales.

Le premier chapitre, contenant dix articles, couvre tous les « premiers foyers de peuplement » jusqu'à la Conquête, incluant non seulement « l'ancienne Acadie », la Gaspésie et la vallée laurentienne, mais aussi des lieux périphériques tels que les colonies militaires et commerciales de Plaisance et de l'Île Royale ainsi que les postes, missions et forts des Pays d'en haut, des Louisianes et du Pays des Illinois.

Le deuxième chapitre couvre la période allant de la Conquête à la veille de la Confédération et met l'accent sur l'agriculture, le commerce et les migrations. Trois thématiques s'en dégagent : l'apparition de nouvelles aires de peuplement francophones au Bas-Canada (le Témiscouata, les Cantons de l'Est), la fondation et le renouvellement des francophonies se trouvant hors du Bas-Canada (les « nouvelles Acadie », le Madawaska, la Louisiane, les pays métis), puis la persistance de la présence francophone dans l'Ouest américain.

Le troisième chapitre, intitulé « Les grandes migrations », nous transporte jusqu'aux années 1920. Réunissant dix-huit textes qui totalisent cent pages, c'est de loin le chapitre le plus long. On l'aura deviné, la diaspora canadienne-française forme l'axe central de ce chapitre, dans lequel on suit son extension de la vallée laurentienne jusqu'en Ontario, dans les grandes plaines canadiennes, sur les terres fertiles du Midwest américain et dans les villes industrielles de la Nouvelle-Angleterre. On trouve aussi des textes plus thématiques examinant les institutions et les défis partagés par ces communautés (les paroisses, les mutuelles, les conflits ecclésiastiques). L'histoire des francophones du golfe du Saint-Laurent et de la Louisiane ainsi que celle des Métis ne sont pas oubliées.

Les chapitres 4 et 5, couvrant respectivement les périodes allant de 1920 à 1960 et de 1960 à aujourd'hui, prennent l'allure de bilans plus conventionnels, l'essentiel des textes étant consacré à des portraits régionaux (les Acadiens, les Franco-Ontariens, les francophones du Nord-Ouest, les Louisianais, les Franco-Terreneuviens). Un article synthèse de Marcel Martel portant sur le projet national et le réseau institutionnel canadiens-français, puis un texte de Normand Perron sur « les nouvelles tendances migratoires des Québécois » closent le chapitre 4, alors que le chapitre 5 est bonifié d'un portrait dans le temps des francophones de la ville industrielle de Welland (Ontario) et d'une lecture globale des « Mutations de la francophonie contemporaine » signée par les trois directeurs du volume.

La plupart des chapitres comportent aussi un texte portant sur l'immigration francophone venue d'Europe et ses apports aux diverses francophonies du continent, y compris la québécoise. De manière plus générale, on peut dire que le volume privilégie les thématiques de la démographie, des migrations, de l'occupation du territoire et, dans une moindre mesure, des « modes de vie ». Ce choix se défend très bien ; il s'agit après tout d'un atlas, et il est normal que les préoccupations plus géographiques y soient centrales. Ce choix se défend d'autant mieux qu'il est pleinement assumé et que, malgré tout, l'ouvrage propose des textes globaux et équilibrés, c'est-à-dire ne négligeant pas de présenter une trame de fond politique et géopolitique, qui permettent de situer les communautés examinées dans la « grande histoire ».

Malheureusement, à quelques reprises, on a négligé d'équilibrer ainsi la narration, ou on ne l'a pas fait suffisamment. Contentons-nous d'un exemple. Dans le chapitre portant sur l'Acadie des années 1871-1921, l'évolution et les tendances démographiques sont observées sous toutes leurs coutures, mais aucune mention n'est faite ni de la crise scolaire néo-brunswickoise ni de la longue série de « Conventions nationales » acadiennes organisées à partir de 1881. Bref, on ne retrouve aucun signe du fait que, durant cette période, les Acadiens sortent de la marginalité, se dotent d'une élite, d'institutions politiques et d'une idéologie à visée nationale. Souhaiter ne pas mettre ce genre de développement au centre de son analyse est un choix légitime. Négliger de les mentionner, en revanche, c'est peindre un portrait bien incomplet de l'évolution de ce groupe culturel.

Ce regret ne doit pas faire oublier que *La francophonie nord-américaine* réussit sans conteste à répondre au défi, pourtant considérable, de faire « découvrir aux lecteurs toute la richesse et la diversité de l'expérience multiséculaire des francophones d'Amérique du Nord » (p. 2). Ce volume est non seulement, et de loin, la meilleure porte d'entrée de ce vaste sujet, mais aussi un ouvrage de référence incomparable pour tout spécialiste. Pas mal du tout pour un livre que vous voudrez exposer dans votre salon.

Joel Belliveau
Université Laurentienne

Jean Forest, *Le grand glossaire des archaïsmes, régionalismes et autres* *populismes venus de France tels qu'ils se retrouvent dans la langue des* *Québécois,* Montréal, Les Éditions Triptyque, 2013, 468 p.

Le grand glossaire des archaïsmes, régionalismes et autres populismes venus de France est le dernier volume d'un triptyque qui a pour but de recenser les traits langagiers du français québécois. Précédé du *Grand glossaire des anglicismes* (2008 ; réédité en 2011) et du *Grand glossaire du français de France* (2010), ce troisième ouvrage de Jean Forest s'intéresse tant aux formes lexicales qu'aux expressions et traits de prononciation qui constituent des héritages de la France. L'auteur affirme, en effet, vouloir relever les canadianismes « importés par nos ancêtres et préservés ici depuis plus de trois siècles », afin de les départager des néologismes « engendrés ici même » (p. 9). Pour repérer les mots venus de France, l'auteur affirme avoir dépouillé des dictionnaires généraux et des glossaires des parlers de France ainsi que « la littérature française elle-même et ce, depuis sa naissance au XIᵉ siècle avec *La Chanson de Roland* » (p. 9). Le lecteur trouvera ainsi, à la suite du mot-vedette, une courte glose (souvent facultative) « en français moderne » (p. 10), elle-même suivie de citations extraites des ouvrages susmentionnés. Intercalées dans la nomenclature se trouvent des « capsules de mises au point » qui éclairent « certains thèmes reliés à la langue » (p. 11). La bibliographie comprend un peu plus de 150 titres, essentiellement des dictionnaires, des glossaires et des œuvres littéraires françaises. En revanche, très peu d'ouvrages sont consacrés au français québécois[1] ; seuls le *Dictionnaire canadien-français* (1894) de Sylva Clapin, le *Dictionnaire de nos fautes contre la langue française* (1896) de Raoul Rinfret, le *Glossaire du parler français au Canada* (1930), ou GPFC, de la Société du parler français au Canada, et le *Dictionnaire historique du français québécois* (1998) de Claude Poirier figurent en référence. L'auteur a-t-il établi sa nomenclature à partir de ceux-ci ? Difficile de l'affirmer, puisque Forest lui-même n'explicite pas sa méthodologie. Peut-être juget-il ce renseignement superflu puisque son ouvrage ne se destine pas aux spécialistes de la langue : « Ce glossaire se propose essentiellement de procurer un intense plaisir aux amants du français, au nombre desquels je me range » (p. 12).

---

[1]   La lexicographie québécoise regroupe près de 275 ouvrages (Farina, 2001).

Si l'intention est louable et l'enjeu scientifique du travail presque nul, il n'en demeure pas moins que l'on peut s'interroger sur les moyens adoptés par l'auteur pour élaborer son glossaire. Commençons par l'emploi même du mot *glossaire* dans le titre. Assurément, il détonne dans le paysage lexicographique québécois actuel : en effet, il ne se publie plus de glossaire au Québec, et ce, depuis fort longtemps. Il se trouve, néanmoins, que l'emploi de ce terme reflète très adéquatement le contenu de l'ouvrage. Écarté depuis 1930, soit l'année où fut publié le GPFC, pièce maîtresse de la lexicographie québécoise, le terme *glossaire* projette désormais une image passéiste du Québec et du français qu'on y parle (Mercier, 2008 : 79). Dans cette perspective, l'ouvrage de Forest répond de façon générale aux attentes que l'on peut avoir envers cette pratique : nomenclature « paysanne » (comme *besson* « jumeau », *capot* « manteau », *dérocher* « enlever les roches », *désamain* « de façon incommode », *jouquer* « jucher »…), définitions synonymiques (par exemple, l'auteur remplace *se gréyer* par « se fringuer »), précisions phonétiques ou grammaticales facultatives. L'ouvrage s'inscrit en outre dans le prolongement du courant idéologique qui a pris naissance au XIXᵉ siècle, lequel voulait assurer la sauvegarde du français au Canada en privilégiant les formes françaises au détriment des tournures canadiennes. L'auteur émet le souhait que la « matière [de son ouvrage] permett[e] de reprendre la question du "mauvais langage", du "relâchement" et surtout du "joual", dont on retrouvera ici, anglicismes mis à part, l'essentiel en provenance directe de France! » (p. 12)

L'ouvrage se caractérise toutefois par l'absence marquée de renseignements essentiels dont, au premier chef, les informations relatives aux autres termes du titre. En effet, les archaïsmes, régionalismes et autres « populismes » ne sont pas explicitement signalés par l'auteur. Le lecteur doit déduire le statut des mots de l'entrée en parcourant les citations extraites de diverses sources. Il est dommage aussi que l'auteur n'ait pas jugé utile de préciser l'ensemble des sens québécois des mots qu'il recense (voir, par exemple, les entrées *adon, adonner, bord* ou *prélart*) car, outre les néologismes, c'est aussi l'éventail sémantique tout à fait original par rapport au français de référence qui donne au français québécois un aspect remarquable.

Illustrons notre propos par un exemple : sous l'entrée GARCETTE, non glosée, on peut lire : « *Instrument avec lequel on frappait sur le dos nu des matelots qui avaient encouru un châtiment. Littré. Ancienn. Petite tresse faite de vieux cordages avec laquelle on fustigeait les marins punis lorsque les châtiments corporels étaient encore en vigueur.* G[rand] R[obert]. » *Garcette* est-il un archaïsme ou un régionalisme? Ni l'un ni l'autre, puisque ce terme est resté dans la sphère du vocabulaire spécialisé, en France. Autrement dit, le mot n'a jamais eu cours dans la langue ordinaire et ne peut, par conséquent, être un archaïsme. Il ne semble pas non plus être un régionalisme, puisque l'emploi n'est pas relevé dans les glossaires de France (voir ce mot dans Gauvin, 2011). Par ailleurs, ce que l'auteur ne dit pas, mais qui pourrait vivement intéresser le lecteur, c'est que le mot *garcette* a connu, au Québec, une autre destinée dont il est possible d'esquisser les contours en consultant les dictionnaires québécois figurant dans la bibliographie de Forest : par analogie avec l'emploi maritime d'origine, *garcette* se disait sur terre pour désigner « toute corde de moyenne grosseur » (Clapin, 1894). Clapin relève aussi un autre emploi du mot, soit « tresse en menu cordage ou en lanière de cuir, et servant aux punitions corporelles dans les écoles, les collèges, etc. », qui provient lui aussi de l'autre sens maritime du terme, mais qui en dévie quelque peu puisque, dans ce dernier, la garcette servait uniquement à punir les matelots. Un dernier emploi du mot *garcette* est attesté dans le GPFC – « coup-de-poing américain ; bâton plombé » – sens qui reste à ce jour le mieux connu (voir les attestations dans le fichier lexical du *Trésor de la langue française au Québec*). Selon les critères établis par Forest, *garcette* n'aurait pas dû figurer dans son glossaire : en l'incluant dans son ouvrage, cela donne à penser que le mot n'a pas connu d'emplois originaux au Québec, qu'il nous est venu tel quel de la France.

Somme toute, s'il peut être intéressant pour le lecteur de voir rassemblées des citations qu'il devrait par ailleurs aller chercher de façon parallèle, l'ouvrage reste peu représentatif de la pratique lexicographique contemporaine. Ainsi, un réel « amant du français » préférera-t-il se procurer la réimpression du GPFC pour connaître à la fois les mots et leurs sens qui avaient cours avant l'entrée de la société québécoise dans la modernité, ainsi que leur prononciation et leurs origines qui y sont bien mentionnées.

Bibliographie

CLAPIN, Sylva (1894). *Dictionnaire canadien-français ou Lexique-glossaire des mots, expressions et locutions ne se trouvant pas dans les dictionnaires courants et dont l'usage appartient surtout aux Canadiens-Français*, Montréal, C.O. Beauchemin et fils; Boston, chez l'auteur, [En ligne], [http://gallica.bnf.fr/ark:/12148/bpt6k50501q/f1.item.zoom] ; réimpr. Sainte-Foy, Les Presses de l'Université Laval, 1974.

FARINA, Annick (2001). *Dictionnaires de langue française du Canada : lexicographie et société au Québec*, Paris, Honoré Champion.

GAUVIN, Karine (2011). *L'élargissement sémantique des mots issus du vocabulaire maritime dans les français acadien et québécois*, thèse de doctorat (linguistique), Québec, Université Laval.

MERCIER, Louis (2008). « À la découverte des particularismes canadiens et de leur origine : la lexicographie québécoise à l'époque des glossaires (1880-1930) », dans Monique C. Cormier et Jean-Claude Boulanger (dir.), *Les dictionnaires de la langue française : de la Nouvelle-France à aujourd'hui*, Montréal, Les Presses de l'Université de Montréal, p. 63-97.

POIRIER, Claude (dir.) (1998). *Dictionnaire historique du français québécois : monographies lexicographiques de québécismes*, Sainte-Foy, Les Presses de l'Université Laval.

RINFRET, Raoul (1896). *Dictionnaire de nos fautes contre la langue française*, Montréal, C. O. Beauchemin et fils éditeurs, [En ligne], [https://archive.org/details/dictionnairedeno00rinfuoft].

SOCIÉTÉ DU PARLER FRANÇAIS AU CANADA (1930). *Glossaire du parler français au Canada*, Québec, L'Action sociale, [En ligne], [http://bibnum2.banq.qc.ca/bna/numtxt/179630.pdf] ; réimpr. Sainte-Foy, Les Presses de l'Université Laval, 1968.

TRÉSOR DE LA LANGUE FRANÇAISE AU QUÉBEC (2015). *Fichier lexical*, Québec, Université Laval, [En ligne], [http://www.tlfq.ulaval.ca/fichier].

Karine Gauvin
Université de Moncton

Sébastien Côté et Charles Doutrelepont (dir.), *Relire le patrimoine lettré de l'Amérique française*, Québec, Les Presses de l'Université Laval, coll. « Les voies du français », 2013, 261 p.

Ce livre a vu le jour après un colloque, tenu à l'Université Carleton (2010), sous le titre « Relire le patrimoine lettré de la Nouvelle- France : comment recadrer l'histoire littéraire? » Le resserrement temporel et l'élargissement du cadre géographique enrichissent considérablement la lecture des contributions. Ici, le lecteur est informé de l'histoire littéraire coloniale. Il suit les pistes d'un épistolier quelque peu maniaque et anonyme, réfléchit sur les lettres de Marie de l'Incarnation et celles écrites au sujet du tremblement de terre (1663) et de l'incendie de Québec (1682). Il revisite les relations de voyage du récollet Louis Hennepin et les *Notes spirituelles* de Jean de Brébeuf, sans oublier les « Mœurs galantes aux colonies » antillaises (p. 143) et le séjour d'une grande dame française qui s'est sauvée de la Terreur. Les questions que se posaient les participants touchaient à l'édition de ces écrits, à leur réception, au classement (genres mineurs ou majeurs) ainsi qu'à l'état de la recherche actuelle, après les travaux des Virgile Rossel, Camille Roy, Berthelot Brunet, Samuel Baillargeon, Paul Guay. Pour Gérard Tougas, le corpus en question faisait souvent figure d'« innocente boursouflure » (p. 11) dont le traitement demeurait nécessairement fragmentaire, souvent teinté d'un complexe d'infériorité face à la littérature de la « mère patrie ».

La diversité des contributions rend ce livre non seulement instructif, mais d'une lecture agréable, voire amusante. Ainsi, après l'article de fond de Sébastien Côté qui a donné le titre du recueil, Richard Lefebvre reprend l'argumentation de Marc Angenot dans l'intention de percevoir la littérature comme un ensemble de textes à caractère souvent disparate. Il lui importe d'élargir les champs de recherche sur les littératures nationales et leur affranchissement des acteurs colonisateurs européens, français, anglais, espagnols, portugais. D'une tout autre portée est l'édition entreprise par Sébastien Côté de 259 lettres anonymes et inédites « canadiennes » (p. 33), écrites entre 1700 et 1725. Si l'on fait abstraction de la graphie fautive, de la syntaxe bancale, elles n'ont rien de bien particulier. Comme nous ne lisons que les lettres de l'auteur, restées sans réponses, le lecteur / chercheur peut spéculer à sa guise. Voici un exemple du texte : « Tu es le dernier Nez, écrit l'auteur, et le Seul qui Soit resté Sur la Terre avec moy, qui Suis Comme toy Temoin qu'ils [la douzaine d'autres garçons de la famille] ont passé à l'immortalité » (p. 50). On se demande quel sera le résultat du travail de détective de Côté…

Dans son essai sur le cantique « D'une nouvelle terre », composé par le récollet Denys Baron, Charles Doutrelepont s'occupe de cet étrange chant de guerre dédié à la Sainte Vierge qui a, semble-t-il, aidé les milices du Canada à vaincre l'ennemi anglais pendant la bataille de la rivière Monongahela (6 juillet 1755). Un relent christianisant des batailles autour de Troie, tant humaines que divines, se fait sentir. C'est à Doutrelepont également que nous devons la trouvaille de la page couverture, un ex-voto de 1717, trouvé au musée de Sainte-Anne-de-Beaupré, où l'on voit la grand-mère enseigner la lecture à la future mère du Christ. Toutes deux sont assises sur des nuages aussi solides que des blocs de béton, au-dessus d'un ciel enfiévré illuminant à peine quelques navires et des naufragés.

Si Marie-Christine Pioffet relève dans son texte sur Marie de l'Incarnation les éditions successives de lettres dont le triste sort est aujourd'hui parfaitement connu, Anne Trépanier se sert pour l'occasion du terme « refondation » (l'arrimage des traditions et des comportements européens à la vie en Nouvelle-France). L'auteure évoque l'interminable tremblement de terre de 1663 et l'incendie de Québec (4 août 1682), qui l'incitent à explorer les visions apocalyptiques des colons et à retracer une profonde crise de conscience. Comme ce sera le cas lors de la catastrophe de Lisbonne (1755), les colons français trouvent quantité de raisons pour le repentir et la résurrection de l'âme, forgeant ainsi l'identité d'un peuple de « traditions et de modes de pensée français […] dans le processus de construction d'une autre société, celle-là autochtone et canadienne » (p. 100). Cette nouvelle identité dont parle éloquemment Trépanier, Catherine Broué la cherche en vain dans les écrits du récollet Louis Hennepin (1697), qui brouille les frontières entre histoire et littérature, se basant non seulement sur les Relations des jésuites (de 1632 à 1672), mais également sur Ponce de León, Fernando de Soto et d'autres encore.

Les contributions de Lise Leibacher-Ouvrard et de Julia Abramson sont non seulement instructives, mais font sourire, puisque la première parle du « premier roman colonial français » (p. 144), avec orgies et harems aux Antilles, alors que la seconde commente une partie des mémoires de la marquise de La Tour du Pin, née Henriette Lucy Dillon, qui y relate son séjour et sa vie tout à fait heureuse sur une ferme près d'Albany, de novembre 1794 à avril 1796. Instructives, parce que je doute que le nom de Pierre Corneille Blessebois et le titre de son roman *Le Zombi du Grand Pérou ou La Comtesse de Cocagne* (1697) ainsi que celui de la marquise fermière soient familiers aux chercheurs non spécialistes de l'époque. Blessebois est placé par sa dernière éditrice (portant un pseudonyme – nous sommes en 1877) sous le signe des mœurs scandaleuses aux colonies. En revanche, la marquise ne verse aucunement dans la fiction, même si elle se pose en héroïne à l'occasion. Il s'agit d'une femme d'exception, énergique, intelligente, capable de s'acclimater rapidement et sans difficulté, anciennement dame du Palais de la reine Marie-Antoinette.

Deux articles sur des sujets religieux (les *Notes spirituelles* de Jean de Brébeuf et les préfaces des *Lettres édifiantes et curieuses*) closent les actes du colloque. Pour le jésuite Brébeuf, le diable est image, contrairement à Dieu. Se pose la question opposée à celle de Marie de l'Incarnation : comment échapper au monde devenu image ? La solide réflexion de Muriel Clair est suivie d'un (trop) bref essai de Guy Poirier, où sont exposées les raisons pour lesquelles les membres de la Compagnie de Jésus ont toujours été attirés par la Chine et le Japon, riches en connaissances des sciences et des arts, pour combiner sciences et foi.

L'éventail des articles comprend des sujets on ne peut plus variés, prouvant du coup que les recherches sur l'Amérique française – des débuts jusqu'en 1800 – ont atteint un nouveau stade après le grand défrichage entrepris par Réal Ouellet qui, dans ses nombreux travaux, a fait avancer les connaissances dans le domaine du patrimoine lettré de l'Amérique française. Lui avoir dédié le livre est un bel hommage à cet explorateur hors pair dans un domaine souvent négligé encore par les chercheurs.

Hans-Jürgen Greif
Université Laval

Frédéric Angleviel (dir.), *Les outre-mers français : actualités et études,* vol. 1 : *Année 2012,* Paris, Éditions L'Harmattan, coll. « Portes océanes », 2012, 335 p.

Cette monographie fait partie de la collection « Portes océanes », qui a publié à ce jour une vingtaine de monographies. Cette collection est dédiée à une meilleure connaissance de l'Océanie et des espaces insulaires et elle a pour ambition de permettre la diffusion auprès des publics francophones des principaux résultats de la recherche internationale. Selon le directeur du présent ouvrage, cette publication annuelle a pour vocation de devenir une revue à part entière pour mettre en relation les trois océans de l'outre-mer français, soit Saint-Pierre-et-Miquelon, l'espace atlantique des Antilles, la Guyane, la Martinique et la Guadeloupe, les terres de l'océan Indien, les Terres australes et antarctiques françaises (TAAF), les collectivités de l'océan Pacifique, Nouvelle-Calédonie, Polynésie française et Wallis-et-Futuna.

La présente publication comprend trois sections. La première intitulée « Actualités » présente cinq textes; ceux-ci traitent de la Réunion, de Mayotte, de la Polynésie française et de la Nouvelle-Calédonie. La deuxième section, « Études », comprend sept textes portant sur le rôle du créole, sur la départementalisation et le centre universitaire de Mayotte et, surtout, sur la Nouvelle-Calédonie. La troisième section présente, sous le titre « Varia », de courts textes traitant de Saint-Pierre-et-Miquelon, de la Nouvelle-Calédonie, des TAAF, de la Polynésie, de la Mélanésie et de la recherche universitaire dans le Pacifique francophone. L'ouvrage se termine par les comptes rendus de six ouvrages.

Les collectivités d'outre-mer, à dominante tropicale et insulaire, sont liées à la métropole qui assure le tiers de leur budget. Ces collectivités sont issues de deux périodes de colonisation, l'une qui débuta au XVIIᵉ siècle et la seconde, après 1830. Quatre de celles-ci ont acquis le statut de département en 1946, à savoir la Martinique, la Guadeloupe, la Guyane et la Réunion. Actuellement, la souveraineté française comprend 2 600 000 habitants, couvre 31 500 km² dans l'arc caraïbe, 91 000 km² sur le bouclier guyanais, 10 450 km² en océan Indien et 23 400 km² dans le Pacifique Sud. Ces collectivités sont placées sous le signe de la diversité ethnoculturelle. En Nouvelle-Calédonie, les autochtones mélanésiens, les Kanaks, comptent pour 40 % de la population. Par ailleurs, à la Réunion et à Saint-Pierre-et-Miquelon, il n'y avait aucun peuplement préexistant à l'implantation des colons français. La créolité est partagée par les habitants de plusieurs collectivités dépendant de la souveraineté française.

Dans la section « Actualités », on aborde quelques événements survenus récemment. En 2010, avec l'arrivée au pouvoir de la droite, la Réunion rompait, après douze ans, avec la présidence du parti communiste réunionnais de Paul Vergès. On y décrit le long chemin de Mayotte, de sa séparation de la République des Comores jusqu'à l'obtention de son statut de département français, de même que l'explosion de sa population et le grave problème de l'emploi. La Polynésie française vit une période d'instabilité politique causée par les clientélismes, le nomadisme et les rapports affectifs entre les dirigeants et leurs électeurs. Après les événements politiques de 1981-1988, on expose les réalités politiques de la Nouvelle-Calédonie de 1988 à 2012. En 1999, celle-ci devient une collectivité particulière de la République française dotée d'une large autonomie. Le nickel reste au cœur de son avenir politico-économique.

Dans la deuxième partie de l'ouvrage, c'est principalement la Nouvelle-Calédonie qui donne lieu à plusieurs études. L'antagonisme entre les deux communautés, autochtones et allochtones, existe depuis sa prise de possession par la France du Second Empire. Les accords de Matignon-Oudinot de 1988 ont apporté une paix relative. La Nouvelle-Calédonie est une colonie de peuplement, ce qui a fait des Kanaks un groupe minoritaire. Les accords de Nouméa de 1998 avaient pour objectifs d'amorcer un transfert progressif des responsabilités et de mettre en place des outils de développement pour les autochtones. La Nouvelle-Calédonie, qui possède 30 % des réserves mondiales de nickel, a suffisamment de moyens financiers pour faire en sorte de ne pas dépendre autant de l'État que les autres territoires. On y observe ainsi une faible dépendance par rapport aux transferts de l'État et de l'Union européenne. D'ailleurs, la réforme fiscale de 2012 à 2019 fait le point sur la fiscalité actuelle et pose les bases pour passer d'une fiscalité basée sur l'accompagnement des dotations de l'État à une fiscalité autonome, renforcée à la suite de l'accord de Nouméa de 1998. On y étudie aussi la révision de l'article 121 de la loi organique de 1999, portant sur le statut de la Nouvelle-Calédonie concernant l'élection d'un nouveau gouvernement à la suite du précédent, déclaré démissionnaire.

Le statut personnel des Mahorais en droit coutumier a survécu à Mayotte depuis que la France s'y est installée en 1841. Il a été maintenu lors de la départementalisation, mais il peut être abandonné au profit du statut civil de droit commun. En 2011, on a créé à Mayotte le Centre universitaire de formation et de recherche. Ce centre, qui n'est pas une université de plein exercice, échappe au droit commun des universités françaises.

Les territoires français ont accès depuis la Politique de cohésion de 1988 aux fonds structurels de l'Union européenne pour le développement des régions ultrapériphériques. Cela s'applique aux départements et régions d'outre-mer (DROM). On y étudie le rôle de la langue créole dans la construction identitaire, la citoyenneté et le développement au sein des sociétés antillo-guyanaises. Même s'il est reconnu officiellement, le créole peine à s'imposer comme un instrument au service d'une meilleure connaissance des sociétés de la Caraïbe et de l'Amazonie dans un processus de développement de ces sociétés.

En 1977, Aimé Césaire avait qualifié de « génocide par substitution » l'émigration des jeunes Martiniquais et Guadeloupéens vers la métropole, et la venue de métropolitains en Martinique et en Guadeloupe. L'expression fut reprise au début du XXIe siècle pour expliquer la substitution d'une population par une autre. Dans le débat sur ce sujet, on propose plutôt de limiter l'émigration et de donner la priorité à l'emploi régional. Saint-Pierre-et-Miquelon fait l'objet d'un court article au titre provocateur : « Saint-Pierre-et-Miquelon, région québécoise ? » Pour en finir avec les conflits entre cet archipel et le Canada au sujet des pêches, ne serait-il pas souhaitable que Saint-Pierre-et-Miquelon rejoigne le Canada, plus spécifiquement le Québec, en conservant la double citoyenneté française et canadienne ? Il n'en reste pas moins que la France conserve l'espoir d'avoir accès, par ce territoire, à des hydrocarbures dans le golfe du Saint-Laurent.

Dans cet ouvrage, on nous informe de l'existence de la *Revue juridique de l'océan Indien* créée en 2000 à l'Université de la Réunion, publiée en version imprimée et numérique, de la revue bilingue *La Mélanésie : actualités et études = Melanesia Review*. Enfin, l'Assemblée de la Polynésie française présente un site Web sur son histoire. Rappelons qu'une assemblée délibérante tahitienne existe depuis 1824, soit cinquante-sept ans après les premiers contacts avec les Européens et trente-huit ans avant que Tahiti ne soit cédée à la France par Pomare V. Enfin, l'Association Thèse-Pac, basée à Nouméa, a pour objectif la présentation et la valorisation de la recherche universitaire dans le Pacifique francophone.

Cette publication met à contribution des spécialistes des diverses colonies françaises, qui étudient les problèmes et les réalités que vivent ces colonies dispersées sur plusieurs continents. Le contenu en est fort intéressant, et il est indéniable que cette publication gagnerait à devenir une revue, ce qu'elle est pratiquement dans sa forme actuelle avec ses trois sections qui contiennent des articles et celle qui regroupe les comptes rendus de livres qui viennent de paraître. La publication du présent recueil constitue un apport important à qui s'intéresse au présent et au devenir des colonies de la France dans le monde.

Marcel Lajeunesse
Université de Montréal

Dominique Perron, *L'Alberta autophage : identités, mythes et discours du pétrole dans l'Ouest canadien*, Calgary, University of Calgary Press, 2013, 377 p.

L'ouvrage de Dominique Perron se démarque des travaux existants sur la question de l'exploitation des sables bitumineux par l'industrie pétrolière au Canada, car ce sont avant tout les discours sur le pétrole et leur importance dans la construction identitaire qui font l'objet de sa recherche. La présence de cette ressource n'est pas appréhendée par l'auteure comme une simple donnée objective offrant des possibilités d'action et de pouvoir aux acteurs sociaux qui parviennent à s'en assurer un accès privilégié. Elle est plutôt analysée du point de vue des possibilités de construction identitaire qu'elle offre aux divers acteurs qui cherchent à dégager les bénéfices matériels de son exploitation. Dans la mesure où cette ressource demeure la propriété formelle du peuple albertain et que son importance stratégique constitue un objet important de convoitise sociale, l'industrie est amenée à faire un travail incessant de légitimation des bienfaits de ses activités et de disqualification de ses critiques et de ses opposants ; en d'autres mots, l'industrie est déterminée à construire et à imposer une conception hégémonique de l'identité albertaine qui puisse servir ses intérêts. Ce travail de (dé)légitimation sociale transite par des discours, par la construction et l'utilisation de symboles et de slogans, et ce sont ceux-ci qui sont l'objet de cet ouvrage. L'analyse discursive développée par l'auteure s'inspire des « travaux de Marc Angenot sur les argumentaires propres aux idéologies socialistes et anti-socialistes » (p. xx). Elle fait habilement appel à ce cadre méthodologique afin de faire « l'examen du travail discursif de disqualification de l'opposant, les manœuvres diverses de légitimation des divers énonciateurs au sein des polémiques, la sloganistique euphorisante cherchant à orienter l'action, l'investissement identitaire comme instrument de consensus, les effets calculés des stratégies de certaines formes de terrorisme discursif, la fonction roborative de la répétition des mantras de réassurance collective, et le recadrage des données évènementielles, tout cela lié à la question du pétrole albertain » (p. xxi).

L'ouvrage est consacré principalement à l'analyse des discours qui définissent l'Alberta en fonction du pétrole entre les années 2005 et 2008. Cependant, l'auteure montre très bien que ceux-ci ne sont pas des construits *sui generis* et que leurs principaux traits distinctifs sont antérieurs au boom pétrolier des années 2000. En fait, ils puisent leurs racines dans les représentations dominantes qui accompagnent le processus de conquête et d'occupation du territoire qui a donné naissance à la province ainsi qu'aux événements traumatiques qui ont ponctué son histoire et qui ont laissé des traces indélébiles dans la mémoire collective. L'imaginaire western et les discours de la frontière sont parmi les traits marquants de cette conception hégémonique de l'identité albertaine. Ces discours véhiculent une représentation essentiellement individualiste et masculine de l'identité albertaine, où s'accompagnent et s'entremêlent l'impératif de dominer le territoire et le goût du risque, la persévérance et l'autosuffisance individuelle face aux aléas environnementaux et, finalement, l'idéal d'insoumission individuelle à l'égard des règles et des normes établies. Ces représentations participent également à construire et à reproduire une identité où se côtoient antiétatisme et glorification du système de la libre entreprise et du libre marché. À cela s'ajoute également un ensemble de discours qui cherchent à donner un sens au « hasard géologique » qui offre à l'Alberta la possibilité de jouir de la présence providentielle et abondante de pétrole sur son territoire. Ces notions se mêlent et renforcent la prégnance de l'identité de la frontière, en se déclinant selon la logique de la géo-destinée qui veut que la présence de ce don providentiel implique, en retour, l'impératif moral d'exploiter, de transformer et de tirer profit de cette richesse qui gît dans les entrailles de son sous-sol. Enfin, l'identité est fondamentalement relation à l'altérité : c'est une quête de différenciation et de reconnaissance symbolique qui engage un rapport à l'Autre. Or, c'est justement ce manque de reconnaissance et, tout particulièrement, ce sentiment d'aliénation à l'égard du centre du pouvoir politique, qui se trouve à l'Est, qui marquent l'identité albertaine au moment de sa création. Alors que la période de la Grande Dépression et de la grande sécheresse qui l'accompagne crée dans la province un sentiment d'abandon de la part d'un pouvoir à la fois lointain et indifférent à ses problèmes, la nouvelle politique énergétique adoptée par le gouvernement libéral de Pierre Elliott Trudeau pendant la période du boom pétrolier des années 1970 exacerbera la résonance de ce thème central dans le processus de construction identitaire. L'imaginaire western de l'autosuffisance et l'antiétatisme qui le caractérise sera ainsi renforcé par le développement de discours qui présenteront les interventions de l'État canadien sur le marché énergétique comme des actions néfastes aux Albertains et au principe de la libre entreprise. Ce faisant, ces discours exacerberont les traits caractéristiques de la représentation hégémonique de l'identité albertaine en accusant l'Est canadien d'être dépendant et envieux de ressources qui ne lui appartiennent pas puisqu'elles seraient avant tout la propriété du peuple albertain.

Après avoir passé ces thèmes en revue dans les deux premiers chapitres de l'ouvrage, l'auteure poursuit son travail d'analyse et de déconstruction des discours sur le pétrole : elle met en lumière la manière dont l'industrie pétrolière, les médias et la classe politique albertaine ont fait appel à ces thèmes centraux afin de justifier et de légitimer l'accélération et l'intensification de l'exploitation du pétrole des sables bitumineux par l'entremise de l'entreprise privée, en disqualifiant, au moyen de ce que l'auteure qualifie de terrorisme symbolique, ses opposants, notamment les groupes environnementaux. Cette constellation de forces sociales s'est efforcée de générer un discours basé sur un consensus social cherchant à rallier le peuple albertain autour des activités du secteur pétrolier, tout particulièrement en construisant et en diffusant l'idée d'une concordance parfaite de leurs intérêts respectifs. La période d'euphorie du boom pétrolier des années 2000 a servi à entretenir ce mythe dans la mesure où les cours élevés du pétrole ont permis au gouvernement albertain de générer d'imposants surplus budgétaires, suscitant désirs et envies, tirés des redevances versées par les entreprises exploitant les ressources du sous-sol. Ce contexte d'euphorie qu'analyse l'auteure participe à la construction et à la diffusion d'un idéal de prospérité providentielle partagée par tous, gommant, comme le souligne l'auteure, les nombreux problèmes sociaux issus du développement effréné et erratique qui marque les périodes de boom.

L'auteure parvient admirablement à souligner les contradictions et les incohérences de cette représentation hégémonique de l'identité albertaine dans les quatrième et cinquième chapitres, consacrés à la propriété de la ressource pétrolière et à la commission mise sur pied pendant la période du boom pour revoir le niveau des redevances versées au gouvernement provincial par l'industrie. Le chapitre cinq montre très bien les stratégies de disqualification symbolique déployées par le secteur pétrolier. Ce dernier récupère à son compte le discours de la frontière de manière à disqualifier les demandes du gouvernement albertain, jugées contraires aux valeurs clés de l'identité albertaine : libre entreprise, économie de marché et non-intervention, des traits caractéristiques d'une certaine conception de l'Alberta. Dans le chapitre six, l'auteure analyse les stratégies rhétoriques et de disqualification symbolique employées par les lieux du pouvoir (énergie, médias et classe politique) à l'égard de la mobilisation des environnementalistes contre l'accélération et l'intensification de l'exploitation des sables bitumineux.

L'auteure conclut son étude par une réflexion politiquement percutante sur le thème de l'autophagie, qui caractérise la logique discursive et sociale prédominante en Alberta.

> Non seulement la province doit-elle constamment dévorer son propre territoire pour assurer, non plus la prospérité, mais la stabilité de son système socio-économique [...] mais aussi ce sont ses propres discours identitaires, son propre récit pétrolier, ses propres discours de propriété des ressources et du territoire qui doivent être ravalés pour les besoins des représentations de l'industrie pétrolière et de ses actionnaires (p. 326).

Cet ouvrage montre de manière exemplaire l'importance de la problématique de la construction sociale des rapports de pouvoir et de l'identité. Il intéressera certainement les sociologues, les politologues, les anthropologues et les spécialistes de l'analyse du discours.

Thierry Lapointe
Université de Saint-Boniface

Louis Hamelin, *Fabrications : essai sur la fiction et l'histoire*, Montréal, Les Presses de l'Université de Montréal, 2014, 227 p.

Fabrications, essai auquel on a attribué le Prix de la revue Études françaises 2014, livre le contexte d'écriture de *La constellation du lynx*, roman sur la crise d'Octobre paru en septembre 2010 et sur lequel Louis Hamelin a travaillé pendant huit ans. L'essayiste revient sur certains moments clés de son enquête (qu'on retrouve dans le roman), ce qui lui permet d'établir le parcours de sa réflexion, depuis son travail auprès du cinéaste Jean-Daniel Lafond, qui lui a donné accès au dossier de presse sur Octobre constitué et annoté par l'intellectuel torontois John Grube, et sa conversation avec Gilles Masse, devenu le flic Massicotte dans le roman. Celui-ci allait, malgré lui, permettre à Hamelin d'entrer pour de bon dans les coulisses d'Octobre, d'où les ficelles sont tirées ; parce qu'il y avait anguille sous roche, le travail du romancier pouvait se mettre en branle. « *Never let the truth get in the way of a good story* » (p. 90), disait Mark Twain.

Jacques Ferron est ici, comme dans le roman sous les traits de Chevalier Branlequeue, une figure tutélaire. En 1963, à l'époque du procès du premier réseau felquiste, Ferron avançait ceci, dans *Le Devoir* : « [T]oute l'affaire du FLQ s'est doublée d'une opération de Haute Police. [...] Quand les bombes ont commencé d'éclater, elle ne s'est pas pressée d'intervenir. Elle a même aidé à grossir l'affaire dans l'espoir que le terrorisme écœurerait les Canadiens français du nationalisme » (1985 : 217). Ferron avait tout compris avant tout le monde, bien avant l'avènement d'Octobre. Du point de vue de Hamelin, Ferron devait cependant s'égarer dans les années 1970, trop près des faits et trop obsédé par l'idée d'« une conspiration pensée de haut » (Ferron, 1985 : 297) pour pouvoir y voir vraiment clair. Il apparut assez tôt à Hamelin que cette théorie du complot qui faisait du Front de libération du Québec (FLQ) un cobaye et transformait « le Québec des années 1960 en un vaste terrain d'expérimentation de la lutte antisubversive » (p. 196) participait d'une vision paranoïaque du pouvoir, où s'activaient des agents fédéralistes à la solde de l'idéologie impérialiste et en intelligence avec la CIA. Prudent dans ses hypothèses, Hamelin préfère parler de « manipulations » au sein de l'appareil politico-policier, et donc circuler dans les marges de la théorie conspirationniste, un peu comme la fiction romanesque fonctionne dans les marges du réel des événements d'Octobre. La crise aurait été le fruit de circonstances malheureuses et de volontés politiques. Dans cette optique, on pourra penser que Laporte a été sacrifié ; n'empêche, pour Hamelin, sa mort fut accidentelle et se serait produite telle qu'elle est décrite dans le roman. « Le nœud de l'affaire, c'est qu'on permit à cet accident d'arriver » (p. 197). Cette formulation permet de voir sous quel angle Hamelin aborde le sujet. Selon lui, les autorités, si elles n'ont pas conspiré, ont su tirer parti des circonstances avec une habileté qui prend les formes du complot. Comme l'écrit encore Hamelin : « Il faut seulement inverser la chaîne causale : on n'a pas envoyé l'armée parce que deux personnes ont été kidnappées, on a permis que deux personnes soient kidnappées pour pouvoir envoyer l'armée ! » (p. 217)

Dans ce sens, les chapitres les plus intéressants de l'essai sont ceux qui développent une réflexion sur les rapports entre le roman et l'histoire. Si Engels disait avoir appris davantage sur le capitalisme et la bourgeoisie dans Balzac qu'en lisant des volumes d'économie politique et d'histoire, il est possible que l'entreprise romanesque de Hamelin nous ait appris quelque chose sur Octobre, entendu ici que *La constellation du lynx* n'est pas un « roman historique », mais plutôt un « roman heuristique » (p. 145), comme le dit Hamelin à son *alter ego* Sam Nihilo, personnage qui, dans le roman, mène l'enquête au lendemain de la mort de Branlequeue. Si l'ombre de Ferron plane sur l'entreprise de Sam Nihilo, Hamelin a ici élu Norman Mailer comme maître. Le travail de l'écriture heuristique finit par épouser la forme d'une constellation, car il s'agit d'arriver à relier les uns aux autres les points d'une intrigue afin de faire apparaître une image, métaphore de la réalité à partir de laquelle peuvent être appréhendées certaines vérités. Cette vue des choses, qui disqualifie la prétention de l'histoire et de la politique à saisir toute la complexité de la réalité, emprunte aux modèles épistémologiques de Mailer et requiert une méthodologie de l'écriture qui élève la fiction romanesque à un niveau supérieur à ce qu'il faudrait appeler la « fiction officielle » de l'histoire. Mailer en aurait proposé un exemple éloquent avec *Harlot et son fantôme*, roman portant sur la CIA et la guerre froide. Ainsi, *La constellation du lynx* a-t-elle été écrite à partir de toute une documentation nécessaire non seulement pour inscrire le roman dans l'histoire, mais aussi pour en saisir les approximations, les confusions ou les contradictions nourries par le manque de collaboration des acteurs d'Octobre (chacun étant préoccupé de forger son image devant l'histoire) et entretenues par les omissions des articles de presse et des archives, voire par la désinformation. De sorte que le roman aura d'abord été le laboratoire intellectuel d'un travail d'analyse préalable à la mise en intrigue.

Si le roman a quelque supériorité sur l'histoire, c'est aussi, et surtout peut-être, parce qu'il est le produit d'un homme qui pense et qui est en situation dans son temps. Le FLQ, insiste Hamelin, « fut, et demeure, le symptôme d'une culture. Une culture dans laquelle j'ai été et continue d'être immergé, d'abord du seul fait de ma naissance, ensuite par mon travail d'écrivain et mes convictions d'intellectuel indépendantiste de gauche » (p. 124). C'est, en effet, la seule position intellectuelle recevable, celle qui donne tout son sens à Octobre comme héritage.

Bibliographie

FERRON, Jacques (1985). « Un procès gênant », *Les lettres aux journaux*, colligées et annotées par Pierre Cantin, Marie Ferron et Paul Lewis; préface de Robert Millet, Montréal, VLB éditeur, 1985.

François Ouellet
Université du Québec à Chicoutimi

Guy Poirier, Christian Guilbault et Jacqueline Viswanathan (dir.), *La francophonie de la Colombie-Britannique : mémoire et fiction*, Ottawa, Éditions David, série « Espaces culturels francophones », vol. III, 2012, 215 p.

S'il y a une francophonie canadienne qui est peu et mal connue, c'est bien celle de la Colombie-Britannique. Néanmoins, celle-ci existe, et ce, depuis très longtemps, même avant la Confédération. Aujourd'hui, si les communautés francophones historiques ont plus ou moins disparu, que ce soit celles des Métis francophones établies autour des postes de traite de la Compagnie du Nord-Ouest, comme les forts Saint John (1793), Saint James (1806), George (1807), etc., ou la seule communauté à majorité francophone qui ait existé, Maillardville, la francophonie britanno-colombienne du XXIᵉ siècle – minoritaire, il va sans dire – est extrêmement complexe et difficile à saisir. C'est grâce à la série dirigée par Guy Poirier et ses collègues que nous pouvons lever quelque peu le voile et découvrir certaines facettes fascinantes de cette francophonie. Ce collectif est le troisième volume de la série « Espaces culturels francophones », les deux premiers ayant été dirigés par Guy Poirier et ses collaborateurs en 2004 (volume I) et 2007 (volume II).

Dans l'introduction, Poirier présente les articles du collectif et évoque justement « la présence (trop ?) subtile du fait français en Colombie-Britannique », mais qui « ne cesse pourtant de nous interpeller » (p. 8).

Le premier article, « Image de l'Ouest canadien dans les *Drames de l'Amérique du Nord* de Henri-Émile Chevalier », est de la plume de Louise Frappier, de l'Université d'Ottawa. Elle présente cet auteur prolifique d'origine française qui, durant la seconde moitié du XIXᵉ siècle, a publié une quinzaine de romans d'aventures ayant pour cadre géographique l'Ouest canadien et comme personnages, coureurs de bois, chercheurs d'or, engagés de la Compagnie de la Baie d'Hudson ou de la Compagnie du Nord-Ouest, chasseurs de bisons, trappeurs, etc., bref le gotha historique de l'Ouest. Frappier résume en quelques pages l'action des romans. Selon l'auteure, Chevalier établit sans cesse « une tension qui cherche à opposer la civilité des Blancs à la sauvagerie des "Peaux-Rouges", la valeur des Canadiens français à la fourberie des Anglais » (p. 30). Nous remercions Louise Frappier de nous avoir fait découvrir ce romancier, trop peu connu de nos jours, mais dont certaines œuvres, telles que *Les derniers Iroquois, Les Nez-Percés, Poignet-d'Acier* et *La Tête-Plate*, sont maintenant disponibles sur Internet.

Le deuxième article, « Histoires francophones de la ruée vers l'or » de Guy Poirier, traite, comme le titre l'indique, des deux ruées vers l'or en Colombie-Britannique (le fameux Klondike) et au Yukon, à la fin du XIXᵉ siècle et au début du XXᵉ. Poirier rappelle que le Québec a été partie prenante de cette (folle ?) aventure puisque Jeanne Pomerleau (1996) « soutient qu'environ 10 000 hommes et une centaine de femmes quittèrent le Québec pour la seconde ruée vers l'or entre 1897 et 1907 » (p. 34). La première partie de l'article fait état des conseils qu'un certain Raoul Rinfret prodiguait aux futurs chercheurs d'or dans deux publications, *Yukon et son or* et le *Guide du mineur*. La seconde partie de l'article traite des récits de Gustave Gervais, témoin de la dernière ruée vers l'or, interviews colligés par nul autre que Marius Barbeau à New Hazelton, en 1920.

Il s'avère que la plupart des récits de Gervais s'intéressent davantage aux déplacements et aux voyages qu'à l'activité minière et à la prospection. Néanmoins, ces récits nous font comprendre toutes les difficultés, toutes les misères, voire les horreurs auxquelles faisaient face les aventuriers de cette époque. La troisième partie de l'article concerne un autre témoignage à propos de la ruée vers l'or, celui d'une femme cette fois-ci. Il s'agit d'un ouvrage d'Émilie Tremblay, première femme à franchir le fameux *Chilcoot Pass*. Poirier conclut en regrettant le fait que les récits oraux de Gustave Gervais « dorment encore dans les archives de Marius Barbeau. Il s'agit vraiment d'un trésor de la littérature orale et populaire encore trop peu connu » (p. 50).

Le troisième article du collectif, « Construction identitaire et évolution de l'inscription du corps de la femme sensuelle chez Marguerite-A. Primeau », est signé par Pamela Sing, du Campus Saint-Jean de l'Université de l'Alberta. Marguerite Primeau est une Franco-Albertaine qui a fait carrière comme professeure de littérature française à l'Université de la Colombie-Britannique et qui est l'auteure de cinq ouvrages, dont trois romans – *Dans le muskeg* (1960), *Maurice Dufault, sous-directeur* (1983) et *Sauvage Sauvageon* (1984) – et deux recueils de nouvelles – *Le Totem* (1988) et *Ol' Man, Ol' Dog et l'enfant* (1995). Sing note que, même si Primeau a poursuivi la majeure partie de sa carrière professionnelle en Colombie-Britannique, elle a « vécu, grandi, étudié et travaillé dans sa province natale, l'Alberta, au sein d'une communauté franco-catholique qui se conformait à l'idéologie clérico-nationaliste de la survivance du Canada français » (p. 51-52) et qu'elle devait donc évoluer dans un contexte où l'idéal de la femme était celui « de la femme gardienne de la foi, de la langue et des traditions, qui, en tant que mère-épouse-femme d'intérieur, était pudique, passive, voire soumise à son mari » (p. 52). L'objectif de l'analyse des œuvres de Primeau par Pamela Sing sera donc de montrer « dans quelle mesure et de quelles manières [Primeau] a réussi à affirmer le corps érotique féminin dans et par l'écriture » (p. 53). Sing constate que Primeau vise premièrement « à établir un lien entre la sexualité féminine et une altérité fondée, elle, sur le tabou du métissage » (p. 71). Deuxièmement, chez Primeau, « les femmes sensuelles […] ne sont presque jamais représentées à la maison, mais en train de circuler dans les espaces ouverts » (p. 73). Sing conclut que « l'écriture chez Marguerite-A. Primeau suggère la nécessité de reconnaître les femmes sexuées qui ont le courage de s'affirmer comme sujets : cela contribue à imaginer la construction d'une société sans perpétuer les rapports de domination entre les sexes » (p. 75).

Les deux articles suivants portent sur l'œuvre de Monique Genuist, auteure d'une dizaine de romans et de plus de vingt récits et essais. Née en Alsace-Lorraine en 1937, Genuist (née Iung), s'est installée à Saskatoon, en Saskatchewan, avec son mari Paul, où ils ont enseigné la littérature française pendant vingt-cinq ans, avant de s'établir en Colombie-Britannique à leur retraite.

Le premier des deux textes est de Kathleen Kellett-Betsos, de l'Université Ryerson. Elle précise dès le début que les romans de Genuist évoquent surtout les problèmes de l'expérience de l'immigrant en Amérique, où « [s']entremêlent fiction et autofiction pour raconter le trajet de l'immigrant qui aboutit soit à l'intégration à la société d'accueil, soit au malaise de l'exil, souvent suivi du retour au pays natal » (p. 77).

Selon Kellett-Betsos, « la perception du Nouveau Monde et de l'Autre se modifie au cours de l'œuvre romanesque de Genuist à travers les étapes suivantes : 1) les racines du désir d'altérité et la fascination de l'Amérique à partir du pays d'enfance ; 2) la difficile adaptation de l'immigrant français dans l'ouest du Canada ; 3) l'expérience de l'altérité dans une Amérique historiquement métissée ; et finalement 4) l'intégration réussie : le pays d'enfance vu de la terre d'accueil » (p. 79). L'article poursuit en examinant un à un les romans de Genuist à la lumière de ces quatre thèmes. En conclusion, Kellett-Betsos estime que « Monique Genuist inscrit sa propre œuvre dans la littérature canadienne-française qu'elle a enseignée pendant des années en Saskatchewan » (p. 101) et que « l'enracinement passe donc non seulement par les liens affectifs à la nature et à la famille, mais par l'intégration à la vie culturelle du Canada français au moyen d'une contribution considérable à la littérature francophone en émergence en Colombie-Britannique » (p. 102).

Le second article présente la transcription d'un entretien entre Monique Genuist et Marie-France Auger qui s'est déroulé en 2004, au moment où cette dernière rédigeait son mémoire de maîtrise à l'Université Simon Fraser. Y sont abordés divers sujets tels que le féminisme, l'idéologie postmoderne, l'incapacité pour l'immigrant français de s'adapter à sa société d'accueil, la vie sereine en Colombie-Britannique, le retour éventuel en Europe et l'importance de la présence francophone en Colombie-Britannique. L'entrevue est suivie d'une bibliographie des œuvres de Monique Genuist (p. 116-118).

L'article suivant, de Laurent Poliquin, de l'Université du Manitoba, s'intitule « Du déni à la réappropriation de la culture métisse en Colombie-Britannique : le cas de David Bouchard ». Ce dernier est un Métis de descendance canadienne-française d'un côté, et de descendance autochtone variée de l'autre. En dépit du fait qu'il n'a commencé à écrire qu'en 1990, Bouchard est un auteur des plus prolifiques, car ses nombreuses œuvres – surtout des livres pour la jeunesse, mais également deux ouvrages pédagogiques sur la lecture – tirées à plusieurs milliers d'exemplaires, ont été rédigées surtout en anglais (trente-neuf ouvrages à ce jour), dont quinze également en français et onze qui comportent une version en langue autochtone (ojibwé, cri, mohawk, mi'kmaq, inuktitut, kwakwala et mitchif !).

Selon Poliquin, un des thèmes centraux et récurrents chez Bouchard serait la récupération de la culture autochtone, ou comme le dit Poliquin (p. 129) « la recherche ancestrale de l'Être autochtone », par exemple, « le rapport totémique des êtres avec leur gardien spirituel » dans *Je suis corbeau* (2007). Cela amène Poliquin à se poser la question suivante : « Comment parler d'une littérature franco-colombienne, canadienne-française ou canadienne-anglaise, quand l'auteur cherche d'abord à valoriser la culture autochtone et métisse ? » (p. 133)

L'avant-dernier article du collectif, de François Paré, de l'Université de Waterloo, a pour titre « *Les Fossoyeurs* d'André Lamontagne : stéréoscopie de Québec ». Comme le titre l'indique, Paré analyse le premier roman du professeur de littérature québécoise, André Lamontagne, de l'Université de la Colombie-Britannique, originaire de la ville de Québec, *Les Fossoyeurs : dans la mémoire de Québec*, publié aux Éditions David en 2010. Paré conclut en soulignant que « le narrateur mis en scène par Lamontagne se penche graduellement sur toutes les communautés d'exclusion que recèle l'histoire de sa ville natale. De quoi Québec a-t-elle pu être la ville fondatrice ? Quelles voix nous parlent encore de ses nombreux cimetières ? » (p. 146)

Le dernier article, « Langue française en Colombie-Britannique : aspects linguistiques et pédagogiques », signé par Christian Guilbault, de l'Université Simon Fraser, est, comme le suggère le titre, le seul du collectif qui n'est pas consacré à une étude littéraire. Guilbault offre plutôt un portrait analytique de la situation de la langue française en Colombie-Britannique et des principales caractéristiques de la communauté francophone de la province ; il explique également comment celle-ci se distingue des autres communautés francophones au Canada. Une seconde section considère certains aspects de l'enseignement du français dans un contexte minoritaire, tel qu'on le trouve en Colombie-Britannique, et se penche sur l'épineuse question de la norme linguistique et pédagogique à privilégier dans cet enseignement.

Enfin, le collectif dirigé par Guy Poirier, Christian Guilbault et Jacqueline Viswanathan inclut trois textes de création. Il s'agit de la nouvelle « Le Cygne » d'Inge Israel (p. 175-196), d'un bref texte de Ying Chen intitulé « Texte préparé pour la Fête de la francophonie à Murcia » (p. 197-200) et de la nouvelle « Les vendredis de Monsieur Fixe » de Réjean Beaudoin (p. 201-215).

Bibliographie

POMERLEAU, Jeanne (1996). *Les chercheurs d'or : des Canadiens français épris de richesse et d'aventure*, Sainte-Foy, Éditions J.-C. Dupont, 1996.

Robert A. Papen
Université du Québec à Montréal

Louise Ladouceur, *Dramatic Licence: Translating Theatre from One Official Language to the Other in Canada*, traduit du français par Richard Lebeau, Edmonton, University of Alberta Press, 2012, 279 p.

Recenser un ouvrage francophone portant sur la traduction du théâtre d'une langue officielle à l'autre au Canada est certainement une nécessité. Recenser sa traduction anglaise, c'est un privilège qui montre la pluralité linguistique de cette nation située à la croisée des cultures et des langues. En tant qu'espace géographique, politique et culturel polyvalent, le Canada constitue un exemple probant de la coexistence, certes problématique, de deux littératures tout à fait distinctes, avec des horizons d'attente et des contraintes qui leur sont propres, parfois même irréconciliables. L'ouvrage de Louise Ladouceur, dans une excellente traduction vers l'anglais de Richard Lebeau, *Dramatic Licence: Translating Theatre from One Official Language to the Other in Canada*, réussit avec justesse à élucider les enjeux de la traduction des pièces de théâtre d'une langue officielle à l'autre ainsi qu'à expliquer les nuançes des deux systèmes théâtraux, de leurs styles de jeu et de leur langage. Avec un style direct et condensé, l'auteure traite de ce sujet dans toute sa complexité, en analysant en profondeur chacun de ses aspects.

Dans son étude, issue de sa thèse de doctorat soutenue à l'Université de la Colombie-Britannique en 1997, Ladouceur propose d'analyser les modèles et les pratiques de traduction des pièces de théâtre d'une langue officielle à l'autre au Canada entre 1961 et 1999. Pour ce faire, l'auteure divise cette période en six étapes (1962 et 1971 ; 1972 et 1974 ; 1984 et 1986 ; 1986 et 1989 ; 1990 et 1991 ; 1997 et 1998), dans lesquelles elle présente, d'une manière synchronique, des pièces écrites en français et en anglais dans leur traduction respective. De manière générale, le choix des pièces et des auteurs est très pertinent. L'auteure propose des exemples tout à fait saillants pour chaque étape. De Gratien Gélinas à Normand Chaurette, de John Herbert à Brad Fraser, les études de cas qui composent ce corpus sont variées et mettent en évidence la richesse et la multiplicité des deux milieux théâtraux examinés. Néanmoins, il faut remarquer que, dans certaines étapes, d'autres pièces sont ajoutées, probablement pour enrichir l'analyse de chaque période. Tel est le cas de la deuxième étape, où l'auteure propose d'examiner la traduction anglaise des *Belles-sœurs* de Michel Tremblay. Au fil de la lecture, Ladouceur se penche aussi largement sur la version anglaise de *Hosanna,* du même auteur (une photographie prise lors d'une représentation de cette pièce illustre d'ailleurs la couverture de l'ouvrage).

La démarche analytique de Ladouceur s'appuie sur un cadre théorique et méthodologique qui combine les hypothèses fonctionnalistes proposées par Gideon Toury (elles-mêmes inspirées des travaux d'Itamar Even-Zohar sur le polysystème littéraire) et la méthode d'analyse critique développée par Antoine Berman et décrite dans son ouvrage posthume *Pour une critique des traductions : John Donne.* L'inclusion de cet outil analytique se révèle très utile puisque, comme l'explique Ladouceur, l'approche fonctionnaliste délaisse la subjectivité du traducteur, son positionnement dans sa pratique de la traduction et son rapport avec sa langue maternelle et son contexte. Après une présentation synthétique et claire de son cadre théorique, elle propose un modèle descriptif pour l'analyse des traductions inspiré de celui de Hendrik van Gorp et José Lambert et adapté aux spécificités des textes dramatiques.

Mise à part l'analyse descriptive du corpus, divisée en deux chapitres (un pour chaque langue de traduction), l'étude comprend aussi une brève histoire de la traduction littéraire au Canada ainsi qu'une description succincte des milieux théâtraux francophones et anglophones. Ces précisions sont nécessaires non seulement pour mettre en contexte la recherche de Ladouceur, mais aussi pour permettre aux lecteurs de l'étranger de bien saisir les enjeux de son étude. L'ouvrage inclut aussi une annexe très utile qui donne la liste des pièces de théâtre (public général) traduites en français et en anglais, publiées ou produites entre 1950 et 2000, ainsi que d'autres pièces traduites entre le XVIIIᵉ et le XIXᵉ siècle.

Outre ces chapitres introductifs et les annexes décrits précédemment, la partie centrale de l'ouvrage est consacrée à l'étude des pièces traduites, d'abord vers l'anglais, puis vers le français. L'analyse de chaque pièce est menée avec finesse et profondeur. Le modèle proposé par Ladouceur révèle non seulement les moyens employés dans la traduction de chaque pièce étudiée, mais aussi les normes primaires et secondaires de chaque système, selon les différentes périodes et dans chacune des deux cultures. L'auteure réussit à montrer les rapports de force qui existent entre les communautés anglophone et francophone au Canada, ainsi que les changements au fil de l'histoire, de la Révolution tranquille au Québec jusqu'à l'échec des deux référendums. La manière dont elle entrelace les éléments propres à l'histoire, à la politique, à la culture et au théâtre et les différentes techniques de traduction mises en œuvre pour chaque pièce, est claire et brillante.

En ce sens, le chapitre sur Tremblay et la réception de ses pièces au Canada anglais est tout à fait remarquable. L'auteure y montre clairement comment la traduction anglaise des pièces de Tremblay construit une québécitude positive et inoffensive dans un contexte politique où les rapports entre les deux cultures étaient très difficiles. En outre, elle met en évidence le fait que la traduction des pièces de l'auteur québécois permet la constitution d'un répertoire canadien anglophone : « *The Anglo-Canadian theatrical system imported the Tremblay model for its textual literary norms and use of dramatic techniques. [...]. Beyond the formal novelty offered by Tremblay's plays, it is necessary to acknowledge their important contribution to the creation of the Canadian repertoire at a time when the network of English-Canadian "alternative theatres" was taking shape* » (p. 91). Cette section de l'ouvrage est un exemple saisissant du travail approfondi qu'a mené Ladouceur pour chaque période et chaque pièce analysée.

L'un des plus grands mérites de cet ouvrage est, sans aucun doute, la façon dont l'auteure traite le sujet de la traduction théâtrale. Elle réussit à examiner ce phénomène en allant bien plus loin que les méthodes et les approches prescriptives, celles qui proposent une manière « correcte » ou « appropriée » de traduire une pièce de théâtre ; elle s'intéresse aussi aux contraintes et aux normes discursives, politiques, culturelles et sociales de la traduction, plutôt qu'aux techniques du « bien traduire ».

À cet égard, il aurait peut-être été important que l'auteure développe un peu plus le début du troisième chapitre, « Translating for the Stage », dans lequel elle décrit les caractéristiques essentielles à la traduction de textes dramatiques. Certaines idées présentées reproduisent des clichés et des stéréotypes traditionnellement attribués à cette pratique, par exemple : « *Except for experimental performance that explores other functions of a text, it is of paramount importance that dialogue be natural and authentic* » (p. 38). De même, certaines références bibliographiques sur le sujet sont peut-être trop datées (tel est le cas de Susan Bassnett-McGuire et de son article « Ways Through the Labyrinth: Strategies and Methods for Translating Theatre Texts », publié en 1985. Il y a d'autres références plus actuelles (justement de Bassnett-McGuire), qui apportent des nuances à ces affirmations parfois trop dogmatiques.

Il est aussi un peu étonnant, en raison de la nature de cette étude, que le titre anglais de l'ouvrage ne reproduise pas la diglossie évidente du titre français (*Making the Scene: la traduction du théâtre d'une langue officielle à l'autre au Canada*), un choix qui n'est pas justifié en début d'ouvrage.

Malgré ces dernières remarques, la valeur de *Dramatic Licence* est incontestable. Il s'agit d'un texte incontournable pour toute personne qui s'intéresse à l'histoire du théâtre au Canada ainsi qu'à la traduction d'œuvres théâtrales. Dans la veine des travaux de Sherry Simon et d'Annie Brisset, cette étude enrichit les discours et les recherches portant sur la traduction de pièces de théâtre au Canada (et pourquoi pas, dans le monde occidental), grâce au parcours tout à fait remarquable de son auteure. Son expérience comme comédienne, traductrice et chercheure devient ici un atout.

Sans grandiloquence ni faux optimisme, le travail de Louise Ladouceur réussit à rendre plus cohérente cette métaphore du pont (« *bridge of sorts* ») qui unit les deux peuples fondateurs du Canada moderne, en démystifiant les idées reçues sur l'univers théâtral de ces deux cultures.

Andrea Pelegrí Kristić
Pontificia Universidad Católica de Chile
Université Paris Nanterre

Anne-Yvonne Julien (dir.), *Littératures québécoise et acadienne contemporaines au prisme de la ville*, avec la collaboration d'André Magord, Rennes, Presses universitaires de Rennes, 2014, 521 p.

L'ouvrage qui nous intéresse ici explore les visages de la ville dans les littératures minoritaires francophones au Canada de 1950 à 2010. Ce recueil de plus de 500 pages et rassemblant 36 contributeurs aurait pu constituer un véritable tour de force si, pour assurer sa cohérence et sa qualité, certains textes avaient été laissés de côté et leur classification mieux pensée. En l'état, nous avons affaire à une juxtaposition de textes de qualité très inégale et ne respectant pas toujours la thématique urbaine, *patchwork* rafistolé par des titres de sous-parties quelque peu nébuleux. Toutefois, les introductions des quatre sections qui composent le recueil, rédigées par Anne-Yvonne Julien, nous offrent un fil rouge salutaire et de bonne qualité, auxquelles s'ajoutent certains textes d'excellente facture.

La première partie de l'ouvrage, « Montréal en diachronie », est étrangement composée d'un seul texte de Lise Gauvin, repris d'un ouvrage de 2012. S'il propose un tour d'horizon assez complet des mises en scène et des utilisations successives de Montréal dans le roman urbain québécois, il se perd parfois dans des détails narratifs gratuits, quand il ne propose pas des raccourcis peu convaincants qui sacrifient l'analyse à une jolie formule.

La deuxième partie de l'ouvrage est intitulée « Pôles de valeurs en tension ». Dans la sous-partie « Le rural et l'urbain, nouveau mode d'emploi », Lucie Hotte s'interroge d'abord sur les caractéristiques de l'urbanité, telle qu'elle est exprimée chez France Daigle, Simone Chaput et Daniel Poliquin. S'y dessine une ville « constamment hantée par la ruralité » (p. 52). Jean-Philippe Warren s'intéresse aux positions du mouvement hippy montréalais par l'étude d'extraits – trop peu nombreux – de la revue *Mainmise*. Ce texte traite toutefois moins d'un rapport à l'urbain que d'un rapport à la société capitaliste en général. Enfin, Juliette M. Rogers, après un détour mal exploité par la géocritique et l'écocritique, révèle la constance d'une écriture géocentrée dans l'œuvre de Monique Proulx, indépendamment du cadre spatial.

Dans les deux premiers textes d'« Arythmies urbaines », on s'intéresse à Jacques Ferron : Gerardo Acerenza présente le regard que l'auteur porte sur la pauvreté linguistique de Montréal et de Moncton, tandis que Geneviève Chovrelat-Péchoux étudie plus précisément le visage de ces deux villes dans les *Roses sauvages*. Maurice Arpin dévoile, pour sa part, les différentes facettes de Québec sous la plume d'Anne Hébert, qui fait de la ville un espace rompant avec l'horizon d'attente aussi bien du lecteur que du personnage. Daniel Laforest s'attarde, après une introduction fort laborieuse, sur la place du périurbain dans la littérature québécoise. Il y voit un espace méritant un véritable regard littéraire, dépassant son traitement comme « décor stéréotypé de l'aliénation américaine » (p. 122). Enfin, Alex Demeulenaere revient sur le Montréal de *Nikolski*, ville postnationale, multilingue et multiculturelle, où vaquent les nomades et s'accumulent les déchets.

Dans la sous-partie « Capitales littéraires en rivalité », Ariane Brun del Re compare le statut littéraire de Moncton, d'Ottawa et de Sudbury. Les deux textes suivants portent sur une seule ville, respectivement Sudbury dans la poésie franco-ontarienne et Paris dans le roman québécois. Johanne Melançon retrace la mythification littéraire de Sudbury en s'appuyant sur les poèmes de Patrice Desbiens et de Robert Dickson. Carla van den Bergh dresse, quant à elle, une impressionnante typologie à partir de quatorze romans québécois représentant Paris, occasion tour à tour d'une expérience touristique, d'une critique satirique, d'un échec littéraire, ou encore d'une rédemption.

La troisième partie de l'ouvrage, beaucoup plus longue que les autres, s'intitule « Variations sur le lexique urbain ». Dans « Labyrinthes éclatés et lueurs d'apocalypse », Irène Oore étudie l'atmosphère sombre du *Sourd dans la ville* de Marie-Claire Blais, mettant en scène un milieu urbain aliénant où les personnages souffrent, solitaires, mais découvrent aussi une solidarité inattendue. Sophie Beaulé s'intéresse à onze nouvelles issues de deux numéros de la revue de science-fiction *Solaris*, l'un consacré à Montréal, l'autre à Québec. Si ces textes mettent en scène des tensions sociales, économiques, politiques et environnementales, ils illustrent aussi l'aspiration à un meilleur avenir urbain. Sarah-Anaïs Crevier-Goulet se livre à l'excellente étude de l'image du cimetière dans *Omaha Beach* de Catherine Mavrikakis. On regrettera toutefois que le lien avec l'urbain y soit quelque peu escamoté.

La deuxième sous-partie, « Prolifération des non-lieux », s'ouvre sur l'étude chez Lise Tremblay du passage de la tradition à la postmodernité de Chicoutimi, Montréal et Québec, caractérisée, selon Denisa-Adriana Oprea, par la prolifération des non-lieux, la folklorisation et la confrontation entre différents modes de vie. Louis Bélanger dresse le portrait de Montréal dans le roman de Jean-Simon Desrochers, *La canicule des pauvres*, à la lumière de l'individualisme et de la massification économique, entraînant pauvreté, superficialité et errance des personnages. Emmanuelle Tremblay propose enfin une lecture de *Ruelle Océan*, roman de Rachel Leclerc, où l'entremêlement entre quotidien urbain morbide et souvenir lyrique de l'arrière-pays permet « l'émergence d'une liberté », la ville constituant le « lieu de naissance du sujet à lui-même » (p. 263).

La troisième sous-partie, « La banalité réinventée », s'ouvre sur une étude de Petr Vurm sur les représentations de Montréal dans les romans de Réjean Ducharme, oscillant entre « présence de la ville réelle » et « ville générique » (p. 267). Stefania Cubeddu-Proux se penche sur le Québec de Jacques Poulin, centré sur le vieux quartier, cerclé de murs protecteurs mais ouvert à l'exploration des marges urbaines. Camille Deslauriers s'intéresse aux nouvelles du recueil *Insulaires* de Christiane Lahaie, où villes anglaises et personnages traversent des crises identitaires en miroir. Jonathan Lamy Beaupré étudie avec brio la déambulation et ses entraves urbaines chez trois poètes : José Acquelin, Renée Gagnon et Jean Sioui. Ici, « l'environnement urbain fait définitivement violence au corps » (p. 312).

Dans la sous-partie « Le lieu de mémoire générationnelle », Robert Proulx étudie une vingtaine de chansons du groupe Beau Dommage portant sur les multiples facettes de la ville de Montréal. Le texte de Larry Steele, s'intéressant à la quête d'un lieu d'appartenance dans les chansons de Lisa Leblanc et de Radio Radio, déçoit par son manque de pertinence tant interne qu'externe. L'excellente analyse d'Anne-Yvonne Julien de différents éléments de la scénographie urbaine de l'univers de Michel Tremblay dans les *Chroniques du Plateau Mont-Royal* relève le niveau de l'ensemble.

La dernière sous-partie, « Voies libres », ne comporte que deux travaux, portant sur l'œuvre de Nicole Brossard. Élodie Vignon est, selon nous, hors sujet quand elle s'intéresse au *Désert mauve*. Malgré la qualité de son analyse, elle ne traite pas de l'urbain. Dans le second texte, Mireille Calle-Gruber s'intéresse aux reflets des villes dans la prose poétique du *Sens apparent* et de *La capture du sombre*.

La quatrième et dernière partie de l'ouvrage, « Migrances : la ville désancrée », s'ouvre sur une étrange introduction : alors même que Julien dénonce, dans les appareils éditoriaux, l'accent mis sur l'itinéraire biographique des auteurs canadiens issus de l'immigration et leur classification subséquente dans la catégorie des récits de « migrants », elle propose elle-même une partie consacrée à ces auteurs, qu'elle juxtapose pêle-mêle au lieu d'intégrer certains de ces récits aux autres parties de l'ouvrage. Le texte de Jean Levasseur sur *La gare* de Sergio Kokis aurait, par exemple, relevé bien plus d'une réflexion sur le rural et l'urbain ou encore sur les non-lieux.

Dans « Mutations », Robert Viau étudie la parole migrante dans trois romans mettant tous en scène le quartier Côte-des-Neiges : *Côte-des-Neiges* d'Alice Parizeau, *Côte-des-Nègres* de Mauricio Segura et *La brûlerie* d'Émile Ollivier. Klaus-Dieter Ertler revient sur la mise en fiction de la ville dans le roman québécois, article général qui aurait pu figurer plus tôt dans l'ouvrage. Enfin, Régine Robin s'attarde sur l'écriture de sa *Québécoite* et sur ses expériences urbaines.

La deuxième sous-partie, « Vers des modulations structurelles et génériques inédites », s'ouvre sur un texte général d'Annette Hayward portant sur cinq romans néo-québécois. Elle y relève notamment la citadinité assumée des protagonistes et l'absence de mention de paradis campagnard perdu, comme dans le roman québécois traditionnel. Gabrielle Parker et Juliette Valcke s'intéressent toutes deux à Dany Laferrière. La première étudie *Chronique de la dérive douce* dans la perspective de l'apprentissage littéraire du personnage, qui se déroule au rythme de son acclimatation à Montréal. La seconde s'intéresse au rôle des sens dans l'appréhension du milieu urbain et dans l'expérience de l'exil, parsemée de souvenirs de Port-au-Prince. Dans un texte très bien construit, Pamela V. Sing utilise le concept de *mattering map* pour analyser *Espèces* de Ying Chen, en retraçant la carte sensuelle ébauchée par Madame A. qui, transformée en félin, renouvelle sa pratique de la ville. Enfin, Cécilia W. Francis illustre différentes situations transculturelles prenant place à Montréal par l'étude de trois textes d'Abla Farhoud, « où se télescopent espaces d'isolement et lieux d'éclatement de la solitude en vertu de la rencontre de l'autre » (p. 501).

Cette somme de textes, si elle s'écarte parfois du prisme de l'urbain, cache de véritables perles d'analyses littéraires, dévoilant une ville renouvelée, conflictuelle et solidaire, une ville de mémoires et de transformations que les auteurs ne cessent de mettre en scène. Et parce qu'elle assure un survol très complet des tendances et des questionnements de la littérature francophone minoritaire et urbaine au Canada aujourd'hui, nous recommandons sa lecture, au moins partielle, à tous.

Caroline Ramirez
Université d'Ottawa

Dean Louder, *Voyages et rencontres en Franco-Amérique*, Québec, Éditions du Septentrion, 2013, 257 p.

Dean Louder est un professeur de géographie à la retraite de l'Université Laval. Il est de ceux qui ont le plus influencé les travaux sur le fait français en Amérique du Nord. Et son influence s'exerce encore aujourd'hui, plus d'une décennie après la fin de sa carrière universitaire, car il continue toujours de parcourir le continent à la rencontre de francophones prêts à lui raconter leur histoire de vie, leur quotidien dans un milieu où le français est peu ou n'est plus parlé. À la suite de ces périples à la Kerouac, Dean Louder rassemble ses photographies, recueille des conversations et les publie pour le grand plaisir des spécialistes, des passionnés de l'Amérique française ou de la Franco-Amérique, comme se plaisent à l'appeler, depuis un certain temps, le principal intéressé et ses fidèles complices, tel Éric Waddell.

Avant même de présenter ma réflexion sur le dernier livre de Dean Louder, je me dois d'informer les lecteurs que l'auteur a joué un rôle important dans ma carrière. En effet, il a dirigé mon mémoire de maîtrise de 1991 à 1993. Il nous arrive d'échanger quelques courriels. Rien de cérébral. Malgré cela, je serai en mesure de prendre mes distances et d'offrir un regard neutre et honnête sur son dernier ouvrage.

Comme c'est généralement le cas dans les derniers livres de Dean Louder, la passion de ce dernier pour la Franco-Amérique est facilement palpable. Et le format de la collection « Hamac-Carnets » des Éditions du Septentrion semble avoir permis à l'auteur de l'exprimer davantage. Il y décrit, sur un ton personnel, intimiste, les communautés visitées, les gens rencontrés. À l'image du professeur et de l'homme, le ton n'est jamais condescendant. Au contraire, il est respectueux. En fait, le professeur ne parle de lui que pour décrire son itinéraire, en véhicule récréatif ou *RV*, lors de ses huit périples (dont un en avion) dans tous les recoins francophones du Canada et des États-Unis (sauf la Floride et Floribec, qu'il connaît pourtant fort bien), entre 2003 et 2010. Il ne s'agit pas là de ses premières excursions en milieux francophones hors Québec. Loin de là! Comme l'explique l'auteur au dernier chapitre, il a voué sa carrière à les découvrir comme chercheur. Lorsque l'auteur fait parler ses interlocuteurs, il les met en quelque sorte sur un piédestal ; il les admire. Il sait mettre en valeur l'histoire de leur communauté, de leur vécu, de leurs défis en tant que francophones en milieu minoritaire. Il s'agit aussi d'anciens amis de classe, de collègues, de membres de sa famille. Le recueil n'étant pas un ouvrage d'érudition, Louder peut se permettre d'être aussi démonstratif et personnel. Pour le lecteur, même pour l'universitaire que je suis, la lecture de ces pages est réconfortante, chaleureuse et, il va sans dire, instructive puisqu'on entre dans l'intimité des gens, des familles, dont la propre famille de l'auteur.

On est un peu surpris que Dean Louder ait placé à la toute fin, dans un épilogue, les pages dans lesquelles il fait un récit très ouvert de sa vie et, aussi, des origines de sa passion pour le fait français en Amérique du Nord. Si ce récit était apparu plus tôt dans le livre, on aurait peut-être lu les voyages de l'auteur avec un œil davantage admiratif. Par exemple, la religion occupe une place importante dans la vie de Louder. Elle est même largement responsable de son intérêt pour la langue française. Sa pratique de la religion est aussi étroitement liée aux valeurs familiales qui l'habitent. Répétons-le, ce choix de l'auteur de se raconter à la fin de l'ouvrage est un défaut bien mineur, mais il aurait été préférable de connaître d'abord l'homme, sa grande modestie, ses valeurs, etc. afin de nous offrir une perspective différente, plus riche, sur ce qui l'habite et le motive lors de ses périples.

Autre remarque sur ce qui pourrait indisposer certains lecteurs, surtout ceux qui vivent à l'extérieur du Québec (comme c'est le cas de celui qui écrit ces lignes) : Dean Louder exprime très ouvertement et sans aucune nuance sa vision politique du Québec. Qui plus est, il semble célébrer les accents et les expressions québécoises. Certes, le genre de l'ouvrage s'y prête parfaitement. Néanmoins, est-il nécessaire d'élever le Québec au rang de « pays » ? Je suis convaincu que cela n'a rien de « colonialiste » ou de condescendant. L'auteur est bien trop humble. Mais le Franco-Ontarien ou l'Acadien pourrait ressentir un certain malaise à lire un ouvrage dans lequel l'auteur expose sa vision politique du Québec, tout en exprimant sa passion pour l'Amérique française. On devine les raisons pour lesquelles Louder définit le Québec comme un pays. En fait, « l'école lavalloise » de géographie des années 1980 et 1990 a toujours vu le Québec comme le centre, le cœur, le défenseur de l'Amérique française. Pour ma part, je considère qu'il serait prudent de ne pas tomber dans le piège du québécocentrisme. Encore une fois, je suis convaincu que l'auteur n'a aucune mauvaise intention. Il n'exprime que de la passion, de l'affection, de l'admiration pour la langue et la culture françaises sur le continent, de même que pour ceux qui se battent pour leur survie.

Enfin, le livre compte de nombreuses photos, très belles et on ne peut plus révélatrices. On aurait apprécié qu'elles aient été titrées et, souvent, contextualisées. Ces photos jouent un rôle fort important puisqu'elles nous présentent non seulement les interlocuteurs de l'auteur, mais aussi leur milieu de vie. Elles nous transportent, nous emmènent avec Dean Louder, le Jack Kerouac québécois.

Bref, Dean Louder nous livre, avec succès et avec la plus grande humilité, sa passion, son admiration sans borne pour la Franco-Amérique. Cet ouvrage plaira à un très large public : le chercheur, l'étudiant, le public averti, le francophile et, oui, le *RVer*.

Rémy Tremblay
TÉLUQ, Université du Québec

Publications et thèses soutenues (2014)

Émilie LaFlèche
Université de Saint-Boniface

et Frances Ratelle
Université Waterloo

Les titres précédés d'un astérisque font l'objet d'une recension dans ce numéro.

LIVRES

ABBAL, Odon. *Grande Guerre et colonies : le cas guyanais*, Matoury, Ibis Rouge Éditions, 2014, 116 p., coll. « Espace outre-mer ».

ALEXANDRE, Alfred. *Aimé Césaire, la part intime*, Montréal, Mémoire d'encrier, 2014, 96 p., coll. « Cadastres ».

AQUIEN, Michèle (dir.). *L'érotisme solaire de René Depestre : éloge du réel merveilleux féminin*, postface de René Depestre, Paris, L'Harmattan, 2014, 140 p., coll. « Espaces littéraires ».

ARRIGHI, Laurence, et Matthieu LEBLANC (dir.). *La francophonie en Acadie : dynamiques sociales et langagières*, textes en hommage à Louise Péronnet, Sudbury, Éditions Prise de parole, 2014, 368 p., coll. « Agora ».

BARMAN, Jean. *French Canadians, Furs, and Indigenous Women in the Making of the Pacific Northwest*, Vancouver, University of British Columbia Press, 2014, 472 p.

BAZIÉ, Isaac, et Françoise NAUDILLON (dir.). *Femmes en francophonie : écritures et lectures du féminin dans les littératures francophones*, Montréal, Mémoire d'encrier, 2014, 202 p., coll. « Essai ».

BELFORT, Aline. *Du Touloulou au Tololo : le bal paré-masqué, son évolution*, Matoury, Ibis Rouge Éditions, 2014, 128 p., coll. « Espace outre-mer ».

BELLIVEAU, Joel. *Le « moment 68 » et la réinvention de l'Acadie*, Ottawa, Les Presses de l'Université d'Ottawa et le Centre de recherche en civilisation canadienne-française, 2014, 312 p., coll. « Amérique française ».

BERNIER, Marc André, Clorinda DONATO et Hans-Jürgen LÜSEBRINK (dir.). *Jesuit Accounts of the Colonial Americas: Intercultural Transfers, Intellectual Disputes, and Textualities*, Toronto, University of Toronto Press, 2014, 480 p., coll. « UCLA Clark Memorial Library Series ».

BLAISE, Mario. *Retour aux racines : un Haïtien au Bénin*, Paris, L'Harmattan, 2014, 152 p., coll. « Graveurs de Mémoire ».

BLÉRALD, Monique (dir.). *Léon-Gontran Damas : poète, écrivain patrimonial et post-colonial*, Matoury, Ibis Rouge Éditions, 2014, 386 p., coll. « Espace outre-mer ».

BOCK, Michel. *A Nation Beyond Borders: Lionel Groulx on French-Canadian Minorities*, traduit du français par Ferdinanda Van Gennip, Ottawa, Les Presses de l'Université d'Ottawa, [2004] 2014, 292 p.

BOEHRINGER, Monika. *Anthologie de la poésie des femmes en Acadie*, préface de Nicole Brossard, Moncton, Éditions Perce-Neige, 2014, 266 p., coll. « Poésie ».

BOISSERON, Bénédicte. *Creole Renegades: Rhetoric of Betrayal and Guilt in the Caribbean Diaspora*, Gainesville, University Press of Florida, 2014, 240 p.

BOUCHER, Pierre. *Histoire véritable et naturelle des mœurs et productions du pays de la Nouvelle-France vulgairement dite le Canada, 1664*, texte établi en français moderne par Pierre Benoit, Québec, Éditions du Septentrion, 2014, 240 p.

BOUDREAU, Jules. *Bâtisseurs de l'Acadie*, Tracadie-Sheila, Éditions La Grande Marée, 2014, 224 p.

BOUFFARD, Sophie, et Peter Dorrington (dir.). *Le statut du français dans l'Ouest canadien : la cause Caron*, Montréal, Éditions Yvon Blais, 2014, 268 p.

BOULANGER, Éric. *La plume au fourreau : culture de guerre et discours identitaire dans les textes poétiques canadiens du XVIIIe siècle, 1755-1776*, Québec, Les Presses de l'Université Laval, 2014, 302 p., coll. « L'archive littéraire du Québec ».

BOURGEOIS, Michel. *Haïti, mythe ou réalité : deux cents ans d'indépendance, 1804-2004*, Paris, L'Harmattan, 2014, 238 p.

BRETON, Yves. *Drôle de vie que voilà ! Pulsions*, Ottawa, Éditions du Vermillon, 2014, 120 p., coll. « Visages ».

BRITTON, Celia. *Language and Literary Form in French Caribbean Writing*, Liverpool, Liverpool University Press, 2014, 256 p., coll. « Contemporary French and Francophone Cultures ».

CAMPANELLA, Richard. *Bourbon Street: A History*, Baton Rouge, Louisiana State University Press, 2014, 416 p.

CARDINAL, Linda, Simon JOLIVET et Isabelle MATTE (dir.). *Le Québec et l'Irlande : culture, histoire, identité*, Québec, Éditions du Septentrion, 2014, 298 p.

CARRIÈRE, Marie, et Patricia DEMERS (dir.). *Regenerations: Canadian Women's Writing = Régénérations : écriture des femmes au Canada*, Edmonton, University of Alberta Press, 2014, 392 p.

CHALI, Jean-Georges, et Axel ARTHÉRON. *Vincent Placoly : un écrivain de la décolonisation*, Matoury, Ibis Rouge Éditions, 2014, 240 p., coll. « Espace outre-mer ».

CLARKE, Patrick D. (dir.). *Clio en Acadie : réflexions historiques*, Québec, Les Presses de l'Université Laval, 2014, 272 p.

COMEAU, Paul-Émile. *Acadian Driftwood: The Roots of Acadian and Cajun Music*, Kingston, Fox Music Books, 2014, 348 p.

COMEAU, Phil, Warren PERRIN et Mary BROUSSARD PERRIN (dir.). *L'Acadie hier et aujourd'hui : l'histoire d'un peuple*, Tracadie-Sheila, Éditions La Grande Marée, 2014, 528 p.

CROUCH, Christian Ayne. *Nobility Lost: French and Canadian Martial Cultures, Indians, and the End of New France*, Ithaca, Cornell University Press, 2014, 264 p.

CRUSE, Romain. *Une géographie populaire de la Caraïbe*, Montréal, Mémoire d'encrier, 2014, 592 p., coll. « Essai ».

DAUPHIN, Claude. *Histoire du style musical d'Haïti*, Montréal, Mémoire d'encrier, 2014, 376 p., coll. « Essai ».

DE BRUYN, Frans, et Shaun REGAN (dir.). *The Culture of the Seven Years' War: Empire, Identity, and the Arts in the Eighteenth-Century Atlantic World*, Toronto, University of Toronto Press, 2014, 372 p.

DENIS, Arthur. *Mémoires du Shérif de Champêtre County*, Regina, Éditions de la nouvelle plume, 2014, 260 p.

DESCHÊNES, Gaston, et Denis VAUGEOIS (dir.). *Vivre la Conquête : à travers plus de 25 parcours individuels*, t. II, en collaboration avec Raymonde Litalien et Jacques Mathieu, Québec, Éditions du Septentrion, 2014, 320 p.

DIDON, Max. *Histoire religieuse de la Guadeloupe au XXᵉ siècle : 1911-1970*, Paris, L'Harmattan, 2014, 316 p.

DOUAIRE-BANNY, Anne. *Remembrances : la nation en question ou l'autre continent de la francophonie*, Paris, Honoré Champion, 2014, 360 p., coll. « Bibliothèque de littérature générale et comparée ».

DOYON-GOSSELIN, Benoit, David BÉLANGER et Cassie BÉRARD. *Les institutions littéraires en question dans la Franco-Amérique*, Québec, Les Presses de l'Université Laval, 2014, 388 p., coll. « Culture française d'Amérique ».

ELIMORT, Cécilia. *L'expérience missionnaire et le fait colonial en Martinique (1760-1790)*, Matoury, Ibis Rouge Éditions, 2014, 260 p., coll. « Espace outre-mer ».

FAEDI DURAMY, Benedetta. *Gender and Violence in Haiti: Women's Path from Victims to Agents*, New Brunswick, Rutgers University Press, 2014, 188 p.

FANNING, Sara. *Caribbean Crossing: African Americans and the Haitian Emigration Movement*, New York, New York University Press, 2014, 192 p., coll. « Early American Places ».

FANON, Frantz. *Decolonizing Madness: The Psychiatric Writings of Frantz Fanon*, édité par Nigel C. Gibson, Londres, Palgrave Macmillan, 2014, 224 p.

FARINA, Annick, et Valeria ZOTTI (dir.). *La variation lexicale des français : dictionnaires, bases de données, corpus*, hommage à Claude Poirier, Paris, Honoré Champion, 2014, 368 p., coll. « Lexica : mots et dictionnaires ».

FERTEL, Rien. *Imagining the Creole City: The Rise of Literary Culture in Nineteenth-Century New Orleans*, Baton Rouge, Louisiana State University Press, 2014, 216 p.

FICK, Carolyn. *Haïti : naissance d'une nation*, traduit de l'anglais par Frantz Voltaire, Bécherel, Éditions Les Perséides, [1990] 2014, 512 p., coll. « Le Monde Atlantique ».

FUMAGALLI, Maria Cristina, Bénédicte LEDENT et Roberto DEL VALLE ALCALÁ (dir.). *The Cross-Dressed Caribbean: Writing, Politics, Sexualities*, Charlottesville, University of Virginia Press, 2014, 320 p., coll. « New World Studies ».

GAGNON, Louis. *Louis XV et le Canada, 1743-1763*, Québec, Éditions du Septentrion, 2014, 186 p.

GILBERT, Anne, *et al. La frontière au quotidien : expériences minoritaires à Ottawa-Gatineau*, Ottawa, Les Presses de l'Université d'Ottawa, 2014, 428 p., coll. « Politique et politiques publiques ».

GITHIRE, Njeri. *Cannibal Writes: Eating Others in Caribbean and Indian Ocean Women's Writing*, Champaign, University of Illinois Press, 2014, 264 p.

GOVAIN, Renauld. *Les emprunts du créole haïtien à l'anglais et à l'espagnol*, Paris, L'Harmattan, 2014, 462 p.

GUYOT, Philippe. *Soldats guyanais prisonniers de l'armée allemande : Grande Guerre, 1914-1918*, Matoury, Ibis Rouge Éditions, 2014, 64 p., coll. « Histoire et patrimoine des outre-mer ».

GUYOT, Philippe, et Léopold CHAMPESTING. *Sinnamary, 1914-1918 : les soldats sinnamariens de la Grande Guerre*, Matoury, Ibis Rouge Éditions, 2014, 96 p., coll. « Histoire et patrimoine des outre-mer ».

GUYOT, Philippe, Marie-Céline GARDIENNET et Léopold CHAMPESTING. *Guyane, 1914-1918 : une colonie et ses soldats dans la Grande Guerre*, Matoury, Ibis Rouge Éditions, 2014, 348 p., coll. « Espace outre-mer ».

HAENTJENS, Brigitte. *Un regard qui te fracasse : propos sur le théâtre et la mise en scène*, Montréal, Éditions du Boréal, 2014, 224 p.

HÉBER-SUFFRIN, Pierre. *Un marin, un Martiniquais, notre grand-père*, Paris, L'Harmattan, 2014, 182 p., coll. « Histoire de vie et formation ».

HIDDLESTON, Jane. *Decolonising the Intellectual: Politics, Culture, and Humanism at the End of the French Empire*, Liverpool, Liverpool University Press, 2014, 288 p., coll. « Contemporary French and Francophone Cultures ».

JEAN-CHARLES, Régine Michelle. *Conflict Bodies: The Politics of Rape Representation in the Francophone Imaginary*, Columbus, Ohio State University Press, 2014, 320 p., coll. « Transoceanic Studies ».

JOEGODSON DÉRALCINÉ, Vilmond, et Paul JACKSON. *Rocks in the Water, Rocks in the Sun: A Memoir from the Heart of Haiti*, Edmonton, Athabasca University Press, 2014, 340 p., coll. « Our Lives: Diary, Memoir, and Letters ».

JOUBERT, Claire, et Émilienne L. BANETH-NOUILHETAS. *Le postcolonial comparé : anglophonie, francophonie*, Saint Denis, Presses universitaires de Vincennes, 2014, 290 p., coll. « Littérature Hors Frontière ».

*JULIEN, Anne-Yvonne (dir.). *Littératures québécoise et acadienne contemporaines au prisme de la ville*, avec la collaboration d'André Magord, Rennes, Presses universitaires de Rennes, 2014, 521 p.

KAISARY, Philip James. *The Haitian Revolution in the Literary Imagination: Radical Horizons, Conservative Constraints*, Charlottesville, University of Virginia Press, 2014, 256 p., coll. « New World Studies ».

KENNEDY, Gregory M. W. *Something of a Peasant Paradise? Comparing Rural Societies in Acadie and the Loudunais, 1604-1755*, Montréal, McGill-Queen's University Press, 2014, 288 p.

KING, Rosamund S. *Island Bodies: Transgressive Sexualities in the Caribbean Imagination*, Gainesville, University Press of Florida, 2014, 272 p.

LACASSE, Danièle, et Bruce HODGINS. *Le père Paradis, missionnaire colonisateur*, Québec, Les Presses de l'Université Laval, 2014, 290 p.

LAGUERRE, Claire-Emmanuelle. *Événements traumatiques à la Martinique : les vivre et les surmonter*, Paris, L'Harmattan, 2014, 132 p., coll. « Transversalité ».

LANDRY, Nicolas. *Un collège classique en Acadie du Nouveau-Brunswick : le Sacré-Cœur de Caraquet-Bathurst, 1899-1975*, Lévis, Éditions de la Francophonie, 2014, 404 p.

LANDRY, Nicolas, et Nicole LANG. *Histoire de l'Acadie*, 2ᵉ éd., Québec, Éditions du Septentrion, 2014, 472 p.

LANDRY, Rodrigue (dir.). *La vie dans une langue officielle minoritaire au Canada*, Québec, Les Presses de l'Université Laval, 2014, 346 p., coll. « Langues officielles et sociétés ».

LE GLAUNEC, Jean-Pierre. *L'armée indigène : la défaite de Napoléon en Haïti*, Montréal, Lux éditeur, 2014, 288 p., coll. « Mémoire des Amériques ».

LE MENESTREL, Sara. *Negotiating Difference in French Louisiana Music: Categories, Stereotypes, and Identifications*, Jackson, University Press of Mississippi, 2014, 400 p., coll. « American Made Music Series ».

LE PELLETIER, Catherine. *Littérature et société : la Guyane*, Matoury, Ibis Rouge Éditions, 2014, 348 p., coll. « Espace outre-mer ».

Le Traité de Paris de 1763 en bref, introduction de Sophie Imbeault, collaboration de Denis Vaugeois, Québec, Éditions du Septentrion, 2014, 157 p.

LÉVEILLÉ, J. R. *Sondes*, Saint-Boniface, Éditions du Blé, 2014, 244 p.

MACKENZIE, Nadine. *Couples pionniers de l'Ouest canadien*, Saint-Boniface, Éditions des Plaines, 2014, 112 p.

MACKENZIE, Nadine. *Du sang bleu dans l'ouest du Canada : de Whitewood, en Saskatchewan, à Trochu, en Alberta, 1885-1914*, Regina, Éditions de la nouvelle plume, 2014, 179 p.

MARTINEZ-SAN MIGUEL, Yolanda. *Coloniality of Diasporas: Rethinking Intra-Colonial Migrations in a Pan-Caribbean Context*, Londres, Palgrave Macmillan, 2014, 292 p., coll. « New Caribbean Studies ».

MARY, Sylvain. *Le gaullisme d'opposition aux Antilles et en Guyane : le RPF sous l'œil de Jacques Foccart*, préface de Bernard Lachaise, Paris, L'Harmattan, 2014, 252 p., coll. « Chemins de la Mémoire ».

MAURICE, Edenz. *Les enseignants et la politisation de la Guyane (1946-1970) : l'émergence de la gauche guyanaise*, Matoury, Ibis Rouge Éditions, 2014, 160 p., coll. « Espace outre-mer ».

MOODY, Barry. *A History of Annapolis Royal: A Town with a Memory*, vol. 2 : *1749-2005*, Halifax, Nimbus Publishing, 2014, 400 p.

MOREAU, Anne-Claire. *Peuples, guerres et religions dans l'Amérique du Nord coloniale*, Paris, L'Harmattan, 2014, 220 p., coll. « Religions et spiritualité ».

MUNRO, Martin. *Writing on the Fault Line: Haitian Literature and the Earthquake of 2010*, Liverpool, Liverpool University Press, 2014, 288 p., coll. « Contemporary French and Francophone Cultures ».

MURPHY, Lucy Eldersveld. *Great Lakes Creoles: A French-Indian Community on the Northern Borderlands, Prairie du Chien, 1750-1860*, Cambridge, Cambridge University Press, 2014, 326 p., coll. « Studies in North American Indian History ».

NESTER, William R. *The French and Indian War and the Conquest of New France*, Norman, University of Oklahoma Press, 2014, 400 p.

NUISSIER, Errol. *Les violences dans les sociétés créoles*, Lamentin (Martinique), Caraïbéditions, 2014, 246 p.

ONEBANE, Donna McGee. *The House that Sugarcane Built: The Louisiana Burguières*, Jackson, University Press of Mississippi, 2014, 288 p.

PAPEN, Robert A., et Sandrine HALLION (dir.). *À l'ouest des Grands Lacs : communautés francophones et variétés de français dans les Prairies et en Colombie-Britannique*, Québec, Les Presses de l'Université Laval, 2014, 314 p., coll. « Les voies du français ».

PAUL, Jean Herold. *La négritude à la limite : esthétique et politique dans la Caraïbe*, Paris, L'Harmattan, 2014, 168 p., coll. « Perspectives transculturelles ».

PEARSON, Timothy G. *Becoming Holy in Early Canada*, Montréal, McGill-Queen's University Press, 2014, 320 p., coll. « Studies in the History of Religion ».

PILOTE, Annie (dir.). *Francophones et citoyens du monde : éducation, identités et engagement*, Québec, Les Presses de l'Université Laval, 2014, 292 p.

POULLET, Hector. *Éléments pour un dictionnaire historique des langues créoles*, Lamentin (Martinique), Caraïbéditions, 2014, 190 p.

POWERS, David M. *From Plantation to Paradise? Cultural Politics and Musical Theatre in French Slave Colonies, 1764-1789*, East Lansing, Michigan State University Press, 2014, 272 p.

RADISSON, Pierre-Esprit. *Pierre-Esprit Radisson: The Collected Writings*, vol. 2 : *The Port Nelson Relations, Miscellaneous Writings, and Related Documents*, édité par Germaine Warkentin, Montréal, McGill-Queen's University Press, 2014, 324 p.

RADOVIĆ, Stanka. *Locating the Destitute: Space and Identity in Caribbean Fiction*, Charlottesville, University of Virginia Press, 2014, 240 p., coll. « New World Studies ».

* REMYSEN, Wim (dir.). *Les français d'ici : du discours d'autorité à la description des normes et des usages*, Québec, Les Presses de l'Université Laval, 2014, 344 p., coll. « Les voies du français ».

RUDIN, Ronald. *L'Acadie entre le souvenir et l'oubli : un historien sur les chemins de la mémoire collective, traduit de l'anglais par Daniel Poliquin*, Montréal, Éditions du Boréal, [2009] 2014, 448 p.

SAINT-PIERRE, Annette. *Jean Riel, fils de Louis Riel : sous une mauvaise étoile*, Saint-Boniface, Éditions du Blé, 2014, 298 p.

SCOTT, Rebecca J., et Jean M. HÉBRARD. *Freedom Papers: An Atlantic Odyssey in the Age of Emancipation*, Cambridge, Harvard University Press, 2014, 288 p.

SHIELDS, Tanya L. *Bodies and Bones: Feminist Rehearsal and Imagining Caribbean Belonging*, Charlottesville, University of Virginia Press, 2014, 248 p., coll. « New World Studies ».

SIMARD, Jean-François, et Abdoul Echraf OUEDRAOGO (dir.). *Une francophonie en quête de sens : retour sur le premier Forum mondial de la langue française*, avec la collaboration de Michel Doucet et Gérard Lemoine, préface de Michaëlle Jean, Québec, Les Presses de l'Université Laval ; Chaire Senghor de la francophonie, Université du Québec en Outaouais, 2014, 442 p.

SMITH, Elmer. *Un Franco-Ontarien parmi tant d'autres : métissage culturel, souveraineté, Église et foi en Dieu*, Ottawa, Les Éditions L'Interligne, 2014, 128 p., coll. « Amarres ».

SMITH, F. Todd. *Louisiana and the Gulf South Frontier, 1500-1821*, Baton Rouge, Louisiana State University Press, 2014, 360 p.

THIBODEAU, Serge Patrice. *Tante Blanche : biographie de Marguerite Blanche Thibodeau, 1738-1810*, Moncton, Éditions Perce-Neige, 2014, 64 p.

THIFAULT, Marie-Claude, et Henri DORVIL (dir.). *Désinstitutionnalisation psychiatrique en Acadie, en Ontario francophone et au Québec, 1930-2013*, Québec, Presses de l'Université du Québec, 2014, 216 p., coll. « Problèmes sociaux et interventions sociales ».

TOUFIK, El Hadj-Moussa. *Personnages illustres du Canada*, Saint-Boniface, Éditions des Plaines, 2014, 66 p.

TRANI, Lionel. *La Martinique napoléonienne, 1802-1809 : entre ségrégation, esclavage et intégration*, préface de Bernard Gainot, Paris, Éditions S.P.M., 2014, 420 p.

VACHON, André-Carl. *Les déportations des Acadiens et leur arrivée au Québec, 1755-1775*, Tracadie-Sheila, Éditions La Grande Marée, 2014, 250 p.

VANBORRE, Emmanuelle Anne (dir.). *Haïti après le tremblement de terre : la forme, le rôle et le pouvoir de l'écriture*, New York, Peter Lang, 2014, 157 p., coll. « Currents in Comparative Romance Languages and Literatures ».

VASTEY, baron de. *The Colonial System Unveiled*, traduit et édité par Chris Bongie, Liverpool, Liverpool University Press, [1814] 2014, 340 p.

VERDOL, Philippe. *Du chlordécone comme arme chimique française en Guadeloupe et en Martinique et de ses effets en Europe et dans le monde : plainte et demande de réparations*, Paris, L'Harmattan, 2014, 214 p.

VIALA, Fabienne. *The Post-Columbus Syndrome: Identities, Cultural Nationalism, and Commemorations in the Caribbean*, Londres, Palgrave Macmillan, 2014, 296 p., coll. « New Caribbean Studies ».

VINET, Michèle (auteure-conseil). *Pour se raconter I : souvenirs d'enfance*, Ottawa, Éditions David, 2014, 242 p.

ZONZON, Jacqueline. *Les résistances à l'esclavage en Guyane XVIIe-XIXe siècles*, Matoury, Ibis Rouge Éditions, 2014, 96 p., coll. « Le jeune historien guyanais ».

ZONZON, Jacqueline, *et al*. *La Guyane et la Grande Guerre, 1914-1918*, Matoury, Ibis Rouge Éditions, 2014, 64 p., coll. « Le jeune historien guyanais ».

THÈSES

ABORD-BABIN, Julien. *La judiciarisation des revendications acadiennes en santé au Nouveau-Brunswick : une étude du groupe Égalité santé en français*, thèse de maîtrise, Ottawa, Université d'Ottawa, 2014.

ALLEN, Jarette K. *I'ay recours a vous : An Historical and Discursive Analysis of the* Lettres Circulaires des Décédées *of the Ursuline Order in Old and New France during the Louisiana French Colonial Period*, thèse de maîtrise, Baton Rouge, Louisiana State University, 2014.

AMANOUA, Koffi Prosper. *Langue et identité dans les milieux populaires québécois et antillais*, thèse de maîtrise, Lafayette, University of Louisiana at Lafayette, 2014.

AMEZIANE, Ibtissem Sebai. *La poétique de l'espace dans l'œuvre d'Édouard Glissant : la Martinique, un vaisseau fantôme*, thèse de doctorat, Pessac, Université Michel de Montaigne Bordeaux 3, 2014.

ANNOUS, Rana. *Les perceptions et les besoins en santé dentaire chez des femmes francophones en situation minoritaire vivant dans un contexte de vulnérabilité sociale à Ottawa*, thèse de maîtrise, Ottawa, Université d'Ottawa, 2014.

ASSA ASSA, Syntyche. *Migrations et quêtes de l'identité chez quatre romancières francophones : Malika Mokeddem, Fawzia Zouari, Gisèle Pineau et Maryse Condé*, thèse de doctorat, Montpellier, Université Paul Valéry – Montpellier III, 2014.

ATRAN-FRESCO, Laura. *Les Cadiens au présent : revendications identitaires d'une population francophone en situation minoritaire*, thèse de doctorat, Paris, Université de la Sorbonne Paris 3 ; Lafayette, University of Louisiana at Lafayette, 2014.

AZARRE, Wilfrid. *L'accompagnement pédagogique des enseignants du premier et du deuxième cycles de l'*école fondamentale en Haïti, mémoire de maîtrise, Québec, Université Laval, 2014.

BARDURY, Daniel Georges. *Prépositions et cognition en créole martiniquais*, thèse de doctorat, Schoelcher, Université des Antilles et de la Guyane, 2014.

BELLEMARE, Annie. *Le rapport à l'identité chez les jeunes des écoles francophones de l'Ontario*, thèse de maîtrise, Toronto, Université de Toronto, 2014.

BERTHELETTE, Scott. « Frères et Enfants du même Père » : *French-Indigenous Alliance and Diplomacy in the* Petit Nord *and Northern Great Plains, 1731-1743*, thèse de maîtrise, Winnipeg, Université du Manitoba et Université de Winnipeg, 2014.

BEZAZ, Hazouz. *Les radios communautaires acadiennes : entre technologie de l'information et de la communication et transmission de la culture acadienne*, mémoire de maîtrise, Montréal, Université du Québec à Montréal, 2014.

BOSPHORE-PÉROU, Rolande. *Militants et militantisme communiste à la Martinique, 1920-1970 : identification, formes et implication*, thèse de doctorat, Schoelcher, Université des Antilles et de la Guyane, 2014.

BOUDREAU, Lyne Chantal. *Comprendre le leadership des directions d'écoles en milieu minoritaire francophone : leadership, formation et créativité*, thèse de doctorat, Moncton, Université de Moncton, 2014.

BOUDREAU, Marie-Laure. *Chanter en français en Louisiane : du passé vers le futur*, thèse de maîtrise, Lafayette, University of Louisiana at Lafayette, 2014.

BROCK, Beau. *Language Attitudes towards Canadian French and English, 1691-1902: The Emergence of the Canadian Voices*, thèse de doctorat, Toronto, University of Toronto, 2014.

CHERAMIE, Soliska. *Un aperçu des opinions au sujet de la langue et la culture cadiennes dans le sud de la paroisse Lafourche*, thèse de maîtrise, Lafayette, University of Louisiana at Lafayette, 2014.

CRAINIC, Corina. *Le marron dans les œuvres de Simone Schwarz-Bart, d'Édouard Glissant et de Patrick Chamoiseau : figurations américaines postcoloniales dans la littérature antillaise contemporaine*, thèse de doctorat, Moncton, Université de Moncton, 2014.

DAUTRUCHE, Joseph Ronald. *Culture, patrimoine et tourisme en Haïti : construction et dynamique de reconstruction d'une destination touristique*, thèse de doctorat, Québec, Université Laval, 2014.

DE LIRA E SILVA, Taciana. *Perceptions and Attitudes of a Group of Grade 4 Students from an Anglophone Community while Communicating with Their Peers from a Francophone Community*, thèse de maîtrise, Kingston, Queen's University, 2014.

DIAGNE, Khady Fall. *Le marronage de l'exil, essai d'une esthétique négro-africaine contemporaine : des précurseurs francophones à Alain Mabanckou et Fatou Diome*, thèse de doctorat, Valenciennes, Université de Valenciennes et du Hainaut-Cambrésis, 2014.

DOAN, Jessamyn. *Allons a Lafayette (Let's Go to Lafayette): The Intersection of Heritage and Tourism in Southwest Louisiana's Cajun Music*, thèse de doctorat, Philadelphia, University of Pennsylvania, 2014.

DORCIN, Marc Emmanuel. *De l'effectivité du droit d'auteur par la mise en œuvre du statut juridique de l'artiste et la gestion collective : une appréciation du cas haïtien*, mémoire de maîtrise, Québec, Université Laval, 2014.

FORGET, Francine L. *Étude du processus d'acculturation lors d'une rencontre interculturelle entre des Congolais et des Canadiens catholiques dans la région d'Ottawa-Gatineau*, thèse de maîtrise, Ottawa, Université d'Ottawa, 2014.

FOUCHER, Maxime. *La France, la race, les colonies : une analyse historiographique en trois temps*, mémoire de maîtrise, Montréal, Université de Montréal, 2014.

GANI, Raphaël. *Comment résumeriez-vous l'histoire de votre pays ? Enquête auprès de Canadiens, d'Américains, de Britanniques et de Français (2011)*, mémoire de maîtrise, Québec, Université de Laval, 2014.

GASPARD, Helaina. *Two « Official » Languages of Work: Explaining the Persistence of Inequitable Access to French as a Language of Work in the Canadian Federal Public Service*, thèse de doctorat, Ottawa, Université d'Ottawa, 2014.

GÉLINAS PROULX, Andréanne. *Modèles hypothétiques de la compétence et d'une formation interculturelles pour des directions et futures directions d'école de langue française au Canada*, thèse de doctorat, Ottawa, Université d'Ottawa, 2014.

GIMENEZ, Priscila Renata. *Feuilletons dramatiques et transferts culturels franco-brésiliens au XIXᵉ siècle : enjeux d'une édition de la « Semaine Lyrique » de Martins Pena*, thèse de doctorat, Montpellier, Université Paul Valéry – Montpellier III, 2014.

GLENN, Brittany Austin. *A Sentient History: Sensory Memory in Women's Literature of the Caribbean Diaspora*, thèse de maîtrise, Vancouver, University of British Columbia, 2014.

HARDY, Marie. *Le monde du café à la Martinique du* début du *XVIIIᵉ siècle aux années 1860*, thèse de doctorat, Schoelcher, Université des Antilles et de la Guyane, 2014.

HOUDE, Isabelle. *Clair-obscur suivi de « Cette vie mystérieuse des mots » : la grammaire de la création chez Gabrielle Roy*, mémoire de maîtrise, Québec, Université Laval, 2014.

HUTCHINS, Jessica. *Inscrutable Islands: Narrative Difficulty and the Rhetoric of Creolization in Twentieth-Century Caribbean Novels*, thèse de doctorat, St. Louis, Washington University, 2014.

KAMANO, Lamine. *La diversité ethnoculturelle au sein de l'école francophone du Nouveau-Brunswick : croyances et pratiques pédagogiques du personnel enseignant*, thèse de doctorat, Moncton, Université de Moncton, 2014.

KENNELLY, Nicole Marie. *Historic Preservation in Lafayette, Louisiana*, thèse de maîtrise, Lafayette, University of Louisiana at Lafayette, 2014.

KENNY, Annie. *La construction identitaire professionnelle des stagiaires en formation à l'enseignement en contexte de la francophonie acadienne et minoritaire*, thèse de doctorat, Moncton, Université de Moncton, 2014.

LESUEUR, Juliette. *La séparation des Églises et de l'État et la laïcité en Outre-Mer : approche historique et perspectives contemporaines, spécialement d'après l'exemple de la Guyane française*, mémoire de maîtrise, Paris, Université Paris 2 Panthéon-Assas, 2014.

MAATOUK, Ziad. *Le fonctionnement en communauté d'apprentissage professionnelle dans six écoles de langue française au Canada : conditions d'implantation*, thèse de maîtrise, Ottawa, Université d'Ottawa, 2014.

MARTELLY, Stéphane. *Les jeux du dissemblable : folie, marge et féminin en littérature haïtienne contemporaine*, thèse de doctorat, Montréal, Université de Montréal, 2014.

MASSOLOU, Ida Sandrine. *Le rôle de la couleur de la peau dans le roman contemporain antillais et d'Afrique noire subsaharienne francophone*, thèse de doctorat, Limoges, Université de Limoges, 2014.

MATHIEU, Hérold. *La grossesse survenue à l'adolescence chez les jeunes femmes vivant dans un camp d'hébergement suite au séisme du 12 janvier 2010 en Haïti*, mémoire de maîtrise, Montréal, Université du Québec à Montréal, 2014.

McLaughlin, Gilbert. *Imaginaires collectifs : le récit du mythe du Grand Dérangement dans l'imaginaire acadien*, thèse de maîtrise, Ottawa, Université d'Ottawa, 2014.

Messi Bekamenga, Evard Gregoire. *L'immersion française en Ontario : problématique de l'acquisition de la morphologie dans un espace anglophone*, thèse de maîtrise, Ottawa, Université Carleton, 2014.

Mezdour, Amina. *Le rôle des facteurs environnementaux dans la migration internationale : étude de cas des immigrants haïtiens au Canada*, thèse de maîtrise, Ottawa, Université d'Ottawa, 2014.

Mislie, Pierre. *Développement local comme stratégie de lutte contre la pauvreté : le cas du Programme de développement de zone implanté par World Vision en Haïti*, thèse de maîtrise, Montréal, Université de Montréal, 2014.

Olavarria Turner, Marcela. *Acculturation, Discrimination and Religiosity as Predictors of Sexual Experience and Sexual Knowledge among Haitian-Canadian, Franco-Ontarian and Anglo-Canadian Emerging Adults*, thèse de maîtrise, Ottawa, Université d'Ottawa, 2014.

Padgett, Madeline. *Louisiana French Open-access Repository for Culture and Education: Opportunities and Challenges in Creating an Online Archive*, thèse de doctorat, Lafayette, University of Louisiana at Lafayette, 2014.

Parent, Jean-François. *L'adaptation et l'intégration des migrants acadiens du nord du Nouveau-Brunswick en milieu urbain : étude des cas de Moncton et de Frédéricton*, thèse de maîtrise, Ottawa, Université d'Ottawa, 2014.

Paul, Lucie Carmel. *Partir marron : un parcours sémantique à travers les trous de la mémoire collective haïtienne*, thèse de doctorat, New York, City University of New York, 2014.

Pierre-Val, Erick. *L'expérience vécue par les mères haïtiennes vivant à Port-au-Prince ayant donné leur enfant en adoption internationale*, mémoire de maîtrise, Montréal, Université de Montréal, 2014.

Polygone, Melle Lyvia. *Caribéanisation(s) du modèle defoesque : le cas de La Isla de Róbinson d'Arturo Uslar Pietri et de l'Empreinte à Crusoé de Patrick Chamoiseau*, thèse de maîtrise, Schoelcher, Université des Antilles et de la Guyane, 2014.

Preveraud, Thomas. *Circulations mathématiques franco-américaines (1818-1878)*, thèse de doctorat, Nantes, Université de Nantes, 2014.

REYES, Michael. *The Gravity of Revolution: The Legacy of Anticolonial Discourse in Postcolonial Haitian Writing, 1804-1934*, thèse de doctorat, Ithaca, Cornell University, 2014.

RICHARDS, Mary E. *Carrefour discursif : les jeunes issus de l'immigration et l'école franco-ontarienne*, thèse de doctorat, Toronto, University of Toronto, 2014.

ROCHEMAN, Jean Milus. *L'adoption intrafamiliale réalisée en Haïti par des Haïtiens québécois vivant à Montréal*, mémoire de maîtrise, Montréal, Université de Montréal, 2014.

RODRIGUEZ, Catalina. *Une citoyenneté de proximité : le cas des immigrants haïtiens installés à Québec*, mémoire de maîtrise, Québec, Université Laval, 2014.

SABOURIN, Vicki. *Évaluation du processus utilisé pour recruter les infirmières autorisées à l'Hôpital Montfort : une étude de cas*, thèse de maîtrise, Ottawa, Université d'Ottawa, 2014.

SAINT-LOUIS, Jessie Marie Michèle. *La situation des citoyens haïtiens parrainés au Québec après le séisme du 12 janvier 2010 en Haïti : une étude exploratoire des expériences migratoires*, mémoire de maîtrise, Montréal, Université de Montréal, 2014.

SKLATE, Maria Soledad. *Embodied Resistance: Re-siting the Body in Francophone Caribbean Literature*, thèse de doctorat, New York, New York University, 2014.

SMITHERMAN, Hannah Joy. *Mais, you talk like me? /ju ɔral/: Kindergarteners' use of five Cajun English Phonological Features*, thèse de maîtrise, Baton Rouge, Louisiana State University, 2014.

TALBOT, Robert. *Moving Beyond Two Solitudes: Constructing a Dynamic and Unifying Francophone/Anglophone Relationship, 1916-1940*, thèse de doctorat, Ottawa, Université d'Ottawa, 2014.

TENDING, Marie-Laure. *Parcours migratoires et constructions identitaires en contextes francophones : une lecture sociolinguistique du processus d'intégration de migrants africains en France et en Acadie du Nouveau-Brunswick*, thèse de doctorat, Tours, Université François-Rabelais de Tours ; Moncton, Université de Moncton, 2014.

THÉRIAULT, Gisèle D. *La tradition orale des pêcheurs de homards de Meteghan, Nouvelle-Écosse*, thèse de doctorat, Lafayette, University of Louisiana at Lafayette, 2014.

VILLA CORREA, Beatriz Estella. *Les enjeux socio-économiques de l'enseignement plurilingue en milieu rural en Colombie : le cas de l'Oriente d'Antioquia*, thèse de doctorat, Grenoble, Université de Grenoble, 2014.

VINCENT, Jean Windsor. *Représentations sociales de la réussite / échec scolaire d'élèves haïtiens arrivés à l'école secondaire québécoise après le séisme en Haïti le 12 janvier 2010, ainsi que celles d'enseignants et de directions d'école*, thèse de doctorat, Montréal, Université du Québec à Montréal, 2014.

Résumés / Abstracts

Jimmy Thibeault

La prise de parole poétique de la longue décennie 1970 : une trace de la franco-américanité

Ce texte aborde le discours poétique d'affirmation identitaire qui se met en place en Acadie et en Ontario français au cours des années 1970 et 1980, à travers le prisme de la franco-américanité. Au lendemain de la Révolution tranquille québécoise et de l'éclatement du Canada français tel qu'on le connaissait jusque-là, on constate une volonté des artistes acadiens et franco-ontariens d'affirmer leur identité. Cette volonté est particulièrement présente en poésie, un genre qui contribuera largement à donner une nouvelle profondeur sémiotique à la région à laquelle se rattachent les auteurs. Si chacun a son identité propre, un regard sur l'ensemble de leurs textes permet de relever certaines similitudes dans le processus d'affirmation tel qu'il se produit en Acadie et en Ontario français. C'est à partir de ces ressemblances que Jimmy Thibeault s'interroge sur la possible réactualisation d'un Canada français, non plus envisagé dans un esprit national, mais comme une pluralité de voix porteuses d'une certaine franco-américanité.

Through the lens of francophone experience understood as a North American phenomenon, the author examines the affirmative poetic discourse of identity which developed in Acadia and francophone Ontario during the 1970s and 1980s. In the aftermath of Quebec's Quiet Revolution and the dissolution of French Canada, such as it had existed until that point, one observes a marked desire on the part of Acadian and Franco-Ontarian artists to assert the defining features of their respective identities. This tendency was particularly pronounced in the case of poetry, which contributed significantly to the development of new semiotic depth in each of the two regions. While it is true that the exploration of identity in its local specificity was the order of the day, a global perspective allows one to detect certain similarities in the process by which identity was affirmed in Acadia and francophone Ontario. It is on the basis of these similarities that Jimmy Thibeault ponders the potential rehabilitation of a certain French Canada—no longer that of the French-Canadian people, but rather French Canada as a plurality of voices bearing the signs of Franco-Americanity.

Élise LEPAGE

« Coïncidence secrète » : les premiers recueils d'Andrée Lacelle, d'Hélène Dorion et de Dyane Léger

Cet article propose une analyse comparée des premières œuvres d'Andrée Lacelle (Ontario), d'Hélène Dorion (Québec) et de Dyane Léger (Acadie). Dès l'entrée dans la modernité des littératures acadienne et franco-ontarienne, ces auteures de premier plan se sont inscrites dans ce courant. On montre que les lectures critiques qui ont longtemps existé se sont focalisées, en Acadie et en Ontario, sur les thèmes de l'appartenance identitaire et culturelle et sur l'institutionnalisation de ces nouvelles littératures. Au Québec, l'écriture féministe de la longue décennie 1970 est traitée comme une veine littéraire distincte, tantôt placée à la proue, tantôt à la poupe des avant-gardes littéraires de l'époque. Or les œuvres de Lacelle, de Dorion et de Léger ne coïncident avec aucune de ces lectures. De façon paradoxale, elles ont été chaleureusement accueillies dès leur publication, même si la critique de l'époque était incapable de produire un discours en mesure de leur rendre justice. En raison de la longévité de leurs œuvres, il importe de revenir à ces premiers recueils pour faire émerger un discours critique qui souligne leurs convergences esthétiques, en se penchant sur le rapport au temps, au désir ainsi que sur la posture lyrique adoptée.

In this article, Élise Lepage compares the first collections of poetry of Andrée Lacelle (Ontario), Hélène Dorion (Québec) and Dyane Léger (Acadie). These female writers of foremost importance played a decisive role in the entry of Acadian and Franco-Ontarian literature into modernity. The author demonstrates that the critical readings that prevailed for a long time in Acadie and Ontario focused on themes such as identity and cultural belonging, as well as the institutionalization of these new literatures. In Québec, feminist writing during the long decade of the 1970s was perceived as a distinct literary vein, placed either in the forefront or in the background of the literary avant-garde of the time. However, the poetry of Lacelle, Dorion and Léger does not coincide with any of these critical readings. Rather paradoxically, the early works of the authors received a warm reception at the time of their publication, despite the fact that critics did not yet have the conceptual framework needed to fully understand their novelty. Now that the works of these three writers span many years, it is important to look back on these first collections in order to forge a critical approach that demonstrates their aesthetic convergences through an examination of their respective relation to time and desire, as well as the lyrical posture adopted by each of the three poets.

Lise GABOURY-DIALLO

Évolution de la poésie contemporaine du Manitoba français (1970-1985) : Paul Savoie, J. R. Léveillé et Charles Leblanc

Cet essai propose une étude de l'œuvre de trois poètes qui ont occupé l'avant-scène littéraire du Manitoba français pendant la « longue décennie » 1970. En publiant leurs premiers recueils de poésie au cours de ces années, Paul Savoie, Joseph Roger Louis (J. R.) Léveillé et Charles Leblanc deviennent les fers de lance d'une littérature franco-canadienne différente et *autre*. Résolument tournés vers l'avenir, ces trois auteurs optent pour la modernité à une époque où le Manitoba français subit de profondes mutations, tant politiques que socioculturelles.

This study focuses on the work of three poets who were very active at the forefront of the Franco-Manitoban literary scene during the « long decade » of 1970. When they published their first collections of poetry during these years, Paul Savoie, Joseph Roger Louis (J.R.) Léveillé and Charles Leblanc placed themselves at the avant-garde of a different, other Franco-Canadian literature. Looking towards the future, these three authors opted for modernity at a time when French Manitoba was undergoing profound changes, both at the political and sociocultural levels.

Thierry BISSONNETTE

Court-circuitages dionysiaques de la filiation, stérilisation imaginaire et bébés jetés avec l'eau du bain : malaise dans la contre-culture québécoise

La mouvance contre-culturelle québécoise, en affichant un rejet de la figure paternelle et du passé, fait ressortir certaines apories typiques de la modernité. Cet article examine le difficile rapport à la durée et à la transmission qui caractérise plusieurs œuvres emblématiques en poésie, en particulier celles de Claude Péloquin et de Lucien Francoeur. Dans ces dernières, on voit se profiler un repli progressif vers la transgression instituée, un déclin du présent créateur vers l'image passée de la création personnelle, ce qui amène ces écrivains à remettre en question leur pratique d'écriture et leur statut, et à ressentir un malaise face à leurs successeurs. Ayant maudit la fonction paternelle, ces poètes éprouvent naturellement de la difficulté à devenir eux-mêmes des pères, à manier le capital symbolique acquis précédemment. Par contraste, on pourrait dégager une éthique de la transmission du refus grâce à laquelle, sans renier la phase d'opposition virulente, il s'agirait de retrouver un sens à la « famille », littéraire autant qu'humaine.

Québec's counter-culture current includes a latent rejection of the father figure and of the past in general, underlining persistent aporetical patterns typical of modernity. This article examines the problematic relationship with time and transmission that characterizes many emblematic works in the field of poetry, notably those of Claude Péloquin and Lucien Francoeur. Through the works of these two artists, we can observe a retreat toward reflexive transgression, a decline from the creative present toward an image of one's past creation, which leads these writers to professional dissatisfaction and insecurity regarding their place in history, as well as a deep unease with respect to potential successors. Having cursed the paternal function, these poets tend to encounter difficulties becoming fathers themselves, and handling the symbolic capital they had previously managed to accumulate. By contrast, one can posit an ethic of refusal's transmission, through which the cultural agents could, without denying the phase of radical opposition, give back meaning to a literary, human « family ».

Michael Brophy

Vers une poéthique acadienne : l'exemple d'Herménégilde Chiasson

Voulant préciser la portée existentielle de la notion de « poétique », Jean-Claude Pinson déclare : « Il ne s'agit plus tant que la vie soit, par la littérature, mieux connue ; il s'agit qu'elle soit "mieux" *vécue.* » Autrement dit, comment la poésie peut-elle influer sur la réalité vécue, voire changer celle-ci en *vraie vie* (Rimbaud) ? C'est sous cet angle que Michael Brophy examinera l'émergence de la poésie acadienne comme action et pratique au cours des années 1970. Cependant, pour tester l'hypothèse de la « longue décennie », il faudrait aussi en déterminer les limites. À cet égard, il privilégiera l'œuvre d'Herménégilde Chiasson, œuvre *de longue haleine*, qui accompagnera l'éclosion de nouvelles voix poétiques dans les décennies suivantes, alors que, dès la première parution en 1974, elle pose la question de la fin ainsi que celle du séjour, de l'*ethos*, de l'être de finitude : *Mourir à Scoudouc*. Ce titre, qui insiste sur le travail du négatif, est déjà incontestablement prospectif plutôt que rétrospectif, le choix du toponyme ne servant qu'à faire valoir par homophonie l'interrogatif « où ? » qui s'y joue en filigrane.

Seeking to clarify the existential import of the notion of « poetics », Jean-Claude Pinson declares: « It is no longer so much a question of life being better known through literature, but rather of being "better" lived. » In other words, how can poetry influence lived reality and even transform it into true life (Rimbaud)? It is from this angle that Michael Brophy will examine the emergence of Acadian poetry as action and practice in the course of the 1970s. However, in order to test the hypothesis of the "long decade", its limits must also be determined. In this respect, he will feature the work of Herménégilde Chiasson, a far-reaching body of work that will accompany the advent of new poetic voices in the following decades, but that begins in 1974 by exploring the question of the end as well as matters of habitation, of ethos, of being framed by finitude: Mourir à Scoudouc. *This title, which focuses on the work of the negative, is, from the outset, indisputably prospective rather than retrospective, the choice of toponym promoting through homophony the play of the interrogative « où ? ».*

Julia Hains

La production poétique en milieu minoritaire sous le signe de la concomitance : le cas de J. R. Léveillé

Au tournant des années 1970, on observe chez plusieurs écrivains francophones de l'Ouest du Canada une poésie tournée vers sa propre spécificité, engagée dans des problématiques d'ordre formel et qui a tendance à se dégager des questions sociales et politiques. C'est notamment le cas de l'œuvre poétique de J. R. Léveillé, qui demande *a priori* à être lue pour sa valeur intrinsèque, refusant d'emblée les lectures référentielles. Dans le présent article, nous verrons toutefois que le recours à certaines stratégies déployées dans les textes poétiques de cet auteur est symptomatique d'une tension observable dans les littératures francophones du Canada entre les prétentions universalistes de l'œuvre et la condition de minoritaire qui lui est inféodée et qui se négocie ici par l'entremise de l'exercice que nous appelons « concomitance ».

In the early 1970s, many Western Canadian francophone writers embraced a self-reflexive poetry that tackled form-related issues, with a tendency to steer away from social and political considerations. Such are J.R. Léveillé's poetic works, which would initially appear to dismiss referential approaches and require being read in light of their intrinsic value. However, it is shown in the present article that the author's strategies for his poetic texts are characteristic of a tension observed within francophone literatures in Canada, which can be faced with the following dilemma: on the one hand, a given work's universalist claim, and on the other, the condition of minority to which it is subordinated, the latter being negotiated via a process we call « concomitance ».

Mathieu Charron

Les communautés francophones en situation minoritaire : un portrait de famille

Les francophones du Canada vivent dans des environnements linguistiques diversifiés et doivent donc composer avec des contraintes et des conditions spécifiques. Ces particularités impliquent une variété de situations et proscrivent l'application d'un projet unique de développement des communautés. L'article propose une classification des communautés francophones qui tient compte des nombreuses réalités vécues. S'appuyant sur les données du recensement, une typologie de sept catégories est proposée : communautés traditionnelles, diversifiées, assimilées, volatiles, globales, cosmopolites et anglophones. Les spécificités statistiques et les distributions géographiques de chacune des catégories y sont présentées.

Francophones in Canada live in diverse linguistic environments and therefore have to cope with specific constraints and opportunities. These features imply a variety of situations and prohibit the application of a one-size-fits-all community development project. This paper proposes a classification of Francophone communities summarizing the many realities experienced.

Based on census data, a typology of seven categories is proposed: traditional, diversified, assimilated, volatile, global, cosmopolitan and Anglophone communities. The statistical specificities and geographical distributions of each category are presented in this classification.

Notices biobibliographiques

Laurence ARRIGHI est professeure agrégée de linguistique et codirectrice du Centre de recherche en linguistique appliquée de l'Université de Moncton. Dans ses recherches les plus récentes, elle analyse de façon critique les discours savants sur le français parlé en Acadie. Elle cherche à mettre au jour la façon dont s'est construit le savoir sur le sujet. Elle a récemment codirigé deux ouvrages collectifs : en 2013, en collaboration avec Catherine Léger, Matthieu LeBlanc et Isabelle Violette, « Usages, discours et idéologies linguistiques dans la francophonie canadienne : perspectives sociolinguistiques » (*Revue de l'Université de Moncton*, vol. 44, n° 2) et, en 2014, en collaboration avec Matthieu LeBlanc, *Dynamiques linguistiques et dynamiques sociales dans l'espace acadien* (Éditions Prise de parole).

Joel BELLIVEAU est professeur agrégé au Département d'histoire de l'Université Laurentienne. Ses travaux portent sur l'histoire intellectuelle, culturelle et politique des minorités nationales en Amérique du Nord contemporaine. Sa première monographie, intitulée *Le « moment 1968 » et la réinvention de l'Acadie,* est parue aux Presses de l'Université d'Ottawa en 2014.

Thierry BISSONNETTE est professeur agrégé à l'Université Laurentienne (Sudbury), où il enseigne la littérature québécoise et la création littéraire. Ses principaux travaux portent sur la poésie contemporaine et sur l'œuvre de Claude Gauvreau, alors que ses recherches plus récentes s'orientent vers les poétiques de la négation et du néant. En 2006, il a supervisé la réédition des premiers cycles de poèmes d'Alexis Lefrançois, sous le titre *L'œuf à la noix, poèmes et petites choses* (Éditions Nota bene), puis, en 2009, une anthologie poétique d'Yves Préfontaine intitulée *Terre d'alerte* (Éditions Typo). Sous l'hétéronyme Thierry Dimanche, il est l'auteur de neuf recueils de poésie, dont les plus récents sont *Théologie hebdo* (Les Éditions de l'Hexagone) et *Le milieu de partout* (Éditions Prise de parole).

Michael Brophy, professeur à University College Dublin, est spécialiste de poésie moderne et contemporaine. Il est l'auteur de *Eugène Guillevic* (Rodopi, 1993) et de *Voies vers l'autre : Dupin, Bonnefoy, Noël, Guillevic* (Rodopi, 1997). Il a dirigé le volume *Guillevic : la poésie à la lumière du quotidien* (Peter Lang, 2009) ainsi que les actes du colloque de Cerisy, *Guillevic maintenant* (Champion, 2011). Il a coédité les collectifs *Sens et présence du sujet poétique : la poésie de la France et du monde francophone depuis 1980* (Rodopi, 2006) et *La migrance à l'œuvre : repérages esthétiques, éthiques et politiques* (Peter Lang, 2011). Un nouveau collectif a paru récemment sous sa direction : *Ineffacer : l'œuvre et ses fins : esthétiques et poétiques des XXe et XXIe siècles* (Hermann, 2015).

Mathieu Charron est professeur-chercheur au Département des sciences sociales de l'Université du Québec en Outaouais. Spécialisé en géographie sociale quantitative, il a travaillé plusieurs années à Statistique Canada, notamment à la section des statistiques linguistiques. Il s'intéresse principalement à la mesure statistique des communautés pour mieux comprendre les environnements sociaux, économiques et linguistiques dans lesquels vivent les Canadiens et les Canadiennes.

Emir Delic est professeur au Département d'études françaises de l'Université Sainte-Anne, où il prend plaisir à partager avec ses étudiants sa passion pour les lettres françaises. Il s'intéresse aux théories littéraires et culturelles comme aux enjeux institutionnels, éthiques et esthétiques des écritures minoritaires. Centrés sur les littératures de la francophonie canadienne (Québec, Ontario, Acadie, Ouest canadien), ses projets de recherche actuels portent, plus précisément, sur les figurations du sujet minoritaire, surtout en lien avec la problématique du temps. Il a participé à divers colloques au Canada et à l'étranger et a collaboré à plusieurs ouvrages collectifs ainsi qu'à des revues savantes. Il fait partie, depuis l'été 2014, du comité éditorial de *The Literary Encyclopedia* à titre de responsable du domaine des littératures québécoise et canadiennes-françaises. Parmi ses projets en cours figure un ouvrage collectif qu'il codirige avec Julie Delorme et qui porte sur les altérations des frontières dans et par la littérature.

Lise Gaboury-Diallo, professeure au Département d'études françaises, de langues et de littératures de l'Université de Saint-Boniface (Manitoba), se spécialise dans les littératures de la Francophonie, notamment celles du Québec et du Canada français. Elle est membre du bureau de direction du Centre d'études franco-canadiennes de l'Ouest et elle siège au comité de rédaction des *Cahiers franco-canadiens de l'Ouest* depuis plusieurs années. Elle participe à la publication de plusieurs ouvrages : *La littérature au féminin, une anthologie de textes choisis du Moyen Âge au temps présent* (Éditions Mondia, 1995), avec Carol Harvey ; *À la recherche de la mer de l'Ouest, mémoires choisis de La Vérendrye* (Éditions du Blé, 2001), avec Denis Combet, Constance Cartmill, Emmanuel Hérique et Alan MacDonell ; *Mémoires de Gabriel Dumont Memoirs* (Éditions du Blé, 2006), avec Denis Combet ; et *Plaisir du texte, texte de plaisir : l'œuvre de J. R. Léveillé* (Presses universitaires de Saint-Boniface, 2007), avec Rosmarin Heidenreich et Jean Valenti.

Karine Gauvin est professeure adjointe de linguistique au Département d'études françaises de l'Université de Moncton. Elle a terminé en 2011 sa thèse de doctorat portant sur le phénomène linguistique que constitue l'application du vocabulaire de la marine au domaine terrestre dans les français acadien et québécois. Elle travaille actuellement sur le discours métalexicographique des glossaires et des dictionnaires acadiens.

Après des études en langues et littératures romanes, en littérature allemande et en littérature comparée, **Hans-Jürgen** Greif obtient un doctorat en littérature italienne. En 1969, il accepte un poste à l'Université Laval, où il enseigne pendant trente-cinq ans les littératures française, québécoise et allemande (surtout le XIXe siècle). En novembre 2007, il est nommé professeur émérite. En mars 2015, le gouvernement français lui confère le titre de chevalier de l'Ordre des palmes académiques. Il a reçu, entre autres distinctions, deux fois le Prix de Québec et des Bibliothèques de Québec. Il est l'auteur de nombreux articles et ses critiques littéraires sont publiées dans des revues savantes. Il a fait paraître, autant en allemand qu'en français, des essais, des romans, des recueils de nouvelles. Plusieurs de ses livres et de ses textes ont été traduits.

Julia Hains prépare un doctorat en études littéraires à l'Université Laval. Membre étudiante du Centre de recherche interuniversitaire sur la littérature et la culture québécoises (CRILCQ), elle s'intéresse aux réalités et aux enjeux des littératures francophones du Canada. Ses recherches portent plus particulièrement sur l'expression de la concomitance dans les œuvres de J. R. Léveillé, Andrée Christensen, Serge Patrice Thibodeau et Suzanne Jacob.

Originaire de Saint-Boniface, à Winnipeg, **Émilie L**a**F**lèche est actuellement étudiante à la maîtrise, en histoire, à l'Université de Toronto. Elle a obtenu son baccalauréat ès arts en histoire à l'Université de Winnipeg en 2015. Elle s'intéresse à l'histoire sociale dans le contexte canadien, et tout particulièrement à l'histoire des femmes et à leur relation à l'environnement urbain. Elle a travaillé comme assistante de recherche à l'Université de Saint-Boniface dans le cadre de projets historiques et contemporains concernant les francophones du Manitoba. Elle travaille à la revue *Francophonies d'Amérique* à titre d'assistante à la rédaction depuis l'automne 2015. La recension des publications et des thèses soutenues paraissant dans le présent numéro constitue sa première publication.

Marcel La**jeunesse** est professeur associé à l'École de bibliothéconomie et des sciences de l'information de l'Université de Montréal, où il a été professeur de 1970 à 2006. Il a été directeur de cette école de 1987 à 1994 et vice-doyen de la Faculté des arts et des sciences de 1994 à 2002. Il a publié de nombreux articles dans les domaines de l'histoire du livre et des bibliothèques, des aspects comparés et internationaux de l'information et des bibliothèques de l'enseignement supérieur. Il est l'auteur des ouvrages suivants : *Les Sulpiciens et la vie culturelle à Montréal au XIXᵉ siècle* (Éditions Fides, 1982), *Lecture publique et culture au Québec, XIXᵉ et XXᵉ siècles* (Presses de l'Université du Québec, 2004) et coauteur, avec Carol Couture, de *Législations et politiques archivistiques dans le monde* (Documentor, 1993) et *L'archivistique à l'ère du numérique : les éléments fondamentaux de la discipline* (Presses de l'Université du Québec, 2014).

Thierry La**pointe** est professeur agrégé de sciences politiques à l'Université de Saint-Boniface. Ses recherches portent principalement sur la théorisation du changement social des dynamiques de conflit et de coopération au sein du système mondial. Il a notamment publié le fruit de ses recherches dans les revues *Cambridge Review of International Affairs, International Political Sociology, Cultures et Conflits, Études internationales* et les *Cahiers de recherches sociologiques*. Il a également participé à la corédaction de deux chapitres de l'ouvrage *Théories des relations internationales : contestations et résistances* paru chez Athéna éditions en 2010 (2ᵉ éd. revue et augmentée).

Élise LEPAGE est professeure adjointe en littérature québécoise à l'Université de Waterloo. Ses travaux portent sur l'imaginaire géographique et le paysage en littérature québécoise contemporaine, notamment en poésie. Elle est l'auteure d'une vingtaine d'articles ou de chapitres d'ouvrages sur la littérature québécoise et celles de la francophonie canadienne. Parmi ses publications les plus récentes se trouvent un numéro de la revue *Temps zéro* : « Cadrages contemporains sur les paysages des littératures francophones du Canada » (2015), qu'elle a dirigé, ainsi que la monographie *Géographie des confins : espace et écriture chez Pierre Morency, Pierre Nepveu et Louis Hamelin* (Éditions David, 2016). Elle travaille actuellement à un projet de recherche intitulé « Du pays au paysage : la poésie québécoise en perspective depuis 1950 » (Conseil de recherches en sciences humaines du Canada 2016-2018).

François OUELLET est professeur titulaire de littérature à l'Université du Québec à Chicoutimi, où il est titulaire d'une Chaire de recherche du Canada sur le roman moderne. Il est directeur de la collection « Sillage » aux Éditions Nota bene et membre du conseil d'administration du Conseil international d'études francophones (CIEF). Dernières publications : *Grandeurs et misères de l'écrivain national : Victor-Lévy Beaulieu et Jacques Ferron* (Éditions Nota bene, 2014), *Romans exhumés (1910-1960) : contribution à l'histoire littéraire du vingtième siècle* (codirection avec Bruno Curatolo et Paul Renard, Éditions universitaires de Dijon, 2014), *Journalisme et littérature dans la gauche des années 1930* (codirection avec Anne Mathieu, Presses universitaires de Rennes, 2014).

Robert A. PAPEN est professeur titulaire à la retraite du Département de linguistique de l'Université du Québec à Montréal. À l'origine spécialiste des créoles de l'océan Indien, il s'est intéressé pendant de nombreuses années à la culture et aux langues des Métis de l'Ouest canadien et du Canada en général. Il a également étudié les parlers français des Prairies canadiennes, les variétés de français aux États-Unis (Louisiane, Minnesota, Dakota du Nord) ainsi que la question de la norme orale du français au Canada.

Andrea PELEGRÍ KRISTIĆ est titulaire d'une maîtrise en études théâtrales du Département de théâtre de l'Université d'Ottawa. Elle est actuellement doctorante et chargée de cours à la *Pontificia Universidad Católica de Chile*. En 2006, elle a fondé, avec l'acteur Mauricio Quevedo, la compagnie *Tiatro*, qui a gagné plusieurs prix en 2006 et en 2008. Comédienne, elle travaille également comme professeure et traductrice pigiste dans plusieurs théâtres de Santiago. Elle a déjà publié des traductions et des articles dans des revues savantes au Chili et au Canada, et elle dirige actuellement la revue savante *Apuntes de Teatro* de l'Université pontificale catholique du Chili. Elle est membre du groupe de travail « Traduction, adaptation et dramaturgie » à la Fédération internationale pour la recherche théâtrale (FIRT).

Caroline RAMIREZ a obtenu un doctorat en géographie de l'Université d'Ottawa. Sa thèse, centrée sur l'ancien quartier canadien-français de la Basse-Ville Est d'Ottawa, porte sur le rôle des souvenirs dans la création et le maintien des territoires et les raisons de l'absence de prise en compte, au sein de la politique patrimoniale de la capitale nationale, de la mémoire communautaire inscrite, entre autres, dans les œuvres littéraires locales.

Frances RATELLE a obtenu un baccalauréat en études françaises de l'Université de Waterloo en 2014. Elle a été assistante à la rédaction de *Francophonies d'Amérique* en 2013 et 2014. La recension des publications et des thèses soutenues paraissant dans le présent numéro constitue sa deuxième publication. Elle vit actuellement à Montréal.

Jimmy THIBEAULT est professeur agrégé au Département d'études françaises de l'Université Sainte-Anne où il est titulaire de la Chaire de recherche du Canada en études acadiennes et francophones. Ses travaux portent sur la représentation des enjeux identitaires, individuels et collectifs dans les espaces culturels francophones du Canada. Il s'intéresse également aux transferts culturels en contexte de migration, de continentalité et de mondialisation. En 2015, il a fait paraître *Des identités mouvantes : se définir dans le contexte de la mondialisation* (Éditions Nota bene, prix Gabrielle-Roy 2015), un ouvrage qui aborde ces problématiques. Il a publié de nombreux articles savants et chapitres d'ouvrages collectifs. Il a aussi codirigé des dossiers thématiques de revue ainsi qu'un ouvrage intitulé *Au-delà de l'exiguïté : échos et convergences dans les littératures minoritaires* (Éditions Perce-Neige, 2016).

Rémy TREMBLAY est professeur de géographie à la TÉLUQ, Université du Québec, depuis 2005. Cette même année, il a été nommé titulaire de la Chaire de recherche du Canada junior sur la qualité de vie des villes du savoir. Ses travaux portent essentiellement sur les représentations spatiales (espace de vie et espace vécu) individuelles et sociales. Il a publié des textes sur la perception que se font les « talents » (travailleurs hautement qualifiés) de la ville nord-américaine idéale de même que sur la quête d'une vie meilleure menée par les touristes et les migrants québécois dans le sud-est de la Floride (Floribec).

Politique éditoriale

Francophonies d'Amérique est une revue pluridisplinaire dans le domaine des sciences humaines et des sciences sociales. Elle paraît deux fois l'an. La direction de la revue favorise non seulement la représentation équitable des diverses disciplines, mais elle encourage également les croisements disciplinaires. L'Ontario, l'Acadie, l'Ouest canadien, les États-Unis et les Antilles (Haïti, Martinique, Guadeloupe) y sont représentés. Le Québec peut aussi y être conçu comme un objet d'étude dans son histoire et sa présence continentales. Les diverses facettes de la vie française dans ces régions font l'objet d'analyses et d'études à la fois savantes et accessibles à un public qui s'intéresse aux « parlants français » en Amérique du Nord. On y retrouve aussi des comptes rendus et une bibliographie des publications récentes en langue française issues de ces collectivités. La direction de la revue privilégie la représentation des régions tant par les textes que par les auteurs et encourage les études comparatives et les perspectives d'ensemble. *Francophonies d'Amérique* vise à refléter un secteur de recherche en pleine croissance et constitue ainsi une source de renseignements des plus utiles pour quiconque s'intéresse à la francophonie nord-américaine dans toute sa vitalité.

Procédure d'évaluation des articles

Tous les articles soumis à la revue, y compris les textes sollicités par la direction, les membres du conseil d'administration ou du comité de rédaction, doivent faire l'objet d'une évaluation par au moins deux personnes compétentes. La revue fera appel le plus souvent possible aux membres du comité de rédaction pour assurer l'évaluation des textes. La sollicitation d'un article ou d'un compte rendu n'en signifie donc pas l'acceptation automatique.

Francophonies d'Amérique ne publie que des articles inédits, c'est-à-dire qui n'ont fait l'objet d'aucune publication antérieure, sous quelque forme que ce soit, incluant le site Web de l'auteur, celui du centre de recherche ou celui de l'institution à laquelle il est rattaché.

Numéros thématiques – textes choisis de colloques

Francophonies d'Amérique accueille volontiers des articles provenant de colloques portant sur des sujets pertinents. Un seul numéro par année est normalement consacré à ce type de publication.

La préparation des textes est confiée au responsable du numéro thématique. Tous les articles doivent être remis en un seul dossier, en format Word. La présentation du numéro par le responsable scientifique et les notices biobibliographiques (100 mots) des collaborateurs et des collaboratrices ainsi que les résumés (en français et en anglais) des articles (100 mots) doivent être compris dans le dossier remis à la direction de la revue. Les textes doivent être conformes aux normes et au protocole de rédaction de la revue.

Les manuscrits doivent faire l'objet d'une évaluation normale par les pairs.

En consultation avec les coordonnateurs des différents dossiers, la direction de *Francophonies d'Amérique* est responsable du choix final des articles, et elle avisera les auteurs de sa décision.

Nombre de pages

Les numéros de *Francophonies d'Amérique* comptent au maximum 200 pages, incluant la table des matières, l'introduction, les articles, les comptes rendus, les notices biobibliographiques et les pages se rapportant à la revue.

Longueur des articles

Les textes soumis pour publication comptent entre 15 et 20 pages, à interligne double. Les tableaux, les graphiques et les illustrations doivent être limités à l'essentiel ; chaque numéro comprend au maximum 26 tableaux et illustrations.

Présentation des articles

La revue utilise le système de renvoi à l'intérieur du texte, suivi d'une bibliographie des ouvrages cités. Les notes doivent être réduites au minimum, et seules celles qui sont essentielles à la cohésion et à la compréhension de l'article seront publiées. De même, la revue ne publiera que la bibliographie des ouvrages cités.

Présentation des comptes rendus

Les comptes rendus comprennent la référence complète de l'ouvrage recensé en guise de titre, suivie du nom de l'auteur du compte rendu ainsi que ses coordonnées complètes. Nombre de mots : entre 1 000 et 1 200.

Protocole de rédaction

Le protocole de rédaction est disponible dans le site Web de la revue, à l'adresse suivante : [http://francophoniesdamerique.uottawa.ca/protocole-redaction.html].

Accès libre aux articles

Un an après la parution de son article en format imprimé et électronique dans le portail Érudit, l'auteur qui le désire pourra diffuser librement son article après en avoir obtenu l'autorisation de *Francophonies d'Amérique* et en s'assurant que la source de l'article est clairement indiquée.

Bureau des abonnements
CRCCF

Université d'Ottawa
65, rue Université, pièce 040
Ottawa (Ontario) K1N 6N5
CANADA

Att. : Martin Roy
Roy.Martin@uottawa.ca

ABONNEMENT À LA VERSION IMPRIMÉE | NUMÉROS 40 ET 41

Canada (TPS comprise)

Étudiant/retraité	☐	**30 $**
Individu	☐	**40 $**
Institution	☐	**110 $**

À l'étranger (frais d'envoi compris)

Étudiant/retraité	☐	**40 $ CAN**
Individu	☐	**55 $ CAN**
Institution	☐	**140 $ CAN**

TARIFS À L'UNITÉ | Numéro désiré _____

Canada (TPS comprise)

Étudiant/retraité	☐	**20 $**
Individu	☐	**25 $**
Institution	☐	**60 $**

À l'étranger (frais d'envoi compris)

Étudiant/retraité	☐	**28 $ CAN**
Individu	☐	**33 $ CAN**
Institution	☐	**70 $ CAN**

Nom : _____ Prénom : _____

Organisme : _____

Adresse : _____ Ville : _____

Province : _____ Code postal : _____

Téléphone : _____ Courriel : _____

Veuillez retourner une copie de ce formulaire d'abonnement et votre chèque libellé au nom de l'Université d'Ottawa à l'adresse suivante :

Martin Roy
Centre de recherche en civilisation canadienne-française
Université d'Ottawa
65, rue Université, pièce 040
Ottawa (Ontario) K1N 6N5
CANADA

ABONNEMENT À LA VERSION NUMÉRIQUE

Pour les abonnements à la version numérique, les institutions, les consortiums et les agences d'abonnements doivent communiquer avec Érudit :
Tél. : 514 343-6111, poste 5500 | client@erudit.org

Achevé d'imprimer en avril 2017
sur les presses de l'imprimerie Gauvin,
Gatineau, Québec